МИХАИЛ МАРТ

СКВОЗЬ ТУСКЛОЕ СТЕКЛО

Роман

Москва
АСТ–Астрель
ВКТ Владимир

УДК 821.161.1-312.4
ББК 84(2Рос=Рус)6-44
М29

Оформление и дизайн обложки:
Михаил Март

Март, Михаил

М29   Сквозь тусклое стекло: роман / Михаил Март. – М.:
Астрель: АСТ; Владимир: ВКТ, 2010. – 350, [2] с.

ISBN 978-5-17-066381-1 (ООО «Издательство АСТ»)
ISBN 978-5-271-27454-1 (ООО «Издательство Астрель»)
ISBN 978-5-226-02197-8 (ВКТ)

Открытие самого грандиозного отеля в стране — событие неординарное. Собрались иностранные гости, бомонд столицы, самые из самых, нужные из нужных. Меры безопасности — исключительные. Не помогло.

Совершено дерзкое преступление. К делу подключили лучших сыщиков. Условие простое: никто ничего не должен знать. На карте престиж страны. Полковник Кулешов взялся за дело. Но в этот момент у всех под носом совершается второе преступление, по дерзости не уступающее первому. Скандал неизбежен! Народ продолжает веселиться. Преступники среди приглашенных. Как их распознать? Никто из здания не выходил. Допросы и следственные действия исключены. С такой задачей может справиться только Бог или гений. Нужна зацепка. На помощь Кулешову приходит репортер светской хроники Скуратов.

На поиски преступников отпущено три дня! Вывернись наизнанку, но найди!

УДК 821.161.1-312.4
ББК 84(2Рос=Рус)6-44

ISBN 978-5-17-066381-1 (ООО «Издательство АСТ»)
ISBN 978-5-271-27454-1 (ООО «Издательство Астрель»)
ISBN 978-5-226-02197-8 (ВКТ)

Наваждение

Глава 1

1

Открытие отеля «Континенталь» стало событием международного значения. На презентацию пригласили мировых звезд, лучших моделей, весь цвет бизнеса, науки и культуры со всего мира. Событие освещало телевидение и корреспонденты центральных и светских изданий. По замыслу владельцев отеля праздник должен затмить своей звездностью и роскошью «Оскар» и Каннский фестиваль вместе взятые. Отель того стоил. Он получил статус пяти звезд и был рассчитан только на элитную публику, способную платить по тридцать тысяч долларов в сутки за самые скромные апартаменты. Стоит добавить, «скромных» номеров в шикарном дворце насчитывалось около двухсот, остальные оценивались намного выше. Трудно себе представить, во что обошлась светская вечеринка. Конечно, для определенного круга людей не было секретом, где брались такие деньги. Один билет на презентацию стоил пятьдесят тысяч долларов.

И люди платили. Те, кто дорожил своим имиджем и репутацией. Были и такие, кто получал деньги за свое присутствие, а не платил. В первую очередь это теледивы и суперзвезды Голливуда. Им престиж не нужен. Не секрет, что даже на российские кинофестивали суперзвезды приезжают за деньги, а уж на презентации отелей, пусть самых шикарных в мире, их калачом не заманишь. К третьей категории гостей относились потенциальные клиенты. Те иностранцы, которые бывают в России и вкладывают в нее деньги. Они могли себе позволить жить в апартаментах любой ценовой категории, но их надо уговорить. Как? Лучше один раз увидеть, чем сто раз услышать. Страшно подумать, сколько денег потрачено на рекламу в самых престижных глянцевых журналах по всему миру, развернутую за год до открытия отеля. К этому можно добавить беспрецедентные меры безопасности, принятые владельцами. Кроме бесчисленного количества камер видеонаблюдения и сотрудников внутренней охраны, здесь сосредоточились все службы правопорядка столицы, вырядившиеся в свои лучшие костюмы. И все же они выглядели белыми воронами. Достаточно взглянуть на обувь, часы, галстуки, и ты понимаешь, кто перед тобой — гость или секьюрити. При внимательном рассмотрении можно было заметить переговорные устройства. Но что запрещалось иметь всем, так это оружие. Тут исключений ни для кого не делалось.

Итак. Четвертая часть гостей состояла из охраны, даже если не считать тех, что пришли со своими телохранителями, не пожалев денег им на билеты. Высшая категория приглашенных — потенциальные клиенты, те, для кого строился отель. Все остальное — антураж. Даленного к застежке браслета. Его легче всего снять. Я говорю о браслете. Чип остался здесь. Он продолжает давать сигнал, вот почему я не очень беспокоился. Вор знал о сигнализации, снял чип, а потом унес гарнитур.

— Значит, кто-то из своих?

— Не обязательно. Чип найти можно с помощью такого же приемника. Надо лишь знать частоту.

Полковник повернулся к своим выряженным в смокинги помощникам:

— Степанов, в холле за дверью висят четыре камеры видеонаблюдений. Мне нужны записи, сделанные за последние полтора часа. Найди их. Юсупов, опроси билетеров. Нас интересуют выходившие. Майор Панкратов — в подвал. Там гараж. Кто выезжал. Выезд один на четыре уровня, по всем лазить не обязательно. А ты, Жиров, иди в зал. Найди репортера Скуратова и давай его сюда.

— Зачем репортера? — насторожился тип в белом смокинге. — Нам шум ни к чему.

— Этот репортер не шумный. Скандала ждите от владельца побрякушек.

— Я обязан известить хозяина о случившемся, — тихо сказал телохранитель.

— Конечно. Начнет устраивать истерику, я его выведу на улицу.

Офицеры разошлись выполнять задание. Полковник кивнул на дверь в дальнем углу:

— Что там?

— Комната уборщиков, — ответил администратор. — Она имеет выходы в мужской и женский туалеты. Уборщиков двое. Мужчина и женщина.

Полковник в сопровождении администратора направился к двери, врач продолжал возиться с потерпевшей.

Уборщики лежали на полу, рядом, чуть ли не обнявшись. Молодые ребята лет по двадцать, оба симпатичные. Девушка в униформе горничной — в короткой черной юбочке, в белом чепчике и кружевном фартучке, а парень в белом двубортном мундирчике с золотыми пуговицами и плетеным погоном на левом плече.

— Нужен нашатырь, — сказал полковник.

Кто-то ответил: «Сейчас».

Уборщики довольно быстро пришли в себя. На их лицах читалось недоумение, словно они попали на Луну.

— Как вы оказались на полу? — спросил полковник девушку.

Заговорили оба сразу. Полковник поднял руку:

— Спокойно. Отвечать по одному, четко на заданный вопрос. Начнем с девушки. Ну и?

— Не знаю. Я протирала пол в женской комнате, потом зашла сюда, кто-то сзади наложил мне платок на лицо. При этом сильно зажал горло, и я не могла оглянуться. А потом в глазах поплыли круги. Дальше я ничего не помню.

— В котором часу это случилось?

— Когда запустили гостей. В туалете появились первые три женщины, и я не стала им мешать.

— Примерно в семь десять?

— Около того.

— Ну а ты, дружок? — обратился полковник к парню.

— Я тоже убирался, но заметил, что в урнах нет пакетов. Мы их заправляем внутрь и по мере наполнения меняем. Я сбегал наверх, в главный холл, и попросил пакеты у дежурного по залу. Он дал мне упаковку из подсобки. Я спустился вниз. Тут уже был народ, но еще не насорили. Я заправил пакеты и зашел сюда. Смотрю, Настя лежит на полу. Подошел к ней, сел на корточки и потряс за плечо. Она не реагировала. И тут мне рот заткнули чем-то мягким, я вырубился.

— Рука мужская?

— Думаю, да. Две руки. Одной мне варежку заткнули, а другой уперлись в затылок так, чтобы я черепушкой пошевелить не мог. За горло меня не обнимешь, я же на корточках сидел.

— И вы ничего не слышали?

Оба отрицательно покачали головой.

— Похоже, войлочные бахилы поверх обуви надели. Пол-то мраморный, ботинки стучат. Проверьте-ка урны, ребята, и запишите данные этих бедолаг.

Полковник вернулся в женскую комнату. Красавица в шикарном платье уже начала приходить в себя, но глаза все еще оставались мутными, связанной речи не получалось, одно мычание. Появился муж потерпевшей, мужчина лет пятидесяти, не очень высокий, но с приятной интеллигентной внешностью.

— Я так и знал. Четыре с половиной миллиона в трубу. За что боролись, на то и напоролись. Идиот!

Он смотрел на свою беспомощную жену, не замечая других, и покачивал головой, как китайский болванчик.

— Представьтесь, пожалуйста, — вежливо попросил полковник.

— Гурьев Савелий Георгич. Председатель правления банка «Юнисфер».

— Похоже, Савелий Георгич, у вас есть свои соображения насчет случившегося.

— А что тут соображать. Лидера обязаны были посадить в лужу. Слишком резко я от них оторвался. Только прошу не поднимать шума, вы никого не найдете. Им не нужно ожерелье, им нужен скандал. Такой гарнитур невозможно продать, валяется где-нибудь в зале под креслами. Или в карман кому-нибудь подбросили. Найдется. Важен факт случившегося, чтобы я в дураках оказался.

— Кто-то знал, какие украшения наденет ваша жена?

— Нет. К сегодняшнему дню все готовились очень скрытно. Такая информация — дорогостоящее удовольствие.

— Значит, план составлялся на ходу. Определили цель и тут же сработали. Почему бы грабителям не оставить украшение себе? В зале тысяча человек, в здании восемнадцать этажей и бесчисленное количество номеров. Чип снят. Можно бросить гарнитур в вазу в одном из номеров и забрать через несколько дней. Можно спрятать в бачке туалета на восьмом этаже. Иголку в стоге сена невозможно найти.

Банкир глянул на полковника с усмешкой:

— Вы кто?

— Заместитель начальника управления по уголовному розыску города Кулешов Леонид Палыч.

— Завтра, Леонид Палыч, фотографии моей жены в бриллиантах будут пестреть во всех газетах. Гарнитур уже стал знаменитым на весь мир. Здесь семьдесят процентов иностранцев и репортеры с мировыми именами. Гарнитур застрахован на четыре с половиной миллиона долларов и входит в международные ювелирные реестры. Его невозможно продать. Никто не купит. Можно выковырять бриллианты, но они уникальны, их опознают. К тому же ни у одного ювелира не поднимается рука ломать такое произведение искусства. Это могут сделать бандиты, безмозглые прощелыги, но куда они денут камешки? Можно украсть и шапку Мономаха из Оружейной палаты, а дальше что?

— Вы чертовски спокойны.

— Моя профессия не терпит суеты. Если не поднимать шума вокруг происшествия, затея грабителей себя не оправдает.

Полковник взглянул на репортера Скуратова, подпиравшего косяк двери, тот понял многозначительный взгляд полковника и прижал указательный палец к губам. Мол, я нем как рыба.

— Попробуем учесть ваши пожелания. Скандал многим здесь не нужен, — сказал Кулешов.

— Конечно. Открытие самого престижного отеля в стране не начинают с ограбления. Реклама такого рода не сработает. Да и ваш милицейский имидж пострадает. В проигрыше останутся все, кроме затейников, — согласился банкир.

Полковник повернулся к администратору:

— Зал долго будет занят?

— Не больше часа.

— Снарядите весь обслуживающий персонал. Необходимо осмотреть каждый сантиметр зрительного зала, и урны не забудьте.

— Мы постараемся.

Наконец-то Анна смогла заговорить членораздельно:

— Я жива? Бог мой! Страшно-то как...

— Поправьте меня, если я ошибусь, — подойдя к женщине вплотную, медленно заговорил полковник. — Вы зашли в кабинку, устроились на крышке сиденья, достали золотую фляжку с виски, сделали несколько глотков и потеряли сознание. Так?

— Да, так. Шум в ушах. И все...

— Кто знал, что вы пьете тайком от мужа?

Девушка вздрогнула и покосилась на банкира. Тот остался невозмутим.

— Никто.

— Такая фляжка не может оставаться незамеченной, в ней помещается граммов триста. Расскажите все по порядку. Где вы взяли виски, когда залили его во флакон, и все ли время он находился под вашим присмотром.

— Бутылка с виски хранится в гардеробной. — На глазах красавицы начали наворачиваться слезы. Она старалась держать себя в руках и говорила очень медленно. — В коробке из-под туфель. Утром все было нормально. Перед тем как наполнить фляжку, я выпила две рюмки. Со мной ничего не случилось. Сумочка лежала на трюмо в моей спальне. В комнату никто не заходил. Горничная уже застелила постель. Потом... потом вернулся муж с работы, и мы начали собираться. Я все время была в спальне.

— Где находился гарнитур?

— Муж его привез из банка.

— Дальше.

— Мы выехали из дома в шесть тридцать... — Она запнулась. — Я забыла сумочку. Муж велел Вадиму сходить за ней. Он поднялся наверх, а мы ждали его в машине. После этого я не выпускала ее из рук.

Кто-то все время пытался вмешаться в разговор, но полковник не позволял.

Он обратился к телохранителю:

— Это вы — Вадим?

— Да, я. Майор ФСБ в запасе. Работал в «девятке». Третий год служу в охранном бюро «Броня». Руковожу выездной бригадой. Прибыли по заявке к восемнадцати часам по адресу Кутузовский проспект, дом двадцать пять. В квартиру не заходили. Задача была поставлена на месте. Тут же получил переданные вам фотографии. За сумочкой поднимался. В квартиру не заходил, сумочку вынесла девушка к двери. Спустился, передал хозяйке, и мы поехали сюда. Комплект украшений Анна Каземировна надела в машине. Коробку она получила из рук мужа. Он же подал ей зеркальце, достал из своего кармана. Она сказала, будто не взяла его с собой. Это меня удивило. Теперь я понял: они сидели рядом на заднем сиденье, и она не хотела открывать сумочку. Муж мог заметить фляжку.

— Вы раньше обращались к охранному бюро «Броня»? — спросил Кулешов банкира.

— Неоднократно. Они не раз сопровождали моих курьеров в другие города с наличными. Речь идет о крупных сумках. Обычно их перевозят поездом — покупаем отдельное купе. Нареканий не имею.

— Скажите, Анна, — снова вернулся к опросу пострадавшей полковник, — вы знали, какой гарнитур вам придется надеть?

— Впервые увидела его в машине. Мне он не понравился. Такая показуха не могла сработать.

Гурьев нахмурил брови.

— Браслет был велик, — продолжала Анна. — И дураку понятно, что делался он не под мою кисть. Среди жен олигархов нет светских дам, сплошные шалашовки, но они разбираются в таких вещах лучше кинодив и уж конечно больше своих мужей. Кроме бриллиантов, у них в голове ничего нет.

Полковник взглянул на банкира:

— Что скажете?

— Гарнитур чужой. Это правда. Но об этом мы поговорим с вами отдельно. Сейчас его надо найти. Я несу за него финансовую ответственность. Напоминаю, речь идет о четырех с половиной миллионах долларов. Это лишь страховая стоимость. Готов предложить премию в пять тысяч долларов тому, кто найдет гарнитур.

— Пятьдесят, — раздался голос от двери.

Все оглянулись. Реплику подал репортер Скуратов, продолжавший подпирать дверной косяк. Кроме него, в проходе никого не было.

— Мне ваше лицо знакомо, — прищурился Гурьев.

— Вениамин Скуратов. Человек, знающий все о светских выходках. Готов прийти на помощь следствию за достойное вознаграждение.

— Я подумаю над вашим предложением, — кивнул Гурьев. — А теперь, пока публика не высыпала в фойе, я хотел бы тихо уйти и увезти жену. Нам здесь делать больше нечего. Ее не должны видеть с голой шеей. Мы будем дома. Можете приехать в любое время, если возникнут вопросы или появятся новости.

— У меня к вам последний вопрос, Савелий Георгиевич. Вы воспользовались охраной в частном порядке, а не для банковских услуг. Ранее вы это делали?

— Нет.

— Никто из бюро «Броня» никогда не бывал в вашей квартире?

— Нет.

— Скажите, Анна, как вы узнали имя телохранителя? Вы сказали: «Вадим поднялся наверх за моей сумочкой».

— Слышала. Так его назвал напарник.

— Напарник сидел за рулем машины, — процедил сквозь зубы банкир, взял жену под руку и повел к двери. Телохранители поспешили следом.

— Ну что? Докладывайте, — облегченно вздохнул полковник, будто задача им была решена.

— Вот эта ампула валялась в урне мужского туалета, — выскочил вперед молодой уборщик.

— Что же ты ее пальцами залапал!

Полковник достал носовой платок и взял ампулу. Разглядев ее, сказал:

— Почему они не выбросили ее в унитаз? Нам хотят внушить, будто операцию провернули мужчины, проникшие в женский туалет через проходную комнату. Перебор. Слишком наследили. Они не могли знать, в какую кабинку зайдет жертва. Не могли и поджидать ее. Войти в туалет на глазах женщин тоже не рискнули бы. А главное — эта ампула. Работала женщина, знающая о привычках Анны, но где и когда она подмешала зелье в напиток... Загадка.

Один из оперативников показал крошечную металлическую таблеточку:

— А еще она знала о чипе на бриллиантах, подающих сигнал. Нашел за бачком. Жвачкой прилепили.

— Через центральный подъезд выходили только репортеры, не допущенные в зал, — доложил капитан Юсупов. — Все оставляли при выходе именные пропуска.

— Из подвала выехал фургон. Белый «Мерседес» с телевизионными наклейками, — добавил майор Панкратов. — Телевизионщиков с желтыми полосками на аккредитационных пропусках в зал тоже не пустили, и двое или трое из них сели в железный кузов. Шофер захлопнул дверь и сел за руль. При выезде машина не остановилась, пропуска сданы не были. Дал ориентиры по городу на задержание и проверку.

— Фургон, техника, фальшивые пропуска... Кому нужен этот цирк? — удивился полковник.

— В комнате видеонаблюдений нас ждет оператор, — подал голос капитан Степанов. — Весь отснятый материал подготовлен. Давайте посмотрим, наконец, кто посещал эти сортиры. Веня своих светских тусовщиц узнает.

В туалетную комнату вошла женщина в чернобурке, накинутой на голые плечи:

— Я ошиблась?

— Нет, мадам, это мы ошиблись.

2

Часом раньше.

На первом уровне подземного гаража стояли служебные машины, обслуживающие гостиницу. К этой категории относился весь транспорт прессы, милиции, ресторанов, доставивших деликатесные закуски для буфетов и баров, и прочие. Когда вечеринка началась, гараж опустел. Охранник, сидевший в будке у выездного шлагбаума, принялся разгадывать кроссворд. Его мучила зевота, в прошлую ночь он не выспался — подружка не дала. Хотел поспать днем, тоже не получилось, и вот теперь смена до утра. Не дай бог закемарить — лишишься хорошей работы. Он предусмотрительно прихватил с собой большой термос крепкого кофе. Выпил три кружки, но не помогло, в какой-то момент его как подкосило, он упал со стула. Метрах в десяти от будки стоял синий фургон «Вольво» с яркой рекламой на металлических бортах: «Лучшая кухня только у нас!» Строчкой ниже: «Банкеты, свадьбы, юбилеи».

Когда сторож упал, из кабины фургона вышел шофер. Осмотревшись по сторонам, взял деревянный ящик из-под овощей и неторопливо подошел к будке. Окошко находилось на уровне кабин грузовых машин, ящик очень пригодился. Встав на него, шофер влез в будку. Дверь закрывалась изнутри, он знал, что сторож посторонним ее не откроет. Теперь он сам мог открыть дверь, что и сделал. Взвалив тело сторожа на плечи, отнес его за дальний ряд машин и положил на пол. Потом раздел до трусов, связал ему руки и ноги, скотчем заклеил рот, после чего надел снятую со сторожа униформу и вернулся в будку. Нацепив на кончик носа очки охранника, принялся разгадывать кроссворд.

Спустя какое-то время на этаже остановился лифт. Из него вышли трое мужчин в белых халатах. Каждый нес с собой картонную коробку из-под вина. Мужчины уверенным шагом направились к синему фургону. Двое залезли в него, третий их запер и сел за руль. Заурчал мотор, машина подъехала к шлагбауму. Сторож пропустил ее и продолжил разгадывать кроссворд. Минут через двадцать на стоянке появился молодой человек в смокинге, который он не умел носить, ему больше подошел бы водолазный костюм. Молодой человек подошел к будке и предъявил удостоверение сотрудника уголовного розыска. Сторож хмыкнул — что-то в этом роде он и предполагал.

— Машины выезжали со стоянки? — спросил «водолаз» в смокинге.

— Одна выехала. Минут десять назад.

— Поподробней, пожалуйста.

— Телевизионщики уехали. Похоже, их в зал не пустили. Желтополосные. Пропуска не сдали. Зря я им шлагбаум открыл раньше времени, прошмыгнули и поминай, как звали.

— Сколько их было?

— Трое. Один нес видеокамеру, второй — треногу, а третий — коробку.

— Номер машины помните?

— Нет. Эти очки для близкого расстояния. Читать в них хорошо, а вдаль ничего не видно.

— Желтую полосу сумели разглядеть.

— Здесь стоянка специально для них. Грузовой транспорт, обслуга...

— Какая машина уехала?

— Белый фургон, «Мерседес», со спутниковой антенной на крыше и рекламой какого-то фильма на бортах. Помню слово «Скоро». Вон дырка в ряду осталась, с того места машина выехала.

— Я могу от вас позвонить?

Сторож пододвинул телефон к окошку:

— Встаньте на ящик у вас под ногами, иначе не дотянитесь.

Оперативник связался с дежурным по городу и представился майором Панкратовым. Передал ему описание фургона и направился к лифту. Когда лифт стал подниматься наверх, сторож покинул будку, вышел на улицу и два квартала прошел пешком. Там его поджидала машина. Он сел в нее, сдернул с себя парик, наклеенные усы, брови и уехал.

* * *

Все шло по плану. Фургон благополучно выехал из города и на четвертом километре Варшавского шоссе свернул налево. Уже стемнело. Машина шла на дозволенной скорости. Отход был продуман заранее, маршрут выверен, время рассчитано по минутам. Но всего предусмотреть невозможно — из-за поворота выскочил бензовоз. Похоже, за рулем сидел нетрезвый водитель. Он попытался увернуться, резко крутанул руль вправо, слишком резко, цистерну занесло, она опрокинулась и всей мощью ударилась о кабину фургона. Разлилась река бензина. Сидевшие в фургоне получили увечья и остались бы живы, если бы их не заперли в железной коробке. Нашли монтировку, попытались отогнуть стальные листы, но не успели. Последнее, что видел в щель один из потерпевших, был силуэт убегающего шофера бензовоза. Вспыхнуло пламя, потом раздался взрыв, огонь метнулся к небесам, цистерна взлетела на воздух, рвануло еще раз.

Пламя пожара было видно за несколько километров от места катастрофы.

3

Запись видеонаблюдений просмотрели молча, потом перемотали пленку на начало и запустили снова.

— Ну, Веня, комментируй. Полагаю, ты всех узнал, — сказал полковник, откинувшись на спинку стула.

Журналист хитро улыбнулся:

— Однобокого сотрудничества не получится, Леонид Палыч. Мы должны дополнять друг друга. Я вам, а вы мне.

— Рассчитываешь получить пять тысяч, обещанные банкиром? — спросил полковник.

— Пятьдесят. Он заплатит и больше. Это стартовая цена. Вы же слышали, страховая сумма составляет четыре с половиной миллиона. Если прижать Гурьева к стенке, он выложит двадцать процентов от суммы. Гурьев — банкир, а они всегда начинают с минимальной ставки, если им надо платить, а не получать. К тому же это официальные деньги. Я готов заплатить с них налоги, и у меня уже никто не спросит, на какие шиши я строю себе дачу.

— У тебя все есть. И машины, и квартира, и дача. Ни для кого не секрет, как ты зарабатываешь на жизнь.

— А чего мне это стоит? Если бы я вам не помогал, Леонид Палыч, меня бы давно загребли ваши ребята.

Я столкну вас с места в этом деле, а вы мне поможете получить премиальные. Но работать будем на равных. Я вам, вы мне.

— А ты уверен, Веня, что нас надо сталкивать с места? Заявлений никто в милицию не писал, мы здесь неофициально находимся, можем махнуть на все рукой.

— Вы только валенка из меня не делайте, Леонид Палыч. Я не один тут с фотоаппаратом бегал, ваша физиономия не раз в объектив попадала. Вы человек не простой и знамениты не меньше поп-звезды. Уход с вечера Гурьева не останется незамеченным. Его жена должна была блистать на банкете, а они смылись. Стоит за ниточку дернуть, пирамида рухнет. Престиж российского сыска на кону. Вам гарнитур, мне премия. Договорились?

Полковник кивнул. Запустили пленку, на экране монитора появился холл перед туалетными комнатами. Женщины и мужчины входили и выходили, некоторые спускались парами и расходились по разным комнатам.

— Стоп! — сказал репортер. — Отмотайте назад. Стоп.

Оператор выполнял приказы. У монитора сидели двое, полковник Кулешов и журналист Скуратов, остальные молча стояли за их спинами.

— Почему промолчали, Леонид Палыч? Это же Сева Дербенев. Вы же его узнали. Три года за ним гоняетесь, а он с вами в кошки-мышки играет. Уж кто, как не Сева, горазд такие аферы прокручивать. А?

— Ладно, поймал ты меня. Дербенев у нас на крючке. Со дня на день возьмем. Он даже не прячется, гуляет в открытую. Отмотай-ка еще назад.

Оператор отмотал пленку.

— Стоп. А этого ты не знаешь? Познакомься — Иван Шатилов, правая рука Дербенева. По одному делу пойдут. Тоже голову в песок не прячет. Только вот что я тебе скажу, Веня, эти ребята зря светиться не станут. Думаешь, они не заметили видеокамер? Поди, сейчас в зале сидят и тихо усмехаются. Таких только с поличным брать можно. Момент упущен. Уверяю тебя, у этих парней есть официальные приглашения и больше в их карманах ты ничего не найдешь. Работала женщина. Если план составил Дербенев, то он лишь отвлекает нас. Рассчитывает на твою логику: его увидели и уже все для себя решили. Я промолчал, чтобы тебя не отвлекать от главного. А главное, как я думаю, очень легко пропустить мимо глаз. Вор обязан попасть в дамский туалет, и он знает, что попадет под объектив. Мы проделаем стандартную работу, и они об этом знают.

Начали смотреть дальше. Появилась женщина в серебристом платье с жемчугом на шее.

— Останови, — скомандовал Скуратов. — Кто это? — И сам же пояснил: — Жена одного из галерейщиков Юлия Баскакова. Она стояла рядом с Анной у бара. Обратите внимание на ее сумочку. О прошлом Юлии никто ничего не знает. Ей сорок два года, Илье Баскакову шестьдесят четыре. Что важно. Владелец отеля Мамедов привлек к делу двух самых крупных галерейщиков. Они одни из немногих, кто видел отель изнутри до его открытия. Я не говорю о строителях, отделочниках и технарях. Галерейщики подбирали картины для номеров. К слову сказать, Юлия прекрасно разбирается в камешках и знает всех ювелиров.

— Ты сказал «у бара»? — спросил полковник.

— Об этом чуть позже. Когда посмотрим сделанные мною снимки. Поехали дальше.

— Стоп! — теперь просмотр остановил полковник. — Что скажешь об этой брюнетке в темных очках? Слишком много лишнего на лице.

— Половина баб в тонированных очках. Это сейчас модно. Я думаю, это иностранка. Возможно, журналистка. Одета со вкусом, но без показухи. Среди наших матрон я такой не знаю. Держится с достоинством, но не с надменностью, как наши куклы. Красива, элегантна и слишком заметна для воровки.

— Поехали дальше.

Вскоре в кадре появилась Анна Гурьева.

— Вот она! — воскликнул Скуратов. — Смотрите на сумочку. Мы такую же видели у Юлии Баскаковой, которая еще не вышла из туалета. На данный момент в дамской комнате находится девять женщин, в мужском — двенадцать мужчин. Теперь надо наблюдать за выходящими. Засекайте время. Анна должна зайти в кабинку, выпить, вырубиться, кто-то должен зайти в соседнюю кабинку, подлезть под перегородку, снять с нее гарнитур, убрать с него чип, потом спрятать бриллианты и уйти. Времени тоже зря терять не следует. Смотрим.

Пленку просмотрели до конца. Полковник вздохнул.

— Дербенев и Шатилов вышли через семь минут. Время подходящее. Но они не могли проникнуть в женскую половину, оставшись незамеченными. Сработала женщина. Другое дело, что она могла передать бриллианты этим прохвостам. Бросить сумочку или узелок в проходной комнате и спокойно уйти.

— Из женской комнаты через пять минут вышли три женщины и еще четыре чуть позже. Я знаю пятерых. Их можно допросить, но предупреждаю, язык за зубами они держать не будут. А реклама никому не нужна.

— Все это так, ребята, — скривил физиономию полковник, — но мы не стронулись с места ни на шаг. Вором мог быть любой. Работа пустяковая, если знаешь, что объект пристрастен к алкоголю и имеет в сумочке отравленное виски, а на бриллиантах прикреплен чип. Тогда все просто.

— Чип — вещь стандартная, — вмешался репортер, — сейчас многие ими пользуются. Но подсыпать зелье в алкоголь возможно только заранее. Где? Чтобы усыпить, достаточно иметь нужное зелье. Оно есть. Надо знать, кого усыплять. Если следовать версии банкира, жертву определили по одежке. В бриллиантах Анна впервые появилась в главном фойе. С этой секунды она превратилась в жертву, ее участь была решена. Как снять с нее драгоценности, решали экспромтом. Она могла и не пойти в туалет. Если ловушка строилась заранее, то надо было быть уверенным, что она туда пойдет. Муж мог ее не отпускать от себя.

— Сортир — идеальное место, — уверенно заявил полковник. — Надо помнить, что телохранители не спускали глаз с гарнитура, а снять его с живого человека непросто. О чипе тоже забывать нельзя. Его надо найти и выбросить. Я придерживаюсь мнения, что дамская комната входила в обязательную программу.

— Я с вами согласен, — кивнул репортер. — А теперь глянем на мои фотографии. Мне нужен компьютер.

— Компьютер в соседней комнате, — сказал оператор. — Там и принтер есть, можете распечатать свои снимки.

Команду Кулешова проводили в соседнее помещение. Он что-то шепнул на ухо майору, и тот вышел. Скуратов уже понял, от полковника полного откровения не добьешься, да и сам многого не договаривал. С другой стороны, ситуация складывалась таким образом, что без взаимопомощи им не обойтись. Скандал устраивал только светских львов, находящихся в состоянии вечной гонки за первенство и титулы на олимпе славы. Умудренные опытом в плане интриг, они понимали — подозревать можно всех и каждого, и если виновника ограбления найдут, то его сожрут свои же. Не за кражу, разумеется, а за то, что попался.

Скуратов сделал больше сотни снимков на ковровой дорожке возле здания, где пытались скопировать знаменитый «оскаровский» проход, и не меньше фотографий отснял в главном фойе.

— А вот и брюнетка в темных очках, — комментировал репортер. — Помните? Она заходила в туалет перед Анной. На этом снимке она сопровождает Константинеса, греческого магната. Он один из крупнейших владельцев яхт-клубов на Средиземноморье, обеспечивает яхтами сильных мира сего. Дает на прокат. У вас может не быть своей виллы в Каннах, вы берете яхту на прокат и проводите на ней свой отпуск, будто она ваша. Пускаете пыль в глаза. Потом яхту перекрашивают, меняют название, и она переходит в руки другого клиента.

— Значит, эта дама иностранка...

— Она может быть секретаршей или переводчицей. Видите, они поднимаются по лестнице. Женщина идет чуть позади Константинеса, отстает на шаг.

— Да, тут никого не заподозришь, имена у всех громкие.

— Да уж, Леонид Палыч, не со шпаной дело имеете. И допросить никого нельзя. О происшествии вся Москва будет знать через час, а остальной мир — через два.

— Ты говоришь, что яхты берут на прокат?

— Конечно. Вы знаете, сколько стоит стоянка и обслуживание судна? Не меньше миллиона евро в год. А пользуетесь вы ей две недели в сезон. И еще команду кормить надо.

— Я о другом. Бриллианты тоже могли взять на прокат. Их каждый день не надевают, а стоят они сумасшедших денег.

— Бриллианты не блекнут. Это вложение капитала. А яхты не вечны. Я с вами согласен, но не уверен, что Савелий Гурьев выложит перед вами карты на стол.

— Посмотрим. Он дал понять, что наш разговор не закончен. У меня накопились к нему вопросы.

— А у меня к его жене. Вот, гляньте на этот снимочек. Анна стоит у барной стойки. Смотрите внимательно. Она пьет шампанское, а сумочка лежит рядом. Я думаю, она не раз выпускала ее из рук. В конце концов в ней ничего ценного не было, кроме золотой фляжки с выпивкой.

— И золотой зажигалки, и золотого портсигара, — добавил лейтенант Жиров.

— Фляжку вы оставили? — спросил Кулешов.

— Да, для экспертизы, — ответил капитан Юсупов.

— Выполнена под старину, но штука современная. На дне клеймо — «Сделано в Арабских Эмиратах». Тонкая работа.

— Обратите внимание на гравировку, — сказал репортер.

На задней стороне фляжки стояла надпись: «Дорогой Анне с любовь от Д.».

— Подарок не из дешевых, — усмехнулся капитан.

— И она носила такую штуку при живом муже? — удивился полковник. — Странно. Анна его боится, это же видно. Виски в обувных коробках прячет, а золотые подарки с собой носит.

— Зачем гадать, мы у нее спросим, — предложил репортер. — Самое время навестить их. Потом анализ крови делать будет поздно.

Кулешов отдал стакан с коньяком капитану:

— Срочно в лабораторию. И вызовите медэксперта сюда. Быстро. Я возьму его с собой.

— Мы, — поправил Скуратов. — Мы едем вместе.

Вернулся майор.

— Уборщиков нигде нет. Ушли, никого не предупредив. Дежурный администратор не в курсе.

— Найдите. Из-под земли достаньте. Ты меня понял, Панкратов?

— Так точно.

— Кого-то потеряли? — спросил репортер.

— Догадайся с трех раз, — прищурился полковник. — Ты же дока в таких делах, Веня.

— То-то я делаю вам подсказки. Мы оба хороши. Что-то упустил я, а что-то вы.

— Не обижайся. Уборщики туалета пропали.

— Почему они вас заинтересовали?

— Мальчишка сказал, что в урне не было пакетов и он ходил за ними наверх. Мы просмотрели пленку видеонаблюдения. По его словам, в туалете уже были люди, когда он принес пакеты. Значит, и найденную им ампулу бросили после его возвращения. Если в деле замешан Сева Дербенев, то он не бросил бы ампулу в урну. И какую роль могла играть эта ампула? Перелить из ампулы зелье во флакон Анны? Где? В кабинке? Но что могли сделать уборщики? Девчонка получает сигнал: жертва приближается. Она могла зайти в кабинку и запереть ее изнутри, перелезть под перегородкой, закрыть другую и так далее. Оставив свободной только одну, лишить Анну выбора. Тогда можно знать точно, в какой кабинке окажется жертва. Я сейчас фантазирую, все могло быть и по-другому. Если рассматривать вариант с дамской комнатой, то без уборщиков дело не обошлось.

— Уборщиков могли усыпить, — не согласился Скуратов, — а их роль выполняли подставные люди. Мы же видели, как ловко переодевается Иван Шатилов. Идея интересная, и претворяли ее в жизнь профессионалы.

— Ладно. Пора навестить нашу жертву.

Полковник дал каждому офицеру задание, не забыл и про оператора.

— Мне будут нужны записи наружного наблюдения, центрального входа с его ковровой дорожкой и всех въездов и выездов из гаража. Подготовьте материал к утру. С вами останется капитан Степанов.

В фойе их встретил администратор. Свет в холле был притушен.

— Час рыщут под стульями, ничего не нашли.

— А где же гости?

— На третьем этаже. Там начался банкет. Вечеринка в самом разгаре.

— Не забудьте осмотреть сцену, кулисы, гримерки. Вор мог проникнуть и туда.

— Весь персонал этим занят. Руководство в курсе. Дали распоряжение проверить номера жилых этажей. Они были доступны с сегодняшнего утра, в них разместили прибывших иностранцев. С вами хочет поговорить хозяин. Если можно, утром.

— Обязательно зайду, — кивнул полковник и вместе со Скуратовым направился к выходу. Их уже ждала машина и приехавший медэксперт.

4

Дверь открыл хозяин. Он не удивился приходу сыщиков и тут же спросил:

— Вы нашли бриллианты?

— В зрительном зале их нет. Думаю, нам надо поговорить, — сказал Кулешов.

Гурьев впустил мужчин в квартиру. Страшно было ступать на полированный паркет, но тапочки им не предложили. Тут пахло роскошью и стариной.

— Со Скуратовым вы уже знакомы, а это врач Крапивин. Он должен взять у вашей жены кровь для анализа.

— Жена уже спит.

— Мы должны знать, какую дрянь ей подмешали в виски.

Гурьев кивнул на закрытую дверь:

— Пусть он один зайдет.

— Конечно, — согласился врач и направился в указанном направлении.

Банкир проводил сыщиков в просторную гостиную, заставленную вазами с цветами, как уборная поп-звезды после успешного концерта.

— Вы все еще думаете, что над вами решили посмеяться? — спросил Кулешов.

— Меня так заставляет думать логика, — хозяин указал на мягкий диван, приглашая посетителей сесть. — Но способ, каким осуществили кражу, настораживает. К ней готовились. Но я не думаю, что воры знали, кого им придется раздеть.

— Давайте лучше подумаем, кому это выгодно. Вы можете назвать конкретные имена?

Полковник устроился на диване, репортер рядом. Банкир разливал в бокалы коньяк, забыв спросить гостей, будут ли они пить и что. Он думал о своем и не торопился с ответом. Кулешов взял бокал, но пить не стал, а Скуратов не отказал себе в удовольствии попробовать марочный французский коньячок.

— Практически такой пакости можно ожидать от кого угодно, — заговорил наконец Гурьев. — У этих людей вывихнутые мозги. Знали бы вы, какие комбинации они придумывают, чтобы подставить один другого! Им бы детективы писать. Мастаки на головоломки.

— Эти мастаки каким-то образом связаны с вами, если хотели насолить вам?

— Мы все так или иначе связаны. Я самая безобидная фигура. Многие хранят деньги в моем банке, я им не мешаю жить и не перехожу дорогу. Коллеги-банкиры мне не конкуренты. Все сферы банковских услуг давно распределены, каждый занял свою нишу. Дело не в моей персоне. Это крупная хохма. Урок. «Не выпячивайся! Живи как все». Но так никто не живет, нужны встряски. Без скандалов жить скучно.

— Что вы можете сказать о галерейщике Баскакове и его жене? — спросил репортер.

— Им палец в рот не клади. Они способны на подобные аферы. Илья Баскаков вырос из обычного антиквара. Начинал в советские времена с магазина на Старом Арбате. Сейчас через его руки проходят самые достойные картины, попадающие в Россию со всех концов света. Он спец и успешный бизнесмен. Я не хочу никого охаивать, но могу сказать с уверенностью: если вы захотите повесить в своей квартире «Джоконду», то вам надо обратиться к Баскакову. Весь вопрос в цене. Но тут я сделаю оговорку. Не буду сейчас говорить о владельцах отеля и деньгах, на которые он строился. Речь пойдет о том, что Баскаков не станет гадить в их доме. Скандал неизбежен. Пусть даже на уровне слухов. Шило в мешке не утаишь. Баскаков один из немногих, кому скандал не нужен. Он поставлял подлинники для спецапартаментов отеля, куда посторонним вход заказан. Одному богу и Баскакову известно, что там висит. Сальвадор Дали или Рембрандт, а может, Босх или Тициан. Не думаю, что Баскакову нужен скандал. Я говорю об исключительном случае.

— Хорошо. Теперь главный вопрос. Гарнитур принадлежит вам?

— Да, да, я понимаю. В этом вся проблема. Бриллианты взяты на прокат. Они нигде еще не засвечены и не будут сверкать на русских женщинах. Гарнитур был заказан нашему ювелиру одним из арабских шейхов. Случай небывалый. Ювелиров в мире немало, есть и лучше, но заказ получил наш. Дело в том, что авторские права на дизайн гарнитура принадлежат Печерникову Юлиану Андреевичу. Он дизайнер и разработчик — всемирная известность, все свои проекты публикует в каталогах самых престижных фирм. Там его и увидел шейх, хотел купить авторские права, но Печерников отказался. Не для того старается. Свои проекты он делает сам. В этом его главный козырь. Хочешь получить мою безделушку — закажи ее у меня, и я ее сделаю. Так он себя прославил.

— Значит, он отдал вам чужую вещь?

— Именно так. Ему не терпелось увидеть реакцию публики. Это же болезнь всех творцов и коллекционеров. Пушкин заблуждался, создавая своего «Скупого рыцаря». Владельцы шедевров получают удовольствие от того, что их творения видят другие, что ими восторгаются, хозяину или творцу завидуют, от этого он получает оргазм. Гарнитур на днях должен покинуть Россию, улететь в Арабские Эмираты, после этого его уже никто не увидит. Шейхи не любят показухи. Юлиан Андреевич создал шедевр. Вор даже не догадывается, что попало в его руки.

— И вы так легкомысленно воспользовались случаем показать этот шедевр?

— Мне и в голову не приходила мысль о возможности кражи.

— Вы говорили о страховке...

— Формальность. Гарнитур стоит дороже. Сумма страховки — по максимальной возможности наших страховых компаний.

— Кто страховал?

— Печерников. Но он не имел права доставать бриллианты из сейфа, а уж тем более выставлять их напоказ. Страховку ему не выплатят.

— И как же быть?

— Я взял ответственность на себя. Выдал ему расписку на пять миллионов. Платить буду я. И вопрос не в деньгах, вопрос в имидже. Мы уже говорили об этом.

— Скажите, Савелий Георгиевич, а ювелир присутствовал на презентации отеля?

— Не знаю. Печерников человек не светский, его тусовки не интересуют. Я никогда не видел его на похожих мероприятиях. К тому же у него больные ноги.

— Как же он будет получать кайф от выставленного на всеобщее обозрение шедевра? С ваших слов?

— Завтра о бриллиантах будет говорить вся Москва.

— А если бриллианты украл ювелир? — предположил Скуратов, без разрешения хозяина подливая себе коньяк.

— С какой целью? — удивился Гурьев.

— Вы же ему заплатите пять миллионов? Деньги немалые.

— Вряд ли деньги играют для него решающую роль. Он не похож на гангстера. Лишиться имени — значит живым лечь в гроб. Ювелир — профессия ювелирная. В их кругах имя имеет большее значение, чем сама работа. Кто такой Фаберже, знают все, но далеко не каждый видел работы его мастерской. Перед вами будет лежать обычное колечко, грош ему цена, а клеймо Фаберже делает его народным достоянием. Сейчас имя Печерникова резко идет в гору. Незначительная тень на его имени скинет ювелира в пропасть раз и навсегда.

Престиж деньгами не оценивается. Да и сумма не та, ради которой стоит рисковать.

— Он знает о случившемся? — спросил Кулешов.

— Я буду молчать до утра. Все еще надеюсь на вас. Хочу повториться. Чистая кража бессмысленна. Гарнитур продать невозможно. Бриллианты тоже. Они имеют особую огранку и описание, а также происхождение. Бриллианты не якутские. Их собирал шейх, они официально завезены в Россию по декларации, с сотней фотографий. Все до единого зарегистрированы. Двести штук по пять карат. Средняя рыночная цена — пять тысяч долларов за карат. Пять миллионов — это цена бриллиантов, но обычных, а не отборных, из которых сделан гарнитур. Мы не говорим о работе, дизайне, эксклюзиве. Умножьте на три, а то и больше. Окончательная цена не определена. Я не знаю, сколько шейх заплатил или заплатит ювелиру за работу. Он трудился над гарнитуром больше года.

В комнату вошел медэксперт:

— Кровь я взял. Отравление налицо. Я сделал что мог. С ней можно поговорить. Не долго.

— Вы позволите? — спросил полковник. — Несколько вопросов наедине. Три—пять минут.

Банкир кивнул. Кулешов быстро прошел в спальню хозяйки.

Женщина лежала на огромной кровати с черным атласным бельем, хорошо подчеркивающим ее белую бархатистую кожу. Ее взгляд ничего не выражал, был холоден, как у лягушки.

— Еще раз здравствуйте. Я на минутку. Надо помочь вашему мужу выбраться из этой неприятности.

— Извините, я плохо соображаю.

— Пара простых вопросов. Кто вам подарил золотую фляжку? При вашем муже я не стал бы задавать этого вопроса.

— Мне ее никто не дарил, я купила ее в бутике «Олимп» весной. Кажется, в мае. Какая-то женщина разглядывала ее у прилавка. Я загорелась. Их оказалось всего две, так что купила и я, и она. Магазин остался доволен, они и за год столько не зарабатывают.

Полковник достал из кармана фляжку, показал гравировку, сделанную на задней стороне:

— Похоже на подарок.

Девушка покачала головой:

— Это не моя. Такая же, но не моя. На моей не было надписи. Я бы такую не принесла в дом, муж ревнив и любит копаться в моих вещах.

— Оттого и виски прячете в обувной коробке?

— Разумеется. Найдите мою фляжку.

— Постараемся. Мы с этой уже сняли отпечатки, остается их сравнить. Уже шаг вперед.

— Сравнить с чем? Или с чьими?

— Использованные бокалы от шампанского не успели вымыть, мы помешали. Зайдя в туалет, вы положили сумочку у раковины перед зеркалом?

— Возможно. Доставала помаду.

— Возле вас кто-то стоял?

— Было оживленно. Не помню.

— Вы сразу нашли кабинку или какие-то были заняты?

— Я не дергала за ручки, пошла в ту, где дверка была приоткрытой. Дальше вы знаете.

— А теперь по секрету. Откуда вы знаете Вадима?

— Заезжала как-то в банк к мужу. Ловила такси — в этот день я ездила по городу без машины. Меня окликнул охранник и предложил подвезти до дома, он знал, кто я. По пути познакомились, но больше я его не видела до сегодняшнего дня.

— Вы знали, что вам придется надеть сегодня?

— Нет. Но гарнитур этот я видела в каталоге полгода назад. Подруга показывала. Называла его сенсацией века.

— И вы знали владельца?

— Нет. Имен в каталогах не пишут. «Око света» — такая была подпись под фотографией.

— Где можно найти этот каталог?

— Их привозят из-за границы. Я не видела обложку, названия не знаю.

— А к подруге как он попал?

— Не знаю. Мы сидели на сушке в салоне красоты, она листала журнал. Она мне даже не подруга. Встречаемся иногда в парикмахерской. Помню, что зовут ее Анной, как и меня.

— На фляжке тоже выгравировано имя Анны.

— Не вижу связи. В магазине фляжку покупала немолодая женщина. Лет сорока пяти, полноватая, а эта — моя ровесница или на год старше.

— Вы видели на вечере Юлию Баскакову?

— Видела. Мы общаемся только на вечеринках, в кругу мужей. Муж покупал картины у Баскакова для банка. Они там так и висят. Но я в живописи ничего не понимаю, как и в алмазах, впрочем.

— Извините за беспокойство. Отдыхайте.

— Значит, вы ничего не нашли?

— Ищем. Я оптимист. Вопрос времени.

— Муж с ума сойдет. Мне стыдно, я не хотела ему навредить.

— Да, деньги нешуточные.

— Его позор пугает. Для банкира потерять доверие — страшнее всего. Сегодня он потерял бриллианты, а завтра ему не доверят деньги.

— Мы понимаем ситуацию. Спокойной ночи.

Задерживаться у банкира сыщики не стали. Информации много, а продвижения никакого, следствие стояло на мертвой точке, словно корабль, прикованный к месту якорем.

Внизу у подъезда их поджидал майор Панкратов.

— Что-то важное? — спросил полковник.

— Я пленки просмотрел. Из гаража выезжал темный фургон «Вольво». Продуктовый. По времени совпадает. Белых фургонов не было. Я спустился вниз. Сторожа на месте нет, шлагбаум открыт, заезжай, кто хочешь, выезжай... Без проблем. Связался с дежурным по городу. Недалеко от Бутово на отрезке дороги, ведущей от Варшавки к Расторгуево, произошло столкновение бензовоза и фургона «Вольво» темного цвета.

— Давно горят?

— Пожар уже потушили.

— Едем.

5

Две покореженные обгорелые машины, перегородившие дорогу, все еще дымились. Зрелище не из приятных. Пожарные уже уехали, осталась милиция и две кареты «скорой помощи». На земле лежали два трупа, накрытые брезентом. На место происшествия приехал зам. начальника управления Ленинского района Подмосковья. Его никто не вызывал, он жил поблизости в одном из особняков Суханова и увидел зарево пожарища из окна. Тут в большей степени сработало любопытство, чем долг. Полковника Федорова уважали в министерстве — тридцать лет безупречной службы и колоссальный опыт работы за спиной.

Кулешов не удивился, увидев Федорова. Они знали друг друга много лет, Кулешов даже бывал у него на даче, праздновали юбилей.

— Нам здесь только министра не хватает, — пожимая Кулешову руку, сказал полковник. — Раз ты сюда приехал, значит, авария не случайность. Такая версия не исключена.

Он покосился на Скуратова, беглого взгляда хватило для оценки.

— Приятель?

— Нужный человек.

— Лады.

— Думаешь, подстава? — спросил Кулешов.

— Шофер бензовоза смылся. Он бил его левым бортом через разворот, не кабиной в лоб, а цистерной. Фургону деваться было некуда. На него плашмя шла колбасина, полная бензина. Кабина бензовоза не пострадала. Трюк не требует большого мастерства, все дело в расчете. Киношные каскадеры это знают. А тебя, как я догадываюсь, интересует фургон?

— Ты как всегда прав, Федя. Фургон ушел из Москвы чисто. Ребята все предусмотрели, кроме того, что им готовят ловушку.

— Значит, шестерки. Исполнители, которых можно похоронить. Затейник-то остался невредим.

— Теперь я это понимаю, — кивнул Кулешов.

— О машинах я тебе расскажу завтра, Леня. О трупах кое-что можно сказать. Опознать их невозможно. Шофер превратился в жареную котлету, его из сплющенной кабины скребком не выковыриешь. Те, что сидели в железном ящике, сварились, а потом поджарились, но в карманах остались металлические вещи, а в рюкзачке уцелели лоскуты тряпок.

Федотов подозвал к себе капитана и взял у него два целлофановых пакета.

— Часы были на обоих. Целы. Швейцарские, не дешевка. На одном «Ролекс», на другом «Фрэнк Мюллер». Ключи у того и другого и перстень. Золото с изумрудом. Внутри гравировка из двух букв «В.Д.».

— Всеволод Дербенев?

— Кольцо носил на правой руке.

— Да, черт возьми, знаю, — Кулешов скривил физиономию. — Упустили. Я за Дербеневым три года хожу. Мастер своего дела. Брать его можно только с поличным. Я получил сигнал из надежных рук. Двадцатого Дербенев должен идти на дело, и я не стал его трогать. Решил подождать, а ему только этого и надо. Сработал сегодня, тринадцатого.

— Значит, двадцатое было уткой. Время оттянул.

— Конечно. Он знал, что ему осталось недолго гулять. Сам слух пустил о двадцатом, я и клюнул. Дело верное, просчитано идеально. И получилось бы. Я поверил.

Федоров прищурился и, склонив голову набок, спросил:

— Твой Дербенев — ушлый малый, как я понял?

— Не то слово, Федя. Виртуоз.

— И попался на такой туфте? Его, как мальчика, обвели?

— Или он доверял напарнику на все сто, а тот его поджарил.

— Такие люди себе не каждый день доверяют. Брось, Леня.

— Доверял. Вы не нашли алмазов? Сегодня они сняли с одной куклы мешок бриллиантов. Где они? Отдали. С собой везти не рискнули.

— Кому отдали, тот и бензовоз на них направил.

— По логике вещей так. Дербень облажался, но верить в это мне не хочется. И еще меня мучает один вопрос. Зачем Дербеню бриллианты? Не его профиль. Он работает с наличностью, с живыми деньгами. Ну снял камешки, а дальше что? Большого труда ему это не стоило. А в чем идея?

Тут в разговор вмешался Веня Скуратов:

— Идея в том, чтобы вернуть бриллианты банкиру. Гурьев оставил залог ювелиру в пять миллионов. Он за гарнитур отвечает не только деньгами, но и своим именем. Дербенев возвращает гарнитур банкиру за пять миллионов. Гурьев отдает его ювелиру, тот рвет расписку. Все довольны, все смеются. Банкир в любом случае теряет деньги. А так он свое имя не марает.

Федоров смотрел на репортера с некоторым удивлением. Кулешов ничему не удивился, он знал этого пройдоху много лет.

— Мысль стоящая. Как ни крути, но за все беды отвечать будет банкир. Он крайний в нашем случае. Твоя версия стоит внимания, Веня. Пришло время поговорить с ювелиром.

— Эта мысль уже давно вертится у меня в голове, — согласился репортер.

Кулешов обратился к Федотову:

— Я перешлю тебе факсом адреса погибших. Вызови вдов на опознание и сделай анализы ДНК. Завтра я подъеду к тебе в управление.

— Не торопись, Леня, завтра воскресенье. Дождись понедельника. О машинах я могу все узнать и другие справки собрать, но многого от меня не жди. Вот если бы дело вела область...

— Картинка хорошо прорисована. Не вижу загадок. Надо лишь с умом подойти к делу, не рубить сплеча. Помозгуй, куда мог ехать фургон. Их гнездо где-то рядом. Пусть даже оно фальшивое, сооруженное для лохов, но фургон знал, куда едет. Его перехватили на подходе к базе. Для него должно быть достойное укрытие, на участке его не оставишь. Ищи гараж.

— Пошустрю. Но мне нужен приказ из Москвы.

— Я же сказал, ты в деле.

Кулешов направился к своей машине, Скуратов последовал за ним.

По пути в город они позвонили банкиру и вынудили его назвать адрес ювелира. Гурьев сказал, что предупредит мастера о появлении милиции.

Ювелир Юлиан Андреевич Печерников жил за городом по Павелецкому направлению, что Кулешова насторожило. Если следовать за фургоном, то можно выскочить через Расторгуево на трассу «Дон» и доехать до дома ювелира. А может, они и ехали к нему? Но почему без ожерелья и браслета?

Богатый дом стоял особняком на холме, окруженный березовой рощей, и охранялся только сворой волкодавов, которых еще не спустили с цепей на ночь. Шел первый час ночи, когда машина остановилась возле высокого забора, похожего на растреллевскую решетку Летнего сада. Калитка открылась, после того как полковник представился в микрофон домофона.

Их встретил молодцеватый седовласый мужчина с благородными чертами лица, возраст его не поддавался определению. Хозяин опирался на костыли и был озабочен. Не удивительно, ситуацию не назовешь благоприятной.

Их провели в главную комнату первого этажа. Она была огромной, с лестницами по углам, ведущими на галерею второго этажа, где располагались другие помещения. Стены галереи были уставлены книжными шкафами со множеством антикварных книг. Посреди комнаты стоял огромный круглый стол, вокруг него разместилась дюжина стульев с высокими готическими спинками. Деревянные стены и потолки усиливали впечатление старины. «Они все любят антиквариат», — пришел к выводу полковник, вспомнив квартиру банкира. Он назвал свою должность и имя. Скуратова представил как помощника.

— Да, да, я вас ждал, — кивнул хозяин. — Савва мне звонил. Я в растерянности, не знаю, чем могу помочь вам. Потерять ожерелье и браслет невозможно, там прочные надежные запоры с секретом. А серьги не могут вывалиться из ушей, они достаточно тяжелые.

— Речь идет о краже, а не о потере.

— Савва ничего толком не объяснил. Мне трудно себе представить вора, замахнувшегося на «Око света».

— Представим себе такую картину, Юлиан Андреич. Гарнитур пропал, и поиски ни к чему не привели. Сми-

ритесь. К вам приходит вор и предлагает вернуть гарнитур за вознаграждение. Разумеется, сделка должна остаться втайне. Вы готовы платить?

— Конечно готов.

— Сколько?

— Залогом, оставленным мне Гурьевым. Других денег у меня нет. Все тратится на сырье, а вы понимаете,
что моим материалом является золото, платина, драгоценные камни. Получаю их не в кредит, а по предопла-
те. Я всегда в минусе. Деньги уже отдал, а вещь еще не
сделал.

— Банкир может заплатить больше, чем вы?

— Тут и думать нечего. Залоговая сумма чисто услов-
ная, «Око света» стоит дороже. Намного дороже. Заказчик предоставил бриллианты, которые собирались
столетиями, переходили из рода в род и отбирались по
конкурсу — из тысячи один.

— Двести штук из двухсот тысяч?

— Двести двадцать четыре камня только в ожерелье.
По двенадцать в серьгах и семьдесят два в браслете.
Я до сих пор не верю в случившееся. На открытие отеля были приглашены приличные люди. Я уже не говорю
о мерах безопасности и охране.

— «Приличные люди» страшнее уличных щипачей.
Как я догадываюсь, вы не ездили на презентацию.

— Я не бываю на сборищах такого рода. Увижу все
на экране. Оператор одного из телевизионных каналов
утром принесет мне отснятый материал, я оплатил съем-
ку. Но он должен снимать реакцию публики на гарнитур, а не бриллианты.

— Нам не мешает взглянуть на эти материалы.

— Ради бога. После просмотра я могу отдать вам пленку.

— Когда вы закончили работу над гарнитуром?

— Две недели назад. Пятого числа, если быть точным.

— Когда вы должны ее сдать заказчику?

— Как только сообщу о готовности, он тут же прилетит. Но я тяну время, не наигрался еще. Это трудно объяснить. История Пигмалиона повторилась, я влюбился в собственное творение, вот и оттягиваю момент разлуки. Я же понимаю, что прощаюсь со своим детищем навсегда.

— А как фотография «Око света» попала в каталог полугодовой давности?

Ювелир рассмеялся. Полковник и репортер почувствовали себя идиотами: с лица ювелира ушло все напряжение. Похоже, его здорово рассмешили. Он встал из-за стола, взял костыли и похромал к двери. Приоткрыв ее, крикнул:

— Лапуля, принеси заявочный материал.

Вскоре в двери появилась элегантная блондинка лет тридцати в бархатном халате до пола, с затянутом поясом на осиной талии. Пышные густые волосы были убраны в пучок. Прическа, очки, отсутствие макияжа делали лицо строгим, но красоту спрятать не удавалось. Девушка положила на стол несколько журналов. Печерников представил ее:

— Моя жена, арт-директор, секретарь и лечащий врач в одном лице Алина Борисовна Малахова. Прошу, дорогуша, введи господ сыщиков в курс дела.

Девушка раскрыла журнал на той странице, где были размещены фотографии гарнитура.

— Это лишь малая часть каталогов. Один из них был выпущен полтора года назад. Перед вами копия «Ока света», здесь кристаллы Сваровски, правильно освещенные. Ее увидел наш заказчик. Никто не заказывает кота в мешке, человек должен знать, что он получит в результате.

— Я делал «Око» четыре месяца, — пояснил ювелир, — а придумывал всю жизнь. Десятки вариантов были выброшены в корзину, пока не получился тот, который я решил выставить напоказ.

— А где же гарнитур теперь?

— В сейфе. Месяц висел в витрине нашего салона, там его увидел Савелий Гурьев. А потом приставил мне нож к горлу. Фигурально выражаясь, разумеется. Не буду скрывать, мне его идея понравилась. Салон посещает определенная публика, капля в море, а на презентации соберется мировое сообщество. Меня это подкупило. Гурьеву же хотелось пустить пыль в глаза. Его дела в банковском секторе резко пошатнулись. Кризис никого не щадит. Сейчас самое время показать своим клиентам и конкурентам свой статус и благополучие.

— Ваш заказчик не возражал против рекламы?

— Я не спрашивал. В контракте нет такого пункта. Пока я не передал ему заказ, он не вправе высказывать претензии. Арабы варятся в собственном соку, их не интересует Европа, а Россия для них — нефтяной конкурент и поставщик надежного оружия, в других качествах они нас не рассматривают.

Полковник пожал плечами:

— Придется открывать уголовное дело. Я не могу гарантировать успех мероприятия в считанные часы. Сейчас я занимаюсь поисками по собственной инициативе, используя личное время. В понедельник начинается рабочая неделя, и я приступлю к своим повседневным обязанностям.

— Я все понимаю. Ваш труд будет щедро оплачен, но уголовное дело открывать нельзя. Огласка приведет к скандалу, а кто-то только этого и ждет. Для нас он подобен смерти. Мы попадем в черные списки. Я — как ювелир, теряющий уникальный материал заказчика, не подлежащий восстановлению, Гурьев — как банкир, неспособный сохранить доверенный ему капитал. В общем, крах и разорение. Вся надежда только на вас, на ваш профессионализм и деликатность.

— Попытайтесь то же самое внушить моему министру. Я готов вам помочь, но легально. В частные сыщики мне играть поздновато. Ситуация мне понятна. Если кражу совершили ваши конкуренты и недоброжелатели, то они осознают свои действия и не будут пытаться реализовать бриллианты, понимая, чем это кончится. Их положат в надежное место. На год, два, десять. Не трудно найти пропажу, зная, что ее выставят на продажу. В нашем случае речь идет о тайнике. Придется ловить вора, а не искать товар. Мало того. Вору надо доказать, что он вор. А у нас таких доказательств нет и не будет. Мы знаем схему ограбления. Работали наемные профессионалы, которых надо брать с поличным, и никак иначе. У нас есть предположение, что исполнителей уже нет в живых.

— Тем более нельзя начинать официальное расследование. Законными методами вы ничего не добьетесь. Зачем доказывать вору, что он вор? Чтобы посадить его в тюрьму. Кому от этого польза? Вора надо вычислить для того, чтобы украсть у него украденное. Вернуть свое.

— Я полковник милиции, между прочим.

Ювелир мило улыбнулся:

— На службе, Леонид Палыч. А в быту вы обычный смертный с опытом полковника милиции. Возьмите отпуск. Сейчас лето, время отпусков. Поработайте на свой карман. Тысяча долларов в день и премия за находку. Я могу водить заказчика за нос еще неделю или дней десять.

— Банкир уже обещал моему коллеге пятьдесят тысяч, — Кулешов кивнул на репортера.

Ювелир снова улыбнулся и кивнул:

— Вениамин Скуратов не ваш коллега. Он человек известный, но в других сферах. Думаю, вы отлично будете дополнять друг друга. У каждого из вас много своих достоинств. Мы ведь не отшельники и следим за жизнью в столице. Найдите «Око света», и каждый из вас получит по пятьдесят тысяч. Гурьев заплатит журналисту, я вам. Плюс расходы.

Ювелир глянул на свою очаровательную жену, стоящую у окна, сложив руки на груди. Красавица тихо вышла из комнаты и вскоре вернулась с пухлым конвертом в руках. Она положила его перед полковником на стол и тихо сказала:

— Здесь десять тысяч для непредвиденных расходов на десять дней работы. Постарайтесь уложиться в этот срок.

Наступила долгая пауза. В комнате стало слышно летающую под абажуром муху. Все следили за Кулешовым. Пухлый пакет победил. Он его взял и убрал в карман. Все с облегчением вздохнули.

— Согласен. Однако никаких гарантий я дать не могу.

— Нам достаточно вашего авторитета, — вкрадчиво заметил ювелир. — Вы не меньше нашего дорожите своим именем. Теперь вы сами решаете все задачи без указки начальства.

— Конечно. Начальник ГУВД Москвы не благословит меня на грабеж.

— Отчего же? Так зарождалась наша страна. Грабь награбленное. Экспроприация экспроприаторов. «Мы наш, мы новый мир построим, кто был никем, тот станет всем». Лозунги действуют и поныне, но в обратном порядке. Теперь кучка бандитов все отняла у народа и присвоила себе. За что боролись, на то и напоролись. Только бандитов сейчас называют олигархами. Вы все прекрасно понимаете, Леонид Палыч. Я трудяга, художник, а не вор. Меня обокрали. Официально вы мне помочь не в силах: вора не поймали с поличным, значит, надо отнять у него то, что он украл. Это благородное и справедливое дело.

— Не надо меня уговаривать и агитировать. Решение принято. Мне нужна пленка, которую вам обещали телевизионщики.

— Как только ее привезут, я вам тут же сообщу.

Посетители встали. Перед уходом Скуратов решил задать свой вопрос.

— Скажите, Алина, — обратился он к женщине, — а вы не ездили в отель?

— Очень хотелось, но не могла.

— Упустили такой случай?

— Все знают, чья я жена. «Око света» видели многие в салоне на выставочной витрине. Анне Гурьевой неприлично задавать вопросы, а меня ими засыпали бы. Первый. «Правда ли, что Гурьев купил гарнитур жене?» Что, по-вашему, я должна ответить? Подтвердить или опровергнуть? О продаже в салоне никто не говорил, в витрине не стоит табличка «Продается» или «Выставляется на аукцион». Произведения искусства чаще всего продают с молотка, а тут все осталось под завесой тайны. К чему мы и стремились. Сплетни — лучшая реклама. Вот почему мне не следовало появляться в отеле, несмотря на официальные, а не купленные приглашения. Юлиан Андреевич выполнял заказы для нынешних владельцев отеля. С ними поддерживаются деловые партнерские отношения. Это все, что я могу сказать.

— Кто мог знать о ваших договоренностях с банкиром Гурьевым?

— Никто! — резко ответил Печерников.

— Как вы передали гарнитур банкиру и когда? — спросил Кулешов.

— Алина открыла в банке Гурьева индивидуальную банковскую ячейку, в четверг отнесла туда коробку и оставила в ячейке, а Гурьев ее забрал. Он же хозяин.

— Ну да, банковская тайна у нас не в почете, — хмыкнул Скуратов. — «Око света» пролежало в ячейке четверг, пятницу и субботу. До вечера субботы. Впрочем, это не имеет значение.

Новоиспеченная команда сыщиков ушла.

— Что скажешь, Веня? — спросил полковник, садясь в машину.

— «Шерше ля фам». Ищите женщину. Как ни крути, но ограбили Анну в женском туалете, и без женщины тут не обошлось. А если аферу задумала баба, то мы клубок не распутаем. Я занимаюсь женщинами постоянно, но каждый раз натыкаюсь на открытия.

— Может быть, нам привлечь к розыску даму?

— Да. Ту, которая провернула дело. Вы видели этих красоток. Жена банкира, жена ювелира... И где они таких раскапывают?

— Кому, как не тебе, знать, Веня.

— Речь идет о другой категории женщин, Леонид Палыч. Я уже давно не хожу на тусовки, где пасутся шалашовки, называющие себя звездами и светскими львицами. Я бы оскорбился, получив кличку «Звезда». На них стыдно смотреть. Не дай бог уподобиться. Убогие щенята называют себя львицами. Коко Шанель оскорблялась, когда ее называли светской львицей. Она гений. Одевала весь мир, создала свой стиль, неповторимый и обворожительный, а у нас любая вертихвостка, бездарно мелькнувшая на экране, уже пыжится от звездности. Обмельчали, над нами смеются.

— Откуда столько злобы, Веня?

— За державу обидно.

— Но на приеме не было тех, о ком ты говоришь. Медийных лиц. Так их называют.

— На Каннском фестивале их тоже не встретишь. Приглашения продавались выборочно, несмотря на цену билета. Вот почему никто не ожидал открытого ограбления. Оказалось, наш мнимый бомонд не лучше медийной шушеры. Дело спланировано, в экспромт я не верю. А чтобы планировать, надо знать подробности. Цель была определена заранее, жертву вели.

— Я тоже так думаю. Пора по домам, утро вечера мудренее. Увидимся завтра, партнер.

Репортер расплылся в улыбке, ему льстило стать партнером человека, у которого он служил стукачом.

6

Полковник просмотрел все пленки видеонаблюдений еще раз. После того как подвез Скуратова домой, он приехал в управление и застал на месте майора Панкратова. Кулешов подбирал себе людей не по личным делам из папок управления по кадрам, а не раз проверенных в деле и не нуждающимся в лишних словах и напоминаниях.

— Вот, Леонид Палыч, после выезда фургона из гаража уходит и сторож, с которым я разговаривал. Тут темновато, мы видим лишь его силуэт. Я его хорошо запомнил, но это нам не поможет. Такие приметы как волосы, усы, очки, даже цвет глаз, все заменяемо: усы наклеить, надеть линзы... Ясно одно, сторож — сообщник. Я даже не стал искать настоящего. Валяется где-нибудь связанный, ничего не помнит и не видел. Этот хмырь может быть главарем. Он контролировал процесс. И куда пошел? Он не торопится. Машину оставил в двух кварталах, сел и уехал. Ищи ветра в поле. Теперь об уборщиках. Студенты иняза. Их взяли на работу из-за знания языков. Ребята ездили к ним домой. Адреса липовые, таких там нет. А по второму адресу вообще магазин, а не жилой дом. Все, что мы можем, — это сделать фоторобот. Мы их видели. Но нужно ли? Нанятые со стороны, они не в деле. Заработали и смылись...

— Стоп. Помолчи минуту, Женя. Тебя послушаешь, и руки опускаются. Что мы знаем? Участников операции надо ликвидировать, главарю не нужны свидетели. А может, ему нечем с ними расплатиться? Он украл бриллианты, которые невозможно продать. Значит, он выполнял чей-то заказ. Зачем гора камней, с которыми никуда не сунешься? Если сторож — главарь, то я могу принять предположение, что он погубил подельников, ехавших в фургоне. Сжег свидетелей, да и платить не надо. Одна неувязочка: в фургоне ехали Сева Дербенев и Иван Шатилов. Установлено на девяносто процентов. Мы их видели на экране, а в машине нашли знаменитый перстень Дербенева. Вот тут и начинается путаница. Дербень никогда ни на кого не работает. Он лидер. Мозг любой операции. Он хозяин положения, кукловод и вдруг идет на дело в качестве шестерки. Исключено. Он никому не доверяет. И правильно делает. В итоге мы находим его труп, запертым в железной прогоревшей банке. Зачем ему нужен такой риск? Дербень на следующую субботу наметил серьезное дело. Мы знаем не все, но ловушки расставить сумели бы. Я рассчитывал взять его с поличным, за оставшиеся дни мы уточнили бы его планы. Он не прятался и находился в поле нашего зрения. В понедельник Дербень исчез. Как в воду канул. Я знал, что он выплывет. Ему надо довести подготовку до ума. И вот он выплыл. В виде трупа. Ответь мне, старому дураку, на вопрос: у человека есть железное дело на миллион, будет он ввязываться в банальную махинацию в качестве шестерки и тащить в болото своих надежных ребят? Что ему с этих бриллиантов? Заказчик больше миллиона за «Око света» не предложит. Так деньги надо на всех поделить. Черт с ними, со студентами, но скольких они еще задействовали людей, мы не знаем.

— А если операцией руководил Дербень?

— Я уже думал об этом. Ему нельзя привлекать к себе внимание накануне крупной операции и уж тем более терять своих людей.

Помолчав, майор спокойно сказал:

— Он отменил субботнее дело. Вы же его вычисли-ли. Понял, что вы готовите ему ловушку, и отменил опе-рацию. Или того хуже. Субботний налет был блефом специально для нас. Если мы его просчитали, значит, он этого хотел. Раньше каждый его выпад сваливался нам на голову как снежный ком. Потому он и ходит до сих пор на свободе. Тут мы его просчитали и выставили кап-каны... А то он этого не знал.

— Может быть, — задумчиво протянул Кулешов. — Тогда мы полные идиоты. Но если бриллианты были главным его делом, то почему он так глупо погорел в пря-мом и переносном смысле?

— И на старуху бывает проруха.

— Мы решим эту задачку, если узнаем, в чем Дер-бень просчитался. Где и на чем споткнулся.

— Вам кофе заварить?

— В самый раз. Уже светает.

Глава 2

1

Полковник Федоров глянул на часы. Четверть один-надцатого. Для него это рань. По биологическим часам он был «совой» и в выходные дни любил поспать, обычно его утро начиналось в полдень, но сегодня при-шлось встать раньше. Ночной пожар на дороге его не очень волновал. Дорожные аварии не затрагивали пре-стиж управления. Подвернулся случай поработать с

Московским уголовным розыском, а значит, при активном участии в деле, связанным с крупным ограблением, на тебя обратят внимание в Москве. Пора подниматься вверх по лестнице. Из своего района он высосал все, что мог, работа поставлена на жесткие рельсы. Однако теперь начались проблемы. Начальник управления зажрался и попал под колпак прокуратуры. Безмозглая деревенщина, туда ему и дорога. Язык ему развязать не смогут. Одно имя, и он сдохнет на нарах, не дожив до следующего допроса. Из Москвы прислали новую метлу. Этот будет пыжиться, пока не перетащит в область всех своих. Положение стало незавидным, и Федоров решил, что наступил решающий момент. Леня Кулешов вполне может вытащить его из болота и открыть дорогу в столицу. А там другие возможности и бескрайние просторы. Надо постараться. Федоров решил вложить свою лепту в дело Кулешова. Пусть задарма, но оно того стоило.

Сейчас он сидел в вонючей, пропахшей формалином комнате с кафельным полом и стенами, где стоял один письменный стол и три стула. Под потолком грязное окно с решетками. Здесь оформляют документы на получение трупов. Санитара пришлось выгнать и занять его место. Из коридора доносились женские крики. Обычное явление. Он выжидал — не хотел наблюдать за истериками. Перед ним лежала папка с документами, ручка и два целлофановых пакета с вещдоками. Федоров с кислой физиономией рисовал чертиков в блокноте и думал о своем.

В дверь постучались, вошел майор.

— Угомонились? — спросил полковник.

— Адекватны. Можно заводить?

— По одной.

Майор привел женщину с заплаканными глазами. Высокая, лет сорока, с хорошей фигурой, гордым лицом, пронизывающим взглядом больших черных глаз. Такими бабами не покомандуешь, они сами кого хочешь скрутят в бараний рог.

— Назовитесь.

— Екатерина Дербенева.

— Опознали останки?

— Шутите, полковник. Что там опознавать? Душа не на месте, вот и сорвалась.

— Присядьте.

Женщина подошла к столу и села на скрипучий стул.

— Вот вещи, которые сохранились при пожаре. Ознакомьтесь.

Федоров высыпал из пакета на стол металлические предметы.

— Часы швейцарские «Фрэнк Мюллер», связка ключей, перстень с изумрудом с гравировкой «В.Д.». Это все.

— Теперь я понимаю, как в дом вошел мент, приехавший за мной. Этими ключами дверь открыл.

— И правильно сделал. Зачем травмировать человека без веских оснований. Ключи подошли, значит, мы не ошиблись. Или он вас напугал?

— Я не из пугливых. К парню претензий не имею. Он сначала дверь открыл, а потом позвонил. Тут должна быть золотая зажигалка, на ней тоже есть гравировка «В.Д.». Я ее не вижу.

— Значит, ее не было.

— Не пудри мне мозги, полковник. Муж с ней не расставался. Поищи в карманах своих ханыг. Вещь дорогая.

— Вас зажигалка волнует или смерть мужа?

— Я мужа не видела. Головешку видела.

— Акт опознания подписывать будете?

— Ключи, перстень и часы — не доказательство. Пусть сделают рентген левой ключицы. Я хочу посмотреть снимок. Надо взять ткань на ДНК.

— У Дербенева есть родственники?

— Брат в Симферополе. Я его вызову.

— Когда вы в последний раз видели мужа?

— В понедельник. Уехал на рыбалку с Иваном. Ему надоели «пастухи».

— Кто же его пас?

— Кто-то из ваших.

— Долгая рыбалка получилась.

— Они ездят в Карелию на машинах. Неделя-две в порядке вещей.

— И он не звонил?

— Нет. Сева знает, что его телефоны на прослушке. Зачем ему отмечаться. От вас нигде покоя не найдешь. Раньше этого воскресенья я его не ждала.

— Посидите в коридоре.

Женщина вышла. Появился майор.

— Труп Дербеня на рентген. Левая ключица. Срочно. Мокрый снимок — мне. И давай вторую вдову.

Вошла молодая девушка, невысокая, хрупкая, изящная, с высокой грудью. Она все еще всхлипывала.

— Садитесь. Как вас зовут?

— Ляля.

— Полное имя.

— Ольга Шатилова.

Она чуть ли не на цыпочках подошла к столу и присела на край стула.

— Мужа опознали?

— Не знаю... Я чувствовала, что-то должно случиться.

— Это почему же?

— Нервный был в последнее время. Почти не разговаривал.

— Куда девался?

— Уехал на рыбалку с Севой.

— За ним следили?

— Кто?

— Не знаю. Он говорил о слежке?

— Иван ни о чем со мной не говорит. Языком много болтаю, так он считает. По телефону с девчонками разговариваю. Видеться нам некогда.

— На какие средства жили?

— Ваня работал, и я работаю. Хватает.

— Где он работал?

— Не знаю. Он не говорил.

Полковник высыпал вещи из второго пакета и накрыл их ладонью.

— Какие он носил часы?

— «Ролекс». На серебряном браслете.

Федоров пододвинул к краю стола часы.

— Они?

— Они.

Из глаз женщины брызнули слезы.

— И ключи подходят к вашему дому. А теперь скажите, как у Ивана обстояли дела с зубами? Коронки, пломбы, фиксы?

— Не знаю. Зубы в стакан не клал. Наверное, нормальные. Но он за ними не следил. Изо рта пахло. Может, от желудка.

— Родственники у мужа есть?

— Нет. Он детдомовский.

— Вы хорошо знали Всеволода Дербенева?

— Видела его, здоровались, но не разговаривали.

— А его жену?

— Нет, что вы, она даже не смотрит в мою сторону. Гордая. С высшим образованием.

— Чем вы занимаетесь?

— Была спортсменкой, сейчас работаю акробаткой в цирке.

— Уверены, что муж уехал на рыбалку?

— Нет.

— Почему?

— Он оставил мне деньги. Три тысячи долларов. Больше сотни я от него не видела, а тут три тысячи. Будто уходил навсегда.

— У него есть другие женщины?

— Не знаю. Я за ним не слежу и не расспрашиваю его. Ваня хорошо ко мне относится. Никогда меня не бил.

Полковник усмехнулся:

— Бьет, значит, любит, не бьет — тоже любит. А кто вас бил?

— Первый муж. А до него отец. Циркачи — народ грубый, побоями они работоспособность воспитывают. Что я теперь буду делать без Вани?

Полковник подал ей лист бумаги:

— Подпишите протокол опознания.

Девушка подписала.

— Идите домой, выпейте валерьянки и постарайтесь уснуть. Горю слезами не поможешь.

С опущенной головой Ляля побрела к двери. Федорову стало жалко эту беззащитную тростиночку.

Следующие десять минут полковник просидел в одиночестве, продолжая рисовать чертиков, пока, наконец, не вернулся майор со снимком.

— Что? — не отрываясь от рисунка, спросил полковник.

— Перелом ключицы и неправильно сросшаяся кость, есть смещение. Так сказал врач, Федор Витальич.

— Дербенева в коридоре?

— Сидит у двери. Как мумия. Ничего перед собой не видит.

— Железная баба. Покажи ей снимок, а потом пусть зайдет.

Майор вышел и через две минуты вернулся:

— Где она?

— Увидела снимок, заревела и ушла. Оглянувшись, крикнула: «Делайте ДНК». На стуле остался старый снимок, сделанный год тому назад. Один в один с этим.

— Черт с ней, и так все ясно. Вещдоки убери, отдавать их рано. Дело открывать будет Москва. Что с машинами?

— Клюев в управлении. Вы ему дали задание.

— Заканчивай здесь с формальностями и ко мне в кабинет. Сегодня мы работаем.

Как только Федоров вернулся к себе, вошел капитан Клюев и доложил о результатах проверки:

— Фургон «Вольво» был желтым. Его угнали два месяца назад от магазина «Эльдорадо» вместе с товаром. Шофер оформлял накладные на привезенные с базы стиральные машины — девять штук. Вышел на улицу — машины нет. Ее так и не нашли. Товар тоже на рынке не появлялся.

— Не был замечен, так точнее. А то ты не знаешь, как это делается. Дальше.

— Бензовоз угнали в пятницу вместе с бензином от нефтеперерабатывающего завода в Капотне. Шофера тюкнули по балде у светофора. Очнулся в кустах у Москва-реки, связанный скотчем по рукам и ногам. Нашли его часа через три любители шашлыков. Гаишники получили наводку, но ничего не обнаружили. Район шустрят. Но если бензовоз простоял здесь сутки, то следов мы не найдем. Фургон проследить проще. Ребята работают.

— Ясно одно — авария спланирована. Банда готовила дело в наших краях. До Капотни рукой подать, и фургон шел сюда. Дербенев и Шатилов тоже местные. Ключик у нас, надо дверь подходящую подобрать.

— Стараемся.

— Из кожи вон лезь, капитан. В Москву перейду, вас возьму, здесь нам делать нечего. У нового генерала свои полковники есть, мы ему не нужны, не сегодня-завтра окажемся на обочине.

— Ему пока не до нас. Он гаишников чистит, а там такое болото, не расхлебаешь.

— И не будет. Цену задирает. Эти кого хочешь купят. Как по рукам ударят, так за нас возьмется. Я с таким дерьмом не сработаюсь, нам уходить надо. Наверх, а не вниз. Подключай к работе всех. У нас нет выбора.

2

Панкрат Антонович Шпаликов был пылким любовником только в собственном воображении. На деле он любил, чтобы женщины его заводили. Инночка умела это делать лучше других. Она устраивала целые спектакли перед Панечкой. Он лежал в постели, а она в черных чулочках, поясочке, на шпильках, танцевала перед ним под эротическую музыку. Инночка гордилась своей фигурой в форме гитары. Тонкая талия, большой бюст, широкие бедра... Не то что молодые селедки с обглоданными костями и острыми коленками. Об ребра обрезаться можно.

Инночка сладострастно танцевала и спрашивала:

— Ну что, встал?

— Не торопи события, детка, не все так просто, — отвечал клиент.

— Знаю. Но когда ты раскочегаришься, я от тебя балдею.

Стриптиз длился полчаса, и последовала команда:

— Ныряй ко мне.

Веня Скуратов тоже не любил тощих баб. Инночка ему нравилась, и он с удовольствием с ней переспал бы, но работа для него всегда была на первом месте. Он вместе со Шпаликовым наблюдал за танцем, но с той лишь разницей, что находился в доме напротив и видел картинку через телеобъектив фотокамеры, делая при этом снимки.

Квартиры он арендовал сам — и ту, где проходил спектакль, и ту, из которой наблюдал. При помощи связей и посредников ключ от одной из квартир периодически попадал в руки нужного человека, которому необходимы были удобства поблизости от работы. Квартиры Вене обходились в копеечку, но и получал он за хлопоты немало. Оно того стоило.

Сделав хорошие кадры, Веня достал флешку из фотоаппарата, вставил в компьютер и распечатал пять штук самых лучших. Убрав снимки в конверт, вышел на улицу и стал ждать, поглядывая из окна своей машины на один из подъездов дома напротив. Первым на улицу вышел толстяк с бритой головой, сел в ожидающую его машину и уехал. Скуратов продолжал сидеть, покуривая трубку.

И вот вышла Инесса. Шикарная женщина в шикарной одежде, без которой она Вене нравилась больше. Инна села в свой джип и тронулась с места. Дорога не заняла много времени, дама решила отобедать в ресторане «Марго», славившемся своей кухней. Там репортер и подсел к ней за столик.

— Не помешаю? Я тоже проголодался.

— Не порть мне аппетит, Венька! Проваливай отсюда.

— Не груби, Инночка. Я человек деловой и попусту людей не беспокою.

— Опять что-то пронюхал? Урод!

— Я красавец по сравнению со Шпаликовым. Держи снимочки.

Репортер положил конверт на стол. Инна лишь мельком взглянула на пару снимков и все поняла.

— Как ты сумел в квартире камеру установить?

Такое предположение Веню устраивало. Все всегда думали о камерах в квартирах. Это хорошо. Знай они правду, стали бы думать о шторах и жалюзи, которые Веня заблаговременно снимал с окон.

— Я всегда с тобой Инесса, где бы ты ни была. От меня невозможно спрятаться, и не мечтай. Знаешь цену этим снимкам? Представляешь себе последствия?

— Сколько ты хочешь за то, чтобы оставить меня в покое?

— Ты столько не зарабатываешь. Я знаю твою осторожность, Инночка. У тебя денег в кошельке дай бог на обед хватит. Как они с тобой расплачиваются? Хочешь, угадаю? Призовем на помощь логику. Обычно клиентов обслуживают твои девочки, сама ты редко вступаешь в контакты, свое уже отработала. Однако для воротил из банка «Юнисфер» ты делаешь исключение. Мало того, эти старые пердуны не знают о том, что ты трахаешься с каждым из них. А у меня есть компромат на всех. Я думаю, они тебе выплачивают зарплату. Кладут деньги в твою банковскую ячейку. Я был в банке. Один общий ключ от всех ячеек есть у дежурного администратора, а клиенты открывают ту же ячейку с помощью кодового замка. Ключ — не проблема, а код ты им сама назвала. Попал?

— Что тебе от меня надо? Не с кого бабки срубить? Я знаю, сколько ты гребешь с рогоносцев и их жен. Мало? Назови цену и оставь банкиров в покое. Деньги я тебе достану.

— Из них выкачаешь? Я сам могу, мне посредники не нужны. А теперь слушай внимательно. Сделаешь дело, на полгода оставлю тебя в покое. Меня интересуют коды четырех ячеек и общий ключ. Добудешь — мы в расчете. Я уверен, что у директора банка Гурьева есть своя ячейка помимо личного сейфа в кабинете. У его жены Анны тоже есть ячейка. Далее, меня интересуют ячейки ювелира Печерникова и его жены Алины.

— Ты опупел, Веня!

— Слушай меня, голуба. Это пустяки. Твои директора общаются между собой по электронной почте, а не по телефону. У каждого в портфеле есть ноутбук. В нем все материалы по банку. У каждого свои. Обслуживанием населения занимается Фельдман. В его компьютере есть все договора на наем банковских ячеек. Там мы узнаем, кому какой номер принадлежит.

— Так мне Фельдман и открыл свой компьютер...

— Откроешь ты, пока он будет спать после клофелина.

— А пароль?

— Зачем он ему? Они спят со своими машинками, из рук их не выпускают. А если там есть пароль, то он цифровой. Они же работают с цифрами, а не словами. Набери его домашний телефон и попадешь в точку. Не мне тебя учить. И еще. Мне нужно знать все о названных мною женщинах. Они мои объекты.

— Ничего ты на них не нароешь! Пустая затея. Я знаю этих кукол, они на сходках не тусуются. И как, по-твоему, я узнаю их коды доступа к ячейкам? Номер ящика я еще могу узнать, ты прав. Когда мне подбирали ячейку, Шпаликов через компьютер смотрел, есть ли свободные гнезда. Но как открыть?

— Для этого, Инночка, существуют универсальные коды. Муж умер, оставив наследство жене, а код она не знает. Сейф ломать? Нет, конечно. Тебе его откроют с помощью универсального кода.

— Что ты задумал? На ограбление я не пойду.

— Мне лишь надо знать содержимое ячеек, я ничего не собираюсь трогать. Сделаю фотографии и все. Ты опытная, умная женщина, тебе дважды объяснять ничего не надо. Подключи своих девочек, подложи их в постель к кому надо, и все будешь знать. Ты же не хочешь, чтобы я эти фотографии разместил в Интернете? Подумай о последствиях.

— Ты низкий мерзавец, ничтожество!

— Ради бога! Кто угодно. Можешь выпустить пары, но дело должна сделать.

Скуратов встал и вышел из ресторана.

3

В разгар воскресного дня команда Кулешова все еще топталась на месте. Лейтенант Жиров докладывал:

— Вот их фотографии. Получили по электронной почте из Серпухова. Не очень четкие, но узнаваемые. Они выглядят спящими. Похожи. Я думаю, это они. Наряд транспортной милиции делал обход электрички на подъезде к Серпухову и обнаружил наших уборщиков мертвыми в пятом вагоне. В ногах стояла недопитая бутылка французского шампанского и пластиковые стаканчики. Отравление ядом неизвестного происхождения. Сейчас химики колдуют над этим вопросом. Вещей и документов у ребят не было. Они сели на Курском вокзале в последнюю тульскую электричку. Шампанское с ядом им дали на дорожку в отеле, как можно догадаться. Поезд шел пустым. На выходные все едут в Москву, а не наоборот, а дачники уехали в пятницу или в субботу утром. Похоже, ребята обмыли успех и легкий заработок, после чего окочурились. До Серпухова два часа пути. Если у них были с собой вещи, а я думаю, они везли заработанные деньги, то их украли. Выглядят они спящими, любой бомж мог прихватить рюкзачок, оставленный без присмотра. Грабеж в ночных поездах — норма, тут все понятно. Таким же шампанским угощали на вечеринке.

— Убирают сообщников. Фургон на Варшавке, уборщики в поезде. Кто еще? — пробурчал полковник.

— Из оставшихся в живых, причастных к делу, остался только сторож из гаража, давший наводку на белый фургон. Кстати, настоящий сторож нашелся. Провалялся всю ночь в гараже с заклеенным ртом. Возможно, псевдосторож и был главным.

— Все может быть, — кивнул майор Панкратов, сидящий на стуле в углу. — Но он не мог физически обогнать фургон, пересесть в бензовоз и организовать аварию. Значит, существует еще и шофер бензовоза, который смылся с места происшествия. Уже двое. Если они не захотят поделить барыши, значит, мы наткнемся как минимум еще на один труп.

— Внимательно прослеживайте все сводки происшествий по Москве и области, — приказал полковник.

— Юсупов сидит на пульте, Леонид Палыч.

— Хорошо.

— Вас что-то другое беспокоит, товарищ полковник? — спросил Панкратов.

— Меня беспокоит заказчик, а не грабители. Ясно же, что Дербеню бриллианты не нужны. Эти люди предпочитают наличность. Им проще ограбить банк, чем возиться с каталожными камешками. Я думаю о банкире Гурьеве. У него, по словам ювелира Печерникова, дела идут не лучшим образом. Он мог заплатить пять миллионов ювелиру, если бы имел покупателя на «Око света». Гарнитур стоит во много раз дороже из-за своей уникальности. Гурьеву легче всех остальных организовать ограбление. Жена может участвовать в деле, а может и нет. Кто, как не он, с легкостью мог подменить фляжку. А главное то, что он мог спланировать все заранее. То же самое можно сказать о ювелире. В итоге, если он затеял эту комбинацию, гарнитур к нему вернулся, и он заработал пять миллионов. Вопрос в другом. Дело могло сорваться и получить огласку, тогда оба оказались бы в дерьме и уже не смогли бы отмыться. Пойдут ли такие консервативные люди на большой риск ради страховки в пять миллионов? На этот вопрос у меня нет ответа.

В кабинет вошел капитан Юсупов и положил на стол груду газет.

— Ни одной нашей поп-звезды на сходке в отеле не было. Присутствующих можно идентифицировать только по надписям под снимками.

Полковник начал пролистывать газеты. Хмыкнув, он сказал:

— Такое впечатление, будто Дом престарелых принимал у себя Дом моделей. Старперы и манекенщицы. А вот и наши бриллианты. Анну успели сфотографировать все репортеры. Рекламная компания свою задачу выполнила, и девочку можно раздевать.

— Вы не правы, Леонид Палыч, — подал голос майор Панкратов. — В фойе были только наши газетчики.

Журналисты крупных мировых изданий начали свою активную деятельность с показа мод в зале и продолжили ее на банкете, куда пускали избранных. Анна так и не дошла до зала. Ее снимки в «Пари матч» не попадут, читающие «Тайм» ее тоже не увидят. Точнее его, если мы говорим о гарнитуре.

— Я всегда прав, майор, — огрызнулся Кулешов. — Надо понимать задачу, которую ставил перед собой Гурьев. Плевать он хотел на «Тайм». Он пытался внушить всем простую мысль — у него все на мази, кризис его не коснулся. Дела банкира идут плохо, если верить Печерникову, и он хотел опровергнуть эти слухи. Ему не нужна реклама за границей. Он пыжился перед своими. — Кулешов постучал пальцем по стопке газет. — Гурьев своего добился, — продолжал полковник. — Что касается ювелира, то ему хотелось показать свое творение всему миру. Он жаждет мирового признания. Печерникову не выгодна кража на начальной стадии вечеринки.

— К этому можно добавить степень риска, — дополнил слова начальника лейтенант. — Ювелир не стал бы рисковать гарнитуром. А если грабители его не вернут? Или удвоят цену? Арабские шейхи — народ серьезный, ему головы не сносить. Вы же говорили, что камешки какие-то особенные.

— Ты прав. Арабы в Россию приезжают, как к себе домой. От них не спрячешься. Из-под земли достанут. Ювелир рисковать не станет. У него в запасе дней десять или чуть больше. Он должен сдавать заказ. Тут не до игр, не до баловства.

В кабинет вошел дежурный по управлению.

— К вам просится какая-то женщина, товарищ полковник. Говорит, будто вы ее ждете. Назвалась женой Печерникова.

— Пропустите.

Через несколько минут появилась Алина Малахова. В комнате разлился мягкий аромат духов. Офицеры с нескрываемым любопытством рассматривали роскошную даму в скромном одеянии. На такую хоть мешок надень, она останется королевой.

— Я принесла видеопленку. Вы просили.

Кулешов встал и даже поцеловал гостье ручку, чем удивил подчиненных. В роли джентльмена его еще не видели, за глаза Кулешова называли сухарем.

— Рад, что вы пришли.

— Нас очень беспокоит сложившаяся ситуация. Мы до сих пор еще не осознали в полной мере происшедшего. Страшно подумать, чем эта история может кончиться.

— Присаживайтесь. И чем же?

— Шейх заказал комплект для свадьбы своего сына. Он хочет удивить себе подобных, а это сделать очень трудно. Богатством они друг друга давно не удивляют, золотыми унитазами тоже. Бриллианты, семейная реликвия — другое дело. Их собирали веками. Потерять... что может быть глупее... Большего оскорбления семейному клану не нанесешь. Я даже не хочу думать о последствиях. Грабителей все равно найдут. Не вы, так они. С их деньгами и связями все возможно. Надо думать о последствиях. Москву зальют кровью. Начнут с мужа и меня.

— С этим мы разберемся, опыт есть, — улыбнулся полковник. — Но лучше не доводить дело до крайностей. К вам-то какие могут быть претензии?

— Я манекен. Одно дело увидеть украшения на черном бархате, другое дело — на моей шее. «Око света» шейху демонстрировала я. Копию, конечно. Я не страдаю от скромности и могу утверждать, что благодаря моей демонстрации украшений муж получает львиную долю заказов.

— Вам идут какие-то проценты с каждой сделки?

Женщина усмехнулась:

— Зачем они мне? Юлиан Андреич немолод и болен. Год-два, и его нет. Я наследница. Однако в отличие от других молодых жен богатых стариков, я не жду и не жажду его смерти. Печерников приносит огромные прибыли своим талантом, и если говорить прямо в лоб, то он работает на меня. В мой карман. Мне меньше всех остальных выгодна его смерть. Я не жар-птица в золотой клетке. Моей свободы никто не ограничивает. Мужчину для души я всегда могу себе найти. Юлиан Андреич не спит со мной. Он неглупый человек и понимает, в чем нуждается молодая женщина, и на мои похождения смотрит сквозь пальцы. Дело в том, что я не злоупотребляю своими возможностями и не кручу романов на стороне. Но он ничего не знает, мы просто не разговариваем на эту тему. Я поставила вас в известность для того, чтобы вы не тратили время на разгадывание ненужных ребусов. Хочу лишь подчеркнуть — опасность в первую очередь грозит мне и моему мужу. Реальная опасность. Остальные отделаются легким испугом.

— Об опасности рано говорить, — покачал головой Кулешов. — Мы, как видите, работаем без перекуров и продвигаемся вперед. Медленными шажками, но двигаемся.

Алина кивнула на стопку газет:

— Уже читали?

— Картинки посмотрели.

Она взяла одну из газет и, развернув ее, прочитала: «Загадкой вечера стало исчезновение Анны Гурьевой и ее известного мужа, которые пришли на презентацию с целью заткнуть всех за пояс. Было чем. Взгляните на снимки. Есть свидетели, видевшие уход звездной пары с понурыми лицами. Но лица никого не интересовали. Всех интересовал другой вопрос. Куда делись бриллианты? Они превратились в слезы на щеках красавицы Анны. Редакция нашего издания решила разобраться в странном казусе. Может, кто-то хочет поделиться с нами своими предположениями на сей счет. Милости просим. Наши двери всегда открыты».

Алина передала газету полковнику. Кулешов пробежал взглядом заметку.

— Мы находились в холле, когда чета Гурьевых покидала отель. Там не было никаких свидетелей. Администрация шум поднимать не будет. Машину подогнали к подъезду, репортеров на улице не осталось. Это утка! — Кулешов отбросил газету.

— Однако желтую прессу читают все. Газета так и называется: «Скандалы». Но связываться с банкиром они не станут. Редакция проиграла сотни дел в судах, не ясно, на что они бумагу покупают. Гурьев их может разорить. На такой риск они не пойдут, не имея стопроцентных доказательств. Значит, джокер спрятан у них в рукаве, — предположил Панкратов.

— Тут не в чем их обвинить. Они ничего не утверждают, это лишь рассуждения, а за мысли не судят, — заметила женщина.

— А если им этот материал подбросили грабители? Что они задумали? — недоумевал Панкратов.

— Вы знаете, кому принадлежит отель, — уверенно заговорил Кулешов. — С этими людьми и государство справиться не может. Кто же рискнет наступать им на мозоли? Ограбление на презентации... Представьте себе такой текст: «Во время награждения президентом России лучших людей страны в Георгиевском зал Кремля с груди академика такого-то украли орден Андрея Первозванного!» Мировая сенсация. Новый отель для владельцев — результат двадцатилетней деятельности на черном рынке. Воры правят бал и торжествуют, и вдруг в доме вора происходит ограбление. А чего же вы хотели? Так и должно быть. Хозяева отеля считают себя хозяевами страны и не позволят марать свои имена. Огласка — значит война. Грабители не станут поднимать шум.

— Если они не работают на политиков, — поправил Панкратов.

— Я бы об этом знал. Уверяю вас, в верхних эшелонах власти делают подкопы гораздо глубже. У них и возможности другие. Скандал им на руку, но они к нему не имеют отношения. Истина плавает где-то на поверхности, и мы до нее доберемся. Главное — настроиться на нужную волну, понять идею. А теперь давайте вашу пленку. Нам потребуются комментарии.

— У меня есть комментарии, — уверенно произнесла Алина.

— С них и начнем.

4

Катя Дербенева сидела на стуле посреди комнаты и думала. Вокруг — дым коромыслом, все перевернуто верх дном. Два этажа, восемь комнат — и сплошной бардак. Вряд ли менты работали такими варварскими методами. Они хамы, но не до такой степени. И что они могли искать? Сева, зная о слежке и наблюдениях за ним, не стал бы держать в доме компромат. Сработали люди Игумена. Значит, они споткнулись на каком-то звене. Катя загасила очередную сигарету и прикурила новую. Тут суток не хватит, чтобы навести порядок. В доме много мелочей, и все теперь разбросано.

Они жили богато и широко. Всеволод имел три антикварных магазина и хорошо зарабатывал на официальных продажах. То, что он считается одним из лучших черных риелторов, знали все, доказать не могли. Сыщикам не оставалось ни одной ниточки, за которую можно было бы дернуть и получить результат. Таких, как Сева, не ловят. Одной ошибки в молодости ему хватило — уроком для него стали пять лет колонии. С тех пор сыскарям не удается выдвинуть ни одного стоящего обвинения. Хуже всего, если в дело вмешиваются дилетанты, от них добра не жди.

Что-то маячило за окнами и мешало Кате думать, словно соринка попала в глаз. Она встала, открыла дверь и вышла на веранду.

— Эй, где ты там?

Девушка вышла из-за гранитной колонны, подпирающей солярий над крыльцом. Ее вид был растерянным.

— Ты, Ляля?

— Да. Я просто хотела узнать...

— Все чего-то хотят узнать, оттого и дохнут от собственного любопытства. Заходи, поможешь мне с уборкой.

— Конечно.

Теперь в доме оказались две вдовы. Ляля с нескрываемым восторгом рассматривала хоромы.

Заметив это, Катя объяснила:

— Это была заброшенная усадьба князя Голицына. Сева купил развалины — груду кирпичей и восстановил все по старым чертежам. Теперь власти очухались и требуют вернуть ее государству как народное достояние и памятник старины. Шиш им! Совдеповские привычки не изживаются. О чем они думали в течение семидесяти лет, глядя на поросшие мхом стены? Ничего в этой стране не меняется. Заела пластинка на куплете: «Кто был ничем, тот станет всем!»

— Кто-то у вас похозяйничал. Обыск делали. Кто?

— Халявщики. У нас других не встретишь. У тебя еще не были?

— Нет.

— Придут.

— Там раскидывать нечего, весь дом, как одна ваша комната. Кто их убил?

— Ванька с тобой говорил о делах?

— Он всегда считал меня дурой.

— А ты с этим не согласна.

Катя положила на стол шахматную доску и начала поднимать с пола фигуры из полудрагоценных камней зеленого и белого цветов. Ляля занялась тем же.

— Я знаю, что Иван готовился к какому-то делу. Они с Севой чертили схему. Дня два чертили, много спорили. На меня не обращали внимания. В конце концов, договорились и сели обмывать решение, будто уже кого-то ограбили.

Хозяйка сложила фигуры в складную доску и закрыла ее.

— И где же эта схема?

— Так и осталась на столе. Ваня накрыл ее клеенкой, и все.

— Потом ты ее видела?

— Я не смотрела. Чего я там пойму.

— Вот что. Поедем к тебе. Надо проверить. Убийцы искали эту схему здесь, но не нашли. Будут искать у тебя, если у них мозги работают нормально.

— Я боюсь возвращаться домой.

— А ты не бойся. Мы их не интересуем. Поехали.

Катя взяла напуганную гимнастку за руку и вывела в сад, где стояла машина.

5

Бандитскую базу нашли. Получилось все просто. Оперативники показали фотографии Дербеня и Шатилова продавщице сельпо. Она их узнала.

— С ними еще третий был. Коренастый мужик. Они дня три здесь тусовались. Я думала, Валька их наняла черепицу на крыше поменять, но они не работали. Только пили. А дня три назад исчезли.

— Валька, говоришь. В каком доме живет?

— В конце улицы, перед самым оврагом. Зеленый дом с красной черепицей. Она уже купила новую на замену, но так и не перекрыла крышу.

— Кого из них раньше видела?

— Здоровяка видела. Кажется, его Валерием зовут. Валькина соседка с ним поздоровалась. Прасковья. Живет на один дом ближе.

Оперативники вышли из магазина, один из них позвонил Федорову и доложил обстановку. Полковник тут же выехал на место.

На мягкой почве огромного участка были бензиновые пятна и следы от грузовых машин. Гараж на две машины, построенный из кирпича, оказался не заперт, но оперативники не стали входить, решили сначала поговорить с хозяйкой. Не получилось. Молодая женщина лет тридцати лежала посреди комнаты с пулевым ранением в грудь и голову. Глаза остекленели, на лице застыла маска ужаса.

Оперативник склонился над трупом:

— Холодная.

Он заметил сотовый телефон, закатившийся под кровать, но трогать его не стал:

— Тут экспертам надо поработать. Не будем топтать, попробуем поговорить с соседкой до приезда наших.

Оба вышли из дома и направились к забору, за которым немолодая женщина развешивала белье.

— Вы Прасковья? — спросил тот, что постарше.

— Да, я. А вы кто будете?

Ей показали милицейские удостоверения. Женщина напряглась:

— А что случилось?

— Вы знали мужчин, которые гостили у вашей соседки?

— Здоровались. Нас никто не знакомил. Валеру я и раньше видела, он бывал здесь. А его друзей видела только один раз.

— Когда они уехали?

— В субботу утром. Уехали рано. Я у магазина сидела. По субботам молоко с фермы привозят, очередь затемно занимают. Вижу, их фургон из ворот выезжает. Я решила, на рыбалку собрались. А что вы у Валентины-то не спросите? Она лучше знает.

— Ее нет.

— Куда же она подевалась?

— Вопрос не по адресу. Когда вы ее в последний раз видели?

— Вечером. Вчера вечером. Часов в шесть ко мне заходила. Трех кроликов купила. Опять, думаю, пировать будут. Для себя-то она мясо не покупает, да еще так много.

— А где стоял фургон? Как он выглядел? — спросил второй оперативник.

— Синяя машина. Я в них не понимаю. В гараже стоял. Покойный муж Валюхи ремонтом промышлял, вот и отстроил себе боксы. Рукастый был мужик, но пьющий. Так со стаканом в руке и помер, «мотор» не выдержал. Он мотором сердце называл. Года три назад Богу душу отдал.

— А бензовоз в деревню не заезжал?

— Нет, бензовоза не видела. У нас же газ. Привозной, в баллонах. Его привозят два раза в год.

— Спасибо, Прасковья.

Женщина что-то почувствовала, взгляд насторожился. К участку подъехала черная «Волга». Из машины вышел полковник Федоров, его помощник и криминалист.

Когда они зашли в дом, старший оперативник доложил:

— Шофером фургона, судя по всему, был хахаль хозяйки по имени Валерий. Коренастый мужчина средних лет. Фургон прятали в гараже. Уехали в субботу утром. Их было трое. К вечеру обещали вернуться. Там на кухне хозяйка ужин готовила, но не закончила. Предположительно ее убили в субботу поздно вечером. До или после аварии с бензовозом, надо уточнить. Под кроватью лежит мобильник. Скорее всего, Валентина пыталась соединиться с Валерием, но ей не дали этого сделать. Выстрелов никто не слышал. Возможно, убийца стрелял из пистолета с глушителем. Гараж мы еще не осматривали.

— Начинайте, Илья Петрович, — сказал Федоров криминалисту.

6

Жена, трое детей и четверо внуков — все отдыхали в саду на огромном дачном участке, и только глава семейства без устали работал с очередным клиентом в своем кабинете на втором этаже коттеджа. Так думали члены семьи. На самом деле Веня Скуратов не был клиентом знаменитого адвоката. Хозяин и гость тихо разговаривали, разглядывая фотографии.

— А это, Гурген Вартанович, вы с женой Варганяна Лиличкой. Я думаю, с вас хватит, — сказал Вениамин, откладывая очередное фото. — Знаете, что с вами сделают, если мужья этих дам увидят снимочки. Ведь многих из них вы не сумели вытащить, и они сидят в зоне. Одна малява на свободу и от вас только мокрое место останется. Жены пытались спасти мужей, а вы их в койку. Неблагородно. Я понимаю, кавказский темперамент... Вам все с рук сходит. Только не сейчас.

— Я не вправе разглашать...

— Вы не святой, вы бес. Уговаривать не стану. Я человек жесткий. Ваши проблемы меня не интересуют, предпочитаю думать о своих.

— Хорошо. Кто конкретно вас интересует?

— Ювелир Печерников и его жена Алина. Банкир Гурьев и его жена Анна. Каждый по отдельности, и какая между ними связь.

Нерсесян — немолодой, но красивый мужчина с посеребренными висками и крупными чертами лица — сидел в кресле за роскошным письменным столом, побледневший и неподвижный, словно статуя, и пытался держаться с достоинством. Его гость, устроившийся напротив, вел себя развязно, попивал мартини, постоянно подливая себе в бокал.

— Никакой связи между ними нет. Люди разных интересов. Они входят в один круг, но друзьями их не назовешь. Играют в карты в клубе. Я видел их за одним столом.

— Вы говорите об Английском клубе?

— Да. Время от времени там надо отмечаться. Поддерживать свой статус. Но оба — люди занятые и завсегдатаями их не назовешь. Ну и конечно, они бывают на вечеринках Ковальского. Но там все бывают.

— Продюсер порноиндустрии?

— Он продюсирует многие успешные проекты. У этого человека самые обширные связи во всех областях. Его услугами пользуются многие бизнесмены.

— По этой причине в нашей стране бессмысленно бороться с пиратством. Рынки видеопродукции принадлежат ему. Знаменитые «Горбушка», «Савок» и прочие.

— Скажем так. Он курирует некоторые доходные места. Но мы ведь не о нем говорим. С Гурьевым я вам не смогу помочь, его дела ведет Роман Лурье. О Печерникове знаю больше.

— Роман Лурье. Обрусевший француз. Роман Лукич. Только отца его звали не Лука, а Луи. Он входил в вашу ассоциацию адвокатов, и с ним мы тоже сможем договориться с вашей помощью. Он вам не откажет.

— Его на снимочках не поймаешь. Он холост, может спать с кем угодно.

— Но не может содержать притоны.

— Сумеете это доказать? Плохо знаете наши законы. Сутенера можно взять только с поличным, а Лурье человек умный.

— А я с дураками не работаю, с ними милиция справляется. О Лурье поговорим потом, начнем с Алины Малаховой. Что она значит для мужа?

— Я бы по-другому ставил вопрос — что он для нее значит. Юлиан — тряпка, она вертит им как хочет. Она хозяйка Медной горы, а он для нее Данила-мастер. Помните сказки Бажова? Так вот, Юлиан раб своей жены и без амбиций. Он жив лишь потому, что у него руки золотые, и он еще не ослеп. Все состояние давно отписано на имя жены. Если она выгонит его на улицу, он погибнет в нищете. Я знаю, что Юлиан купил себе пистолет. Как только он потеряет способность работать, тут же застрелится. Но творческие люди долго живут, они питаются своим творчеством. Каждый раз, начиная новый проект, Юлиан возрождается, молодеет, у него горят глаза, он полон сил, энергии и жажды творить. А результаты идут в карман Алины.

— Она единственная наследница?

— Теперь да. Три года назад погибла дочь Юлиана Галина. Обстоятельства не известны. Девушке было двадцать семь лет, и когда отец женился на ее ровеснице, она перестала с ним общаться. Галя жила в Санкт-Петербурге и работала экспертом в Эрмитаже. Ювелира из нее не получилось. Мне пришлось переписывать завещание на двоих. На Алину и сына Юлиана Сергея. Сергей был дипломатом. Работал первым секретарем в нашем консульстве в Нидерландах. Попал под машину. Погиб полтора года назад. Я опять переписал завещание, но потом Юлиан распорядился все перевести на имя жены. Чтобы после его смерти ей не платить налог на наследство. Сейчас всем владеет она, а муж — ее наемный работник.

— Железная леди. Причин убивать мужа у нее нет, он ей нужен. Если только в дело не вмешалась бешеная любовь.

Нерсесян криво усмехнулся:

— Такие женщины, кроме себя, не способны никого любить. К тому же мужчины ее не интересуют, Алина лесбиянка. Она в открытую приводит к себе женщин и занимается с ними любовью на глазах мужа, а тот наслаждается зрелищем. Натуральная бесплатная порнуха на дому.

— Что известно об Алине? У нее есть прошлое?

— У таких женщин всегда есть прошлое. И они умеют его скрывать. Дочь Юлиана пыталась выяснить подробности о невесте отца. Нанимала детектива, но ничего не получилось. Непробиваемая стена.

— Или Алина перекупила детектива. Женщина умна не по годам.

— Согласен. Она быстро учиться. Сейчас в ювелирном деле понимает не меньше мужа. Знает три языка, разбирается в экономике, бизнесе, умеет налаживать связи с нужными людьми, а главное, умеет находить их слабые места. Вот тут вы с ней схожи. Родственные души.

— Достойная соперница.

— Да. Вы оба лишены чувств. Вы поклоняетесь одному идолу — деньгам.

Скуратову понравилась оценка его личности.

— Представим себе черную тучу, которая нависла над нашими героями. Нашелся смельчак, сумевший украсть у Печерникова «Око света». Каковы последствия?

У адвоката брови полезли вверх:

— Зачем? Кому оно нужно?

— Для коллекции. Есть такие психи, любящие собирать раритеты и прятать их в своих запасниках. В каталоге значится больше сотни знаменитых украшений, именных бриллиантов и других камней, превышающих двадцать пять карат. Десятая часть зарегистрирована официально, тридцать процентов находится в частных коллекциях, а местонахождение остальных неизвестно. Где они? В сейфах или на дне океана? То же самое можно сказать о картинах и книгах.

— В нашей стране люди больны тщеславием. Они ничего не умеют прятать, и любая тайна вылезает наружу раньше, чем становится тайной. Речь может идти о мести, но Юлиану никто мстить не будет. Не за что. У него нет врагов. А ведь первый удар обрушится на него. Вы правы. Есть теневые коллекционеры, и они платят сумасшедшие деньги за раритеты. За те, которые никто давно не ищет. Ни один здравомыслящий человек не будет воровать у арабского шейха даже пепельницу. Найдут. Я знаю случай, когда израильский «Массад» работал на арабов. Речь шла о поисках ценностей, тут политика уходит на второй план. Нашли. Вору отрубили руки, а всю его семью сожгли живьем у него на глазах. Поучительный урок, не правда ли?

— Пожалуй.

— Заказчики очень влиятельные люди, имена мирового значения. Это не просто мультимиллионеры, сидящие на нефти. Тут все смешано в одном флаконе: и политика, и торговля, и биржи. Вор должен был знать, на чью собственность покушается. Украсть нетрудно, надо понимать последствия.

— Ладно. Я к вам загляну на днях, и мы продолжим нашу беседу. Мне надо обдумать наш разговор.

— Я хотел бы от вас избавиться за один визит.

— Не получится, Гурген Вартанович. Закончим мое следствие, и я оставлю вас в покое до следующей вашей ошибки. Пардон! У меня работа такая, приходится трудиться по локти в дерьме. В вашем дерьме, а не моем. Вы гадите, а я разгребаю. Пока вы есть, я без работы не останусь. Каждому свое!

7

Более чем скромную дачу Ляли Шатиловой тоже не пощадили. Левая часть комнаты была перевернута кверху дном, до правой не добрались. Все стояло на местах. Поваленный на бок стол, стоящий посредине, дал ответ на вопрос: «Что они искали?»

— Под клеенкой этого стола лежал план? — спросила Катя.

— Да, — тихо ответила хозяйка.

— Не расстраивайся. Тут за час убраться можно.

— Вы знаете, кто это сделал?

— Догадываюсь.

Екатерина прошла в комнату, подняла стул, села на него и закурила.

— Это они убили наших мужей? — трясущимися губами задала вопрос Ляля.

— Присядь. Я тебе объясню, что произошло. Когда-то на моего мужа работал один ублюдок. Костя Игумнов. Однажды он предал Севу. Настучал на него, и Сева попал в зону. Там он и познакомился с твоим Иваном. Костя набрал новую банду головорезов и стал королем. Он сам себе присвоил кличку Игумен. После каждого налета оставлял записку: «Игумен Пафнутий руку приложил!»

— А почему Пафнутий?

— Жил в древности один летописец Пафнутий. У него был каллиграфический почерк. Он переписывал священные писания. Монах, одним словом. Благодаря своему уникальному таланту, Пафнутий вошел в историю. А имя его известно из-за подписи. В конце каждого фолианта он всегда ставил своеобразную подпись: «Игумен Пафнутий руку приложил».

— Бандиты читали священное писание?

— Нет. О Пафнутии упоминает Достоевский в романе «Идиот». Но и Достоевского они не читали. Историю эту Сева рассказал Косте, и она ему понравилась. Игумен глуп. Он способен только на грубые силовые налеты, от которых нет проку. Очистить кассу магазина — дело немудреное, а на большее он не способен. После выхода на свободу Севы, Игумен начал проситься обратно в его команду, но Сева его выставил за дверь. Мой муж больше не попадался. Он работал редко, но метко. Открыл свой бизнес. Дела пошли в гору. Появились связи. В зоне он познакомился с крупным антикваром, и старик многому его научил. Передал эстафету и там же умер. А Игумен как был шпаной, так шпаной и остался. В воровском мире его не ценят. Ему надо сорвать достойный куш, чтобы всем показать, на что он способен. Как? Лучший способ — завладеть чужим планом и осуществить его с шайкой своих придурков. В итоге ему это удалось.

— Мерзавец! Я бы ему глаза выцарапала! — заскрипела зубами Ляля.

— Ну зачем же. Игумен хочет получить большой куш? Пусть получит. Его возьмут с поличным, и он сядет лет на десять. Пусть на стенах Бутырки пишет «Пафнутий задницу приложил к здешней параше».

— Как же это сделать?

— Надо подумать. Ты готова мне помочь?

— Они же Ваню убили. О чем вы говорите? Да я им глотку перегрызу!

— А тебя не удивляет тот факт, что они убили наших мужей, а потом начали искать план. А если бы не нашли?

— Я об этом не подумала.

— Объясняю. План был украден из нашего гаража еще в понедельник. Даже не украден, а перефотографирован. Они проникли в гараж днем, когда я была на работе, а Сева встречался с заказчиками в своем антикварном салоне. Вот только они не знали, что наш дом и пристройки оборудованы видеокамерами. Вечером того же дня мы просмотрели пленки.

— И почему не предприняли никаких мер?

— Я знала, что Игумен идиот, но не до такой же степени. Украв план, они тут же решили покончить с нашими мужьями и сделали это. Они не разобрались в плане. В гараже хранилась общая схема, но на ней не было главных обозначений и указаний последовательности действий. Они побывали на точке, увидели все своими глазами и поняли, что попали в лужу. Так, например. На схеме изображено пять вентилей с подачей воды в трубы. Перекрыть нужно только один, иначе лишишь воды все прилегающие дома. Какой? Подробная схема со всеми обозначениями хранилась у вас. Здесь, под клеенкой. А общая лежала для дураков. Севу интересовал вопрос: кто на нее клюнет. Он хотел знать о возможной утечке информации и не ошибся. Его подозрения оправдались. По идее, конкуренты сразу же должны понять, что захватили не то, что им нужно. Но эти идиоты ничего не поняли и поторопились убить наших ребят. Такого оборота никто не ожидал.

— Как же мы им помешаем, если у них есть подробный план?

— Мешать мы никому не будем. Мы им поможем угодить за решетку. Есть одна маленькая деталь, Ляля. Все идеи и планы для мужа составляла я, а он их претворял в жизнь.

У Ляли отвисла челюсть. Она хотела что-то сказать, но не смогла. Ее и без того огромные карие глаза округлились блюдцами.

— Да, да, деточка. И этот план разрабатывала я. Он существует в нескольких вариантах. От одного из них нам пришлось отказаться. Я считала его лучшим, но дело все в том, что у нас не было ребенка.

— Ребенка? А при чем здесь ребенок?

— В одну из труб может пролезть только ребенок. Ты по своей комплекции можешь его заменить. А учитывая твою профессию, гибкости тебе не занимать. Я не видела тебя раньше, не то предложила бы твою кандидатуру.

— Ваня мне не доверял.

— Ваня выполнял указания моего мужа. Его голос ничего не значил. Может, ты и впрямь дурочка, но для физической работы большого ума не надо. Есть план, есть хронометраж и четкая последовательность действий. Работа для робота. Я уверена, ты справишься.

— А что надо делать?

— Так ты согласна отомстить за наших мужей?

— Конечно согласна. Тут и думать нечего.

— Ладно. Тогда нам пора готовиться. До субботы осталось мало времени.

— Они пойдут в субботу? А если...

— Без «если». В субботу контора не работает. Воскресенье — выходной. Ограбление обнаружат только в понедельник. В этом и есть преимущество плана. До понедельника награбленное можно переправить на другой конец земли, и ловить грабителей будет поздно.

— А зачем мне лезть в трубу? Вызовем ментов, и их схватят!

— Я ничего не планирую впустую, девочка. Если что-то предлагаю, значит, по-иному не получится.

8

Полковник Федоров приехал в московское управление для встречи с коллегой. Кулешов его ждал. Прошло меньше суток, но у каждого материала набралось достаточно, чтобы подвести первичные итоги. Кулешов выпросил у дежурного ключи от генеральского кабинета и встретил подмосковного коллегу с помпой. Федоров не удивился. Он знал положение Кулешова на иерархической лестнице силовых структур и доверие к нему со стороны министра. Таким успехом можно только завидовать, что Федоров и делал. А еще он надеялся на поддержку Кулешова, которая ему требовалась как никогда раньше.

— Позволь, Леня, я начну со своих мелочей, а уж потом ты обрушишь на меня поток глобальных фактов.

Кулешов усмехнулся:

— Не умничай, Федор. Тебе не идет. Нет никаких глобальных новостей, мы еще не созрели для этого. Но как говорил один из наших лидеров: «Процесс пошел». Выкладывай. Чего нарыл?

— Жена Ивана Шатилова подписала опознание. Жена Дербенева требует анализ ДНК. Я не возражаю.

Сделали рентген ключицы трупа. У Дербенева был перелом, снимок подтвердил это. Дербенева разревелась. Я нашел базу грабителей. Ребята готовились в доме одной вдовушки в поселке Свиблово. Там и фургон держали. Третьим с ними был Валерий Воронов. Хахаль вдовушки. Его сплющило в кабине при лобовом столкновении. Опытный шоферюга с большим стажем. Проживал с семьей в Видном. Пару раз сидел за грабеж. Возможно, пересекался с одним из фигурантов в зоне. Уехали они на дело в восемь утра. В гараже нашли трафареты. Красили борта фургона под рекламу ресторана. Вечером, как мы знаем, они не вернулись. А вдовушку кто-то пристрелил. Мотив непонятен, вряд ли она могла знать об их затее.

— Значит, погибли трое. Живым ушел шофер бензовоза. Он мог быть их сообщником, не пожелавшим делиться добычей. Существует и пятый. Он играл роль сторожа на подземной стоянке отеля. Тоже ушел невредимым. Но он не мог сидеть за рулем бензовоза. Не успел бы. Уже проверили с секундомером в руках. А вот женщину он убить мог.

— Не думаю. Хотя все может быть, — продолжил Федоров. — Соседка видела только троих, погибших. Дербень и Шатилов уехали в понедельник на рыбалку. Так они сказали женам. Вечером в понедельник появились у вдовушки и сидели там до выезда на дело. Что смущает. Из дома Дербень и Шатилов уехали на рыбалку на своих машинах. Где эти машины? В гараже вдовушки их нет. На чем они к ней приехали? Уехали на фургоне, это ясно. У Дербеня внедорожник «BMW-X5», у напарника «Рено-меган». Вот их номерные знаки.

Федоров положил листок из блокнота на журнальный столик, разделяющий кресла.

— Смерть вдовы — загадка, ты прав.

— Сейчас разбираемся с ее записной книжкой в мобильнике. Она пыталась с кем-то связаться, но пуля не позволила ей этого сделать. Телефон закатился под кровать и убийца его не нашел или не искал. Смерть наступила в двадцать два часа. Плюс-минус минуты. Убийцу никто не видел, а пушка была с глушителем.

— Столкновение произошло в девять пятнадцать?

— Да. Ее убили через сорок пять минут.

— Псевдосторож гаража мог успеть приехать к ней за это время. Но есть неожиданный поворот истории. Хозяйка пропавших бриллиантов была у нас сегодня. Они наняли одного оператора с популярного телеканала, и тот должен был отснять реакцию бомонда на появление бриллиантов на вечеринке. Там есть любопытные эпизоды.

Кулешов включил видеомагнитофон.

— Вот, посмотри, Федя. Видишь этого типа? — Полковник остановил кадр. — Некий Константин Игумнов. Налетчик средней руки. Работает по мелочам, входит в число стукачей, а потому его баловство сходит ему с рук. В крупных делах не замечен. Когда-то он сдал нам самого Дербеня, и тот угодил на нары. С тех пор они враги. Смотри дальше. Игумнов постоянно пасется возле Анны Гурьевой. К нему подходят его шестерки и что-то лопочут. Доложился, свалил. Подходит следующий. Тут что интересно. Мы изучили все пленки с камер видеонаблюдений. Нигде Игумнов в кадр не попадал. Ни он, ни его архаровцы в туалет не спускались. И уж совершенно непонятно, как они просочились на вечеринку. Билеты стоят бешеных денег, у него таких нет, да еще на целую ораву. Попасть туда они могли только через гараж. А значит, история со сторожем могла быть их работой. Скорее всего, Игумнов следил не за Анной, а за Дербенем, который тоже не отходит от бриллиантов. Сам Игумнов ничего спланировать не может. Он шакал. Но мы знаем, что восемьдесят процентов львиной добычи достается шакалам и стервятникам. Лев выслеживает добычу, подстерегает, нападает и убивает. А шакалы живут на всем готовом. Игумнов не знает, что задумал Дербень. Его задача — перехватить добычу. Если он следил за Дербенем в течение недели, то знал, где его база, видел фургон и мог позаботиться о бензовозе. Сама идея этой версии мне очень нравится. Она все объясняет за исключением главного.

— Как они перехватили бриллианты?

— Не зря ты носишь свои погоны, Федя. Бензовоз шел на умышленное убийство, значит, водитель знал, что бриллиантов в машине нет. Они убили исполнителей. Где, когда и кому Дербень передал гарнитур и как об этом узнал Игумнов с его куриными мозгами? Дербень выполнял заказ. Он знал, что с таким добром никуда не сунешься и лучше его не держать в руках вовсе. Его услугу хорошо оплатили. Он свалил бриллианты на сторону и уехал домой с пустыми руками. Вот тут его и убрали как ненужного свидетеля. Теперь и платить ему не надо. Уверен, что все происходило именно так. Но тогда Игумнов выпадает из схемы, а я уверен, что этот засранец не зря пришел на вечеринку. Он не мог уйти с пустыми руками. И вот еще один любопытный кадр — Игумнов единственный раз подошел к этой женщине. Камера наехала на него слишком поздно, и мы не знаем, долго ли они разговаривали. Вот он целует ей руку и отходит в сторону. Эта женщина Юлия Баскакова, жена известного галерейщика, и она была в туалете в тот момент, когда Анну ограбили. Второе. У нее такая же сумочка, как у Анны. Третье. Баскакова все время находилась неподалеку от жертвы. Никак не могу увязать ее и ее мужа с шантрапой типа Игумнова. Это богатейшие люди, очень влиятельные.

— Факт общения зафиксировала видеокамера, Леня. Выходит, Дербень выполнил черную работу, украл камни, сдал заказчику и свалил. Игумнов тоже выполнял черную работу. Устранил исполнителей. Но он же сам стал свидетелем. Зачем убивать одних, чтобы порождать других. Матрешка получается. Тот, кто убьет Игумнова, займет его место, и так до бесконечности. Думаю, заказчику чехарда не нужна.

В кабинет вошел майор Панкратов.

— Есть новости, Женя? — спросил Кулешов.

— Анализы крови, взятые у Анны Гурьевой, готовы. Ей подсыпали в виски самодельный препарат. В химии я ничего не понимаю. Какая-то сумасшедшая смесь, вырубает человека мгновенно. У отравы есть примечательные свойства. Через шесть часов не остается следов в организме. Если бы мы взяли анализ сегодня, то ничего не обнаружили. Ее обморок сочли бы за симуляцию. И еще. Снадобье действует только при смешении с алкоголем и в очень точных дозах. Если баланс нарушить, наступит смерть. Остановка сердца. Я связался с Серпуховым. В крови найденных в электричке уборщиков из отеля обнаружен тот же препарат. Со смертельной концентрацией. Часть элементов определить не удалось. Что-то из области экзотики, сок каких-то тропических цветов. Так думает Пилецкий.

— Кто это? — спросил Федоров.

— Наш лучший эксперт, фанат своего дела, — пояснил Кулешов. — Он знает все яды. Собирает информацию по всему миру. К нему нередко обращается Интерпол и полиция разных стран. Мировой авторитет.

— Так вот, — продолжил майор, — Пилецкий считает, что зелье изготовил кустарь-одиночка, талантливый химик. Может, привез рецепт с нужными элементами из экзотических стран Центральной Африки или Южной Америки.

— Надо искать химика или фармацевта-путешественника, любителя заморских стран.

— Леонид Палыч, — улыбнулся майор, — железный занавес давно рухнул, сейчас каждый может ездить куда в голову взбредет.

— А мне плевать! — хлопнул ладонью по столу Кулешов. — Эта наша работа искать иголки в стогах сена. Французы не умеют отыскивать трюфели, так они свиней научили рылом землю рыть. И вы научитесь.

Лицо майора сделалось пунцовым, он молча вышел. Таким Кулешова редко кто видел. Он всегда держался в рамках и был ровен с подчиненными. Сказывалась усталость и бессонная ночь.

В кабинете несколько минут стояла тишина.

— Извини, — нарушил паузу Кулешов. — Разленились. За них теперь электроника работает, компьютеры, а я неделями вручную карточки перебирал, чтобы сличить отпечатки. Давно ли это было?!

Опять пауза.

— Я думаю, — заговорил Федоров, — Дербень не стал бы связываться с химиками. Он вор-виртуоз, а не заговорщик. А Игумнов слишком глуп для таких фокусов. И ты знаешь, Леня, мне в голову пришла шальная мысль. Может быть, Дербень вообще к бриллиантам не имеет никакого отношения? Парень пришел осмотреться, наметить жертву, потусоваться, и все. Ты же сам говоришь, у него на субботу было намечено серьезно дело. Такие люди не разбрасываются.

— Думал уже об этом, Федя. Тогда зачем фургон? Почему удрал, а не остался до конца вечера? Самое интересное впереди — банкет. А уборщики в электричке? Ребята сбежали и выпили яду на свою погибель. Они тоже ни при чем? Нет. Тут все повязаны одной ниточкой. Теперь, по идее, надо убрать Игумена, а потом тех, кто от него избавился.

На пороге появился капитан Степанов.

— Я был в «Олимпе», он сегодня работает. Это антикварный магазин, а не бутик.

— Там, где Анна покупала свою золотую фляжку?

— Совершенно верно. Поговорил с продавщицей, которая продала ей фляжку. Она хорошо помнит тот день. Гарнитур из золота был привезен из Арабских Эмиратов и состоял из подноса, графина, четырех рюмок и двух фляжек. Арабское золото недорогое, и труд мастеров там тоже дешевый. Чеканкой занимаются тысячи рыночных торговцев. Национальное ремесло. У нас цену подняли в шесть раз, выдавали рыночную поделку за шедевр древнего искусства. В магазине есть сертификат. Контрабандой не торгуют, поставки официальные, таможенные сборы уплачены. Товар рассчитан на наших безграмотных толстосумов, им чем дороже, тем престижней. К ценам могут добавить два нуля, и это покупателей не смутит. Дурят наших олигархов как хотят. Я показал продавщице фотографии, сделанные Скуратовым в фойе. Она не знала имен покупательниц, но на снимках узнала обеих. Одну фляжку купила Анна Гурьева. Тут все верно. Вторую — Юлия Баскакова. Анна нас обманула, сказала, что не знает вторую покупательницу, а они с Юлией знакомы и даже общались в магазине. Анна утверждает, что женщина была полной. Баскакова не полная. Зачем врать? Это же можно проверить, и мы проверили.

— Значит, не зря мы обратили на Баскакову внимание. Была в туалете в тот момент, когда Анну ограбили, у нее такая же сумочка, они вместе пили шампанское у барной стойки... Не пора ли жене галерейщика задать наводящие вопросы. Где она живет?

— В загородном доме на Николиной Горе.

Федоров расплылся в улыбке:

— Московская область.

Кулешов посмотрел на коллегу:

— Я же сказал тебе, Федя, мы в одной упряжке.

9

Кастинг проходил в помещении детского сада. Невообразимая циничность — вести подбор актрис для порнофильмов в детском саду. Арендаторов это не смущало, так же как и тех, кто отнял у детей их дом и сдал его в аренду некой фирме, выдающей себя за фонд помощи пострадавшим в горячих точках на Северном Кавказе. Инвалиды о нем и не слышали. В просторном зале, где когда-то была игровая комната, стоял стол, за ним сидели трое мужчин и женщина. В углу стояла видеокамера. Девушек запускали из коридора десятками, как принято в театральных институтах. У противоположной стены стояло десять стульев. Заходя в зал, девушки рассаживались по местам и их вызывали по одной. Настала очередь Дины. Девушка встала, сняла жакет, осторожно повесила его на спинку стула, потом сняла юбку и так далее. Осталась в одних туфельках на шпильках. Она не сомневалась, что пройдет отбор. Еще до начала конкурса она подошла к председателю жюри и сумела с ним поговорить полминуты, даже кое-что шепнула на ушко, притянув к себе за лацкан пиджака. От девушки исходил пьянящий аромат дивных сексуальных арабских духов, специально созданных для гаремов богатых шейхов. Других членов жюри она рассчитывала поразить своей фигурой. У Дины была изумительная внешность. Дина рассматривала уже не молодых и не очень симпатичных членов жюри, как трамплин к съемочной площадке, через их постель, разумеется. Конечно, они уже пресытились и не с каждой кандидаткой ложатся в койку, но такую телку не упустят. Ей впору выступать на конкурсе «Мисс Вселенная».

— Итак, представьтесь, девушка, — прокуренным голосом приказала сидящая в жюри дама, похожая на бандершу.

— Дина Блонди. Это псевдоним. Мое имя написано в анкете, которая лежит перед вами. Я по рекомендации

Инессы Марковны. Но я у нее не работаю. Медкомиссию прохожу регулярно. Тружусь официанткой, так что нас проверяют даже на СПИД.

— Это важно, не придется гонять вас по врачам. Повернитесь, потанцуйте.

Из колонок, стоящих по углам, полилась музыка. Дина умела подать себя. Ее дружок никогда не загонял девушку в постель с порога. Он всегда заставлял ее начинать со стриптиза. Дина продемонстрировала свое искусство и не сомневалась в том, что делала это лучше предыдущих.

— Хорошо. Условия работы требуют от вас полного подчинения режиссеру. Отказываться не имеете права, придется делать все. Традиционный, анальный и оральный секс. Вам это понятно?

— Мне все понятно. Не дурочка. Но я не буду сниматься в групповухе. Я претендую на роль звезды, а не шлюшки на подхвате.

Женщина была обескуражена. Ни одна претендентка слова не решалась молвить, а эта оказалась с амбициями.

— Вы ставите нам условия?

— Да. Я читала бланк вашего договора. Там нет ничего, кроме обязанности актрисы. О правах ни слова. Я хочу иметь права, и они должны быть отражены в договоре. Я знаю себе цену и свои возможности, готова работать на износ, но и получать взамен то, что выгодно мне.

— Не слишком ли много «я» в вашей тезе? — усмехнулся один из мужчин.

— Давайте сделаем видеопробы, а потом оценим результат. Посмотрим, кто из нас прав.

— Хорошо, — подал голос другой мужчина, — завтра приедете на кинопробы. Позвоните в девять утра по телефону, и вам продиктуют адрес. Телефон у вас есть.

— Я приеду. Могу идти?

— Да. На сегодня вы свободны, — сказала женщина.

Дина неторопливо оделась и вышла в коридор, где в ожидании толпились девушки всех мастей, в основном приезжие из других регионов и стран СНГ. Два года назад Дина была такой же глупой и растерянной, когда приехала в столицу из Симферополя. Сейчас многое изменилось. Она не собиралась сниматься в порнухе. Ее снимки давно уже печатались в глянцевых зарубежных журналах, следующим этапом в ее жизни будет Париж.

Девушка миновала охрану на входе в здание, потом пост охраны у калитки, за углом ее поджидал джип «Лексус-350». Она села в машину и облегченно вздохнула:

— Ты меня достал со своими фокусами, Веня!

Веня Скуратов криво усмехался, копаясь в аппаратуре. Он осторожно снял с жакета девушки фальшь-пуговицу с вмонтированной мини-видеокамерой, которой велась запись.

Сняв наушники, он сказал:

— Они все еще тебя обсуждают. Как ты прицепила ему микрофон?

— Он за лацканом его пиджака. Элементарно. Взяла за шкирку и притянула к себе. Он разомлел, идиот. Подумал, что у меня течка.

— Жакетик повесила удачно. Всё и все попали в кадр вместе с твоий неотразимой попкой.

— Зачем тебе понадобился этот хрен?

— Для дачи показаний. Теперь не отбрешется.

— А кто такая Инесса, от которой я пришла?

— Хозяйка элитного притона. Нам повезло, кастинг проводят не каждые выходные. Мы попали в точку.

— Я устала, Веня, отвези меня домой. Только не заставляй устраивать тебе стриптиз. Насмотришься шлюх через объективы своей техники, а я потом отдувайся.

— Дешево расплачиваешься, куколка. Знала бы ты, чего мне стоило пропихивать твои фотки на страницы мировых изданий.

— А-то тебе за них не платят. Мне ты еще гроша не дал за два года моих кувырканий с тобой.

— Я из тебя супермодель делаю, ты мне по гроб жизни должна. Кроватью не отделаешься. Думаешь, я тебя на арену выведу без контракта? Нет, детка! Фифти-фифти!

— Сутенер!

— Дура! Без агентов звезды не работают. Попробуй заговорить хоть с одной моделью напрямую. Она собой не распоряжается, где ей скажут жопой вилять, там и будет. Они настоящие рабыни. Даст бог, и ты об этом узнаешь. Не все сразу. Нужно иметь терпение. Без труда не выловишь и рыбку из пруда. Он тебе дал свой телефон?

Дина достала визитную карточку.

— Отлично! Ну держись, приятель!

Скуратов рассмеялся и тронул машину с места.

Глава 3

1

Скандал начался тихо. Официально владельцем нового отеля считался Рашид Мамедов, его имя еще не было замечено в грязных сделках. Мамедову принадлежала нефть в Азербайджане, сотрудничество с ним было
выгодно российскому бизнесу. Настоящие владельцы
отеля, как впрочем и нефти, оставались в тени. Мамедов был фигурой для витрины. Кому надо, об этом знали, а раз знали и молчали, значит, такое положение дел
всех устраивало.

Во второй половине дня господин Мамедов решил
лично посетить дорогих гостей и пригласить их на званый обед. Конечно, побывать у всех он не мог, дня не
хватило бы. В первую очередь хозяин хотел повидать тех,
кто по непонятным причинам не появился на банкете по
поводу открытия отеля, и начал с визита к владельцу самого престижного яхт-клуба на Средиземноморье Геор-
гию Константинесу. Лучшие апартаменты находились на
восьмом этаже, здесь выделялись номера тем гостям,
перспектива отношений с которыми имела важное значение. К примеру, голливудские дивы жили на шестом
этаже, куда хозяин заходить не собирался. Их «купили»
на один вечер и уже сегодня они отправились восвояси.
Мамедова сопровождала Люси Каплан, женщина, без
которой он не мог обойтись. Она была его «ходячим
блокнотом», стенографировала каждое сказанное им слово. Иногда Рашид выдавал на-гора интересные идеи, но
тут же забывал о сказанном и перескакивал на другую

тему. В делегацию также входил главный менеджер отеля Эдди Нечаев — самый сведущий человек в новой империи.

Дверь им открыла солидная дама в строгом черном платье с пышной прической из седых волос с сиреневым отливом и очках без оправы. Мамедов был с ней знаком. Мадам Церхер была немкой, но говорила на всех европейских языках и, так же как Люси, повсюду сопровождала своего хозяина.

— Мы не побеспокоили вас? — спросил по-английски Мамедов.

Константинес был греком и не знал русского, а Мамедов не знал греческого, разговаривали по-английски, которым владели все.

— Прошу вас, заходите, господа.

Апартаменты этого этажа поражали своей роскошью даже очень богатых клиентов. На золото, хрусталь, черное и красное дерево не поскупились, не говоря уже о китайских фарфоровых вазах эпохи Мин и Цинь, а также шедеврах живописи. Хозяин разгуливал по гостиной в шелковом халате, под которым была сорочка с бабочкой и брюки от смокинга. Похоже, он не переодевался со вчерашнего вечера, но на презентации его не было.

— О, Рашид, рад тебя видеть. Понимаю твою обеспокоенность и вынужден извиниться, — шагнул он навстречу гостям, громыхая низким голосом. — Оплошал! Такого со мной еще не случалось.

— Не стоит извиняться, Георгий. Всякое случается, — слащаво улыбнулся Мамедов.

— Представляете, какая странность! Сел на кушетку и уснул. Причем мгновенно. Ночами мучаюсь, ворочаюсь, сон не приходит, а тут вдруг выключился. Очнулся под утро и обалдел. Такого со мной не случалось. Я же днем выспался, зная, что ночь придется бодрствовать. Прекрасный отель. Я доволен. Тебе удалось утереть нос Хилтону и Плазе. Об этом будут говорить все.

Люси тем временем тихо спросила у Магды Церхер:

— А вы не заходили за господином Константинесом?

— Я сидела у себя в номере и ждала вызова. У нас не принято проявлять инициативу. Он позвонил только сегодня утром.

— Вас кто-то из персонала беспокоил после вашего приезда? — неожиданно спросил Нечаев.

Мамедов едва не поперхнулся. Менеджер не должен раскрывать рта, если ему не задан вопрос. Гость на секунду задумался.

— Ах, да! Мне принесли приглашение на сегодняшний обед. Очаровательная блондиночка. У вас прекрасный персонал.

— К сожалению, еще плохо обученный, — продолжал Нечаев. — Выпускники. Их перегрузили работой, и произошла путаница. Некоторые конверты попали не по нужному адресу.

— Честно говоря, я его не вскрывал. Выпил шампанского и отблагодарил куколку, а про конверт забыл.

Гость подошел к огромному круглому столу, на котором стояли шикарный букет цветов, серебряный поднос с нераспечатанной бутылкой «Дон Периньон» и хрустальными фужерами.

Никакого конверта на столе не оказалось. И быть не могло. Приглашения начали разносить сегодня утром.

Мамедов понял, чего добивается его главный менеджер, и включился в игру.

— Странно. Куда же он подевался? — оглядывался по сторонам грек.

— Не во сне ли вас посетила очаровательная девушка? — продолжая улыбаться, спросил Мамедов.

Хамский вопрос. Мамедов не отличался особым воспитанием, а замечаний ему никто не делал. Мог ляпнуть такое, отчего сопровождающие его люди краснели, а он даже не понимал, в какое положение себя ставит. На него не обижались. В конце концов, для высокопоставленных лиц он тоже оставался представителем обслуживающего персонала, пусть даже и очень богатым.

— Галлюцинациями я не страдаю, — резко ответил грек. — Мне самому интересно, что произошло. Я почему-то не помню, как она ушла. Дал ей чаевые, а потом... потом не помню.

— Может, мы ее спросим, где она оставила конверт, — опять вмешался Нечаев. — Вы не запомнили ее имя? У девушек на груди прикреплен аккредитационный пропуск. Там указано имя.

— Не обратил внимания, я смотрел на нее. Русская, голубоглазая красавица с русой косой на плече. У нее чудные формы, но слишком длинная юбка. Зачем же скрывать свои достоинства? Я выпил за ее здоровье, положил деньги ей на поднос, а потом, потом... Нет, не помню.

— Вы достали деньги из бумажника? — продолжал допрос Эдди Нечаев.

— Разумеется!

Константинес распахнул двери в спальню, сдернул смокинг со спинки стула и запустил руку в карман, достал бумажник из змеиной кожи и раскрыл его:

— Все на месте. Но убей меня бог, я не помню, как положил его в карман. Помню, как брал.

Пока грек находился в спальне, Нечаев присел на корточки и осмотрел ковер возле стола. Он что-то подобрал и убрал в карман пиджака.

— Я думаю, ничего страшного не произошло, — вежливо улыбнулся Нечаев. — Девушка поняла, что принесла не тот конверт и решила его заменить, а когда вернулась, ей никто не открыл. У персонала нет электронных ключей от номеров, им запрещено входить в отсутствие хозяев. Уборку проводят в присутствии дежурной по этажу и охранника. Только дежурный может открыть дверь, после того как вызовет секьюрити.

— Не сомневаюсь в системе безопасности, — пожал плечами Константинес, — тут есть что охранять.

— Вы что-то говорили о шампанском? — спросил Мамедов. — Бутылка не распечатана.

— При чем тут эта бутылка, Рашид? Девушка вошла с подносом. На нем стоял бокал с искрящимся шампанским, миниатюрная вазочка с белой розой и лежал конверт. Она поздравила меня с приездом. Очаровашка! Я принес бумажник, взял конверт, положил на его место чаевые и выпил за ее здоровье. Все!

— Бог с ним, с конвертом, Георгий! — развел руками Мамедов. — Мы пришли подтвердить приглашение на званый обед. Ждем вас в ресторане третьего этажа через час. Не думайте о мелочах. Сегодня такой прекрасный день, на небе ни облачка. Мы ждем. Не будем больше докучать вам своим присутствием.

Представители дирекции поторопилась откланяться и ретировались. Лицо Нечаева покрывали капельки пота.

— Что за спектакль ты разыграл? — сквозь зубы процедил Мамедов.

— Вместо картины на стене висит репродукция, Рашид. А над кроватью в спальне тоже не оригинал. Впрочем, близко я подойти не мог. Нас обокрали.

— Невозможно. Сигнализация подключена ко всем предметам искусства.

— Пока в номерах находились гости, сигнализация была отключена. Ее включили, когда все ушли на банкет. Вы сами распорядились.

— Когда?

— В шесть пятнадцать. Охранники ворвались в апартаменты братьев Леблан и положили их на пол.

— Кого, французов? Они тут при чем?

— Они сняли картину со стены, чтобы удостовериться в ее подлинности. Их сомнения понятны. Ни один отель в мире не может позволить себе купить столько подлинников. Даже подумать страшно. А французы представляют парижский аукцион, эксперты с мировыми именами. Их для того и послали сюда наши конкуренты, чтобы обнаружить фальшивки. Очень хорошо, что они сняли картину со стены. Убедились в ее подлинности. Пусть все снимают. Ради бога! Мы никого не обманули. Весь мир будет знать о наших богатствах. Сигнализацию включили вновь в семь часов сорок пять минут. Через полтора часа.

— Я сейчас упаду, — помотал головой Мамедов. — Катастрофа!

Люси подхватила хозяина под руку:

— Держись, Рашид, не время падать, надо проверить других постояльцев.

— Не всех! — категорично заявил Нечаев. — Тех, кто жил один в номере. Братьев Леблан проверять незачем, двоих сразу вырубить трудно. Кто у нас есть из одиночек?

Люси заглянула в свой блокнот:

— Леди Кэтрин Кэмирон, жена лорда Кэмирона. Муж приехать не смог. У него заседание в палате Лордов, а заядлая путешественница своего шанса не упустила.

— Значит, идем к ней.

По пути Нечаев позвонил по мобильному телефону, вызвал в свой кабинет начальника службы безопасности, главного администратора и управляющего по кадрам. Велел собрать все видеозаписи, фотографии и составить списки персонала.

Леди Кэмирон так же не присутствовала на банкете. К счастью, она не знала хозяина отеля и Нечаев получил право голоса. Рашид пребывал в полной растерянности и мог ляпнуть такое, от чего английская леди лишилась бы чувств. Мамедов прекрасно владел английским, особенно ругательствами.

— Леди Кэтрин, мы рады пригласить вас на званный обед в честь открытия отеля и выражаем глубокое сожаление в связи с вашим отсутствием на банкете.

— Я сожалею не меньше вашего, господа. Меня усыпил ваш мальчик. Нет, он ни в чем не виноват, просто я напрасно приняла лекарство, плохо совместимое с алкоголем. Мальчик был таким милым с этим цветочком в вазочке, я и выпила несколько глотков шампанского. У меня тут же подкосились ноги, но он меня подхватил, не дав упасть. А дальше все покрылось дымкой. Проснулась я только под утро, лежа на кровати в вечернем платье...

Ее можно было не слушать: на стене висела репродукция картины Кандинского, а в спальне — бумажный оттиск с шедевра Шагала.

Через несколько минут все руководство собралось в кабинете Эдди Нечаева. Атмосфера была накалена до предела. Мамедов пятнадцать минут кричал и стучал кулаком по столу. Никто ничего не понял, по-русски было произнесено не больше десятка слов. Когда хозяин выдохся и обессиленно рухнул в кресло, слово взял Нечаев. Мамедова никто не боялся, Эдуард Сергеевич Нечаев был личностью более одиозной и решительной. Он досконально знал гостиничный бизнес, начинал дежурным администратором в отеле «Интурист» еще при советской власти и дорос до главного администратора отеля «Риц» в Париже. Нынешний отель он взял в свои руки на этапе строительства и внес такое количество поправок, что часть проекта пришлось перерабатывать. Он знал об амбициях хозяев, решивших создать мирового монстра, и знал, как это сделать. В средствах ограничений не было. Поторопились с открытием, но это не его вина. Отель надо доводить до ума еще не менее полугода, недоделок хватало, но его не послушали, и результат налицо. Зуботычинами делу не поможешь. Нечаев это понимал.

Свое выступление он начал спокойным ровным тоном:

— Я хочу разложить ситуацию по полочкам. Каждый из вас должен подумать, что в таких случаях надо делать и с чего начать. Нас обчистили и сделали это примитивным, но действенным способом. Меня восхищает простота, с какой работали ребята и вместе с тем их точные действия. Они знали обстановку, все маршруты отеля, порядок проведения вечера, точное расписание и действия охраны при внештатной ситуации. Преступление готовилось очень тщательно, грабители учли все, что упустили мы. На данный момент мы знаем о четырех пропавших картинах из апартаментов 8012 и 8063 на восьмом этаже. Он находился под особым контролем. Я не буду говорить о том, что вам без меня известно. Рисую для вас следующую картину. Молодой человек в русском национальном костюме и девушка в национальном платье, но с удлиненной юбкой, а мы использовали короткие, разносят по апартаментам приглашения на сегодняшний обед. Происходило это вчера вечером от шести до семи часов. Они вошли в номера с маленьким подносом, на котором лежит конверт, стоит бокал с шампанским и вазочка с цветком. И юноша, и девушка были привлекательны, что очень важно. Хозяева апартаментов пили шампанское и тут же теряли сознание, — Нечаев вынул из кармана маленький осколочек хрусталя. — Это остатки бокала. Его выронил господин Константинес, падая на пол. Осколки собрали перед уходом, а этот не заметили. Думаю, что печатную репродукцию девушка принесла под юбкой в рулоне, а юноша — в широких шароварах. Картину снимают со стены, срезают с рамы, репродукцию можно приколоть кнопками, затем надеть массивный багет и повесить на место. Небольшая уборка, поднос в руки и до свидания. Картины скручивались и занимали место репродукций под юбкой или в шароварах. Подозрений ребята ни у кого не вызывали. Дежурный по этажу не мог знать, когда будут разносить приглашения. Ни один администратор не знает весь персонал в лицо, отель работал первый день. Подмена людей очевидна, мы же понимаем, что операция готовилась заранее. Почему бы не внедрить в персонал своих людей. Так надежней. Теперь вопросы. Куколки получали сигналы от руководителя операции. Как можно снимать картину со стены, если она находится на сигнализации. Ее отключили в шесть пятнадцать, и командир об этом знал, после чего подал знак действовать. Вопрос второй и самый сложный. Отключение сигнализации предусмотреть практически невозможно. Братья Леблан — мировая известность и в качестве сообщников их подозревать нельзя. К тому же эти картины из страны вывезти невозможно, на аукционе их не выставишь. У них есть официальный владелец, они внесены в мировые каталоги. Теперь, в связи с чрезвычайной ситуацией, я хочу нарушить тайну и сказать несколько слов о владельце картин. Для мировой элиты мы распустили слух, будто все, что висит в отеле, принадлежит отелю. Возможно, так оно и будет, переговоры с владельцем картин идут полным ходом, но точка в деле еще не поставлена. Речь идет об Илье Даниловиче Баскакове, одном из самых богатых и уважаемых галерейщиков в нашей стране. Его запасники хранят более четырех тысяч полотен. Мы отобрали самые ценные для оформления восьмого этажа. Эти полотна взяты нами на прокат под залог. Сумма умопомрачительная. Вы должны понимать, что Баскаков объявит пропавшие шедевры в розыск и мы не сможем ему помешать. В итоге мы получим скандал мирового масштаба, нас поднимут на смех. Все понимают, открытие нашего отеля — кость в горле конкурентов. Десятки репортеров со всего мира мечтают найти грязь в нашем доме. Любая гадость об отеле, напечатанная в СМИ, будет щедро оплачена. А теперь я хочу знать, какие меры мы должны предпринять для спасения нашего авторитета, который мы еще не завоевали? Что скажете, Марк Аронович?

Главный администратор ответил не думая:

— Чистой воды международный заговор. Ограбление было продублировано. У жены банкира Гурьева украли бриллианты, самое лучшее украшение, о котором написали все газеты. Ведется неофициальное расследование. К слову сказать, бриллиантовый гарнитур принадлежит арабскому шейху и за ним должны приехать. Я мог бы предположить, что алмазы украли для отвода глаз, пытаясь отвлечь наше внимание, но гарнитур стоит немереных денег. Грабители сработали чисто. Преступление готовилось заранее, кто бы что ни говорил. Но между двумя ограблениями можно провести другую параллель. В деле с бриллиантами замешаны уборщики, обслуживающие туалетные комнаты левого крыла. Я поддерживаю связь со следственной бригадой, и мне стало известно следующее. Уборщиков нашли мертвыми в электричке возле Серпухова. Характерный штрих. Уборщиками работали молодые ребята, студенты иняза, девушка — блондинка двадцати лет и парень ее же возраста. Они подходят под описание тех, кто разносил шампанское. Настоящие имена не установлены. В инязе нет таких студентов, а адреса фальшивые. Теперь о времени. Если эти ребята разносили шампанское и крали картины, то вполне могли успеть сделать это до появления публики в главном фойе. Вопрос другой. Зал и фойе не связаны с лифтами, идущими в жилые апартаменты. Украв картины, они должны были спуститься на третий этаж, в зал администрации, где регистрируются все гости, пересечь его и подойти к лифтам, ведущим в концертный зал и подземные гаражи. Зал регистрации — связующее звено и в нем много охранников. Все знают, что подняться в номера невозможно, не имея электронных ключей от своего номера. Вас не впустят в лифт. Обслуживающий персонал концертного зала и подземной парковки не имеет допуска к жилым апартаментам. И как я знаю, в отеле заселены только четыре этажа из восемнадцати. Остальные еще не оборудованы и не имеют своего персонала. Надо проверить всех, кто работал в день открытия. Но об этом вам расскажет управляющий по кадрам, а у меня есть более важное заявление.

Он поднял толстую папку с тесемочками, будто нашел украденные вещи.

— Пока я слушал доклад уважаемого Эдуарда Сергеевича, я подобрал несколько любопытных снимков из этой папочки. Наши фотографы сделали более трех тысяч снимков для буклета, посвященного открытию отеля. Многие фотографии помогут следствию. Но есть снимки, требующие объяснения. Вот три из них.

Администратор пустил их по кругу.

— Я прокомментирую. Перед вами наша подъездная аллея и красная дорожка, точнее, лестница. Приезд гостей. На первом снимке — лимузин Константинеса. Вот он выходит из машины. А где же Магда? Он без нее шагу ступить не может. Больше в машине никого нет. Возле машины спиной к нам стоит стройная брюнетка. Зевак и фотографов, как видите, здесь хватает. На следующем снимке Константинес поднимается по ступеням. Он идет первым, на ступеньку ниже — брюнетка в темных очках и в черном платье. Складывается впечатление, что его сопровождает переводчица. Хочу заметить, у таких гостей, как Константинес, пропусков не проверяли, и у сопровождающих тоже. Эта женщина могла попасть на презентацию без приглашения. Но на банкет она попасть не могла, в приглашениях делают отметку. Значит, ей туда и не надо. На третьем снимке мы видим Константинеса в фойе. Брюнетка исчезла. К чему я все это говорю. Причины две. Первая. Я с полковником Кулешовым просматривал видеозапись всех лиц, посетивших дамскую туалетную комнату в момент ограбления Анны Гурьевой. Эта женщина там была, и никто ее не опознал. Женщина — призрак. Кстати. За Константинесом в ложе забронировано два места, а не три, и оба пустовали во время презентации. Дама в черном к греку не имеет никакого отношения. Причина вторая. Вы, Эдуард Сергеевич, заявили, будто Константинесу дали снотворное и он находился в своем номере в бессознательном состоянии. Каким образом он мог уйти из отеля, а потом вернуться на лимузине? Мало того, он растворился в толпе. На концерт не явился и на банкете не присутствовал. В кадр фотообъективов больше не попадал. Всего три снимка.

— К сожалению, мы не можем его допросить, — с грустью заметил Нечаев. — Мы не должны допустить утечки информации. Если полковник Кулешов занимается расследованием, его надо привлечь к делу и хорошо заплатить. Кулешов — личность незаурядная, без него нам не обойтись. Сейчас все отправляются на обед, мы осмотрим номера восьмого этажа. Я уже распорядился, чтобы привезли дежурного по этажу, работавшего там вчера, надо опросить всю охрану регистрационного зала, а также швейцаров и портье. Константинес — человек заметный.

— Так я могу позвонить полковнику? — спросил администратор.

— Необходимо сделать это срочно.

Рашид Мамедов не произнес ни слова. Он сидел с отрешенным взглядом и смотрел в пустоту.

2

Ходить по ягоды — дело хорошее, но у Панкрата Антоновича Шпаликова болела спина. Он не мог нагибаться, однако любил гулять по лесу и разговаривать сам с собой вслух. Любил поговорить с умными людьми — так он отвечал на насмешки, когда дети заставали его разговаривающим вслух. Сегодня он не собирался на прогулку. Устал. Но его все же вывел из дома срочный телефонный звонок. Направляясь от дачного участка в лес, он то и дело оглядывался, делаясь похожим на заговорщика. На то были причины.

Инесса ждала его на солнечной полянке по другую сторону небольшого лесочка, где проходила дорога.

— Ты с ума сошла, Инна. Звонить мне домой!

— Не домой, а на мобильник. У тебя неприятности, Паничка. Серьезные неприятности.

Инна подала ему пакет с фотографиями. Он быстро просмотрел снимки, и у него отвисла челюсть.

— Да, да, это мы с тобой в страстных объятиях, — с тоской проговорила женщина.

— Ты решила меня шантажировать, стерва? Мало я тебе денег переплатил?

— Не кричи на меня, идиот! Порнухой не торгую, в отличие от некоторых. Снимки сделал Венька Скуратов. Ублюдок! У него пол-Москвы под колпаком. Теперь вот до нас добрался.

— Я из него мокрое место сделаю!

Шпаликов произнес фразу неуверенно и, выронив фотографии, присел на пенек. Инесса поднимать их не стала, собрала в кучку и подожгла спичкой, после чего от нее же и прикурила.

— Ничего ты ему не сделаешь, его прикрывает «Петровка». Такие стукачи на вес золота. Ходячий справочник. Он знает всё про всех в деталях, в том числе интимных, и подкрепляет свои знания богатым видеорядом.

— Сколько он хочет? — обреченно спросил банкир.

— Деньги его не интересуют. Не знаю почему, но он копает под Гурьева, Печерникова и их жен. Он хочет знать, что лежит в их банковских ячейках, а у тебя есть на них выход.

— Гурьев — председатель совета директоров нашего банка. Шутишь?

— Однажды в банке была проверка, его заставили открыть сейф в его кабинете, и он открыл. Так вот, Скуратов уверен, что Гурьев ничего важного и ценного не хранит в своем кабинете, а арендовал ячейку в собственном банке и там держит самое нужное.

Шпаликов закивал головой:

— Сукин сын. А ведь он прав. Ячейка 923 даже не значится в реестре. Что он хочет там найти?

— Не знаю. Он ничего не возьмет, только сфотографирует содержимое. Может это сделать в присутствии служащего. Возможно, ему нужны понятые. Свидетели и опись. Я не знаю, какую он преследует цель, но он уже взялся за адвокатов Печерникова и Гурьева. Ты же знаешь, что Роман Лурье, адвокат Гурьева, спонсирует порнуху. Скуратов заставил меня рекомендовать его шлюшку на кастинг. Я это сделала и уверена, что Лурье уже на крючке у Скуратова. Роман всегда присутствует на отборе девиц. Это его хобби.

— Бизнесом заправляет Рубен Ковалевский. Отъявленный бандюга, под ним весь криминал ходит. Лурье его опекает. Скуратов понимает, с кем связался?

— Я же говорю тебе, Венька никого не боится. Менты его берегут как зеницу ока. Плевать он хотел на Ковалевского. У него материал на каждого найдется, ни один Лурье не спасет. Тем более что теперь они все в одну банку попали. Скуратов наверняка отснял кастинг на пленку, а там вся банда присутствовала. Вениамин умеет работать. У него даже дома своего нет или о нем никто не знает. Он никогда не ночует в одном и том же месте две ночи подряд.

— Ерунда. Местонахождение можно определить по мобильному телефону. Ладно, Инна, мне надо подумать, с ходу я такой вопрос решить не могу. Нужно обсудить проблему с другими директорами.

— Они же тебя и сдадут, Паничка.

— Не сдадут. У Гурьева нет единомышленников, он занимает не свое место. Расшатал систему. Его не станет, все только обрадуются. На его кресло каждый из нас поглядывает. Врос с корнями, не выбьешь. Банку скандал не нужен, а по собственной воле он не уйдет.

— Что мне сказать Скуратову?

— Пусть позвонит мне в понедельник утром часов в десять. Дай ему мой телефон. К понедельнику я буду готов к разговору.

Инесса облегченно вздохнула, чего не скажешь о банкире. В эти минуты он еще больше постарел и выглядел очень жалким и смешным в своем спортивном костюме.

3

Парочка прогуливалась по улице у галереи современного искусства и тихо переговаривалась. Одна — высокая, крупная дама с красивыми чертами лица, шикарной фигурой и гордой походкой. Мужчины смотрели на нее с восторгом. Вторая — полная ей противоположность. Маленькая, изящная, хорошенькая, похожая на куколку с огромными глазищами, не перестающими удивляться белому свету, будто все окружающее было для нее диковиной.

Катя говорила низким тихим голосом, глядя перед собой, а Ляля то и дело вертела головой.

— Прекрати крутиться юлой, — басила Катя, — иди спокойно. Ты видишь, что на той стороне?

— Музей. Я даже ходила туда с экскурсией.

— Дура! Что делается на тротуаре?

— Будешь называть меня дурой, я домой уйду.

— Ты кому делаешь одолжение? Мне?

— Нет. Не называй меня дурой, надоело... Люк канализации огорожен, и щит стоит. Ремонтируют что-то.

— Это не ремонт, Ляля, это Игумен приступил к работе. Значит, разобрался в моем плане. В нем есть недостаток. Уходить придется через эти люки, они расположены вдоль здания. На выходе может поджидать ловушка. Севу такой расклад не устраивал, тем более что произошла утечка информации. Менты встретят команду здесь и вытащат всех из коллектора, как цыплят, по одному.

— Значит, Игумнова загребут?

— Если мы предупредим об ограблении ментов. Сева и Иван погибли, и теперь их план никого не интересует, облаву отменили. Понимаешь смысл всей задумки?

— Нет.

Они дошли до конца улицы и повернули обратно.

— Игумен убил наших мужей, завладел их планом и теперь может быть спокоен. Дербеня нет, и налета нет. Значит, можно не бояться облавы, ловить-то некого. Менты думают, что только им было известно о налете на галерею.

— Люди Игумена проникнут в музей через канализацию?

— Можно сказать и так. Надо сломать две стены, чем они сейчас и занимаются. В музее никого нет, шум не услышат. Без отбойных молотков там не обойтись. А потом им надо будет проделать дыру в потолке. Семьдесят на семьдесят примерно, чтобы мог пролезть человек. Через дырку они попадут в коридор хранилища. Потом им надо открыть стальную дверь и попасть в комнату-сейф, где лежат самые ценные вещи и деньги. Открыть дверь не очень трудно. Сканеры могут считать код замка, главное — отключить сигнализацию.

— А почему нельзя проделать дыру прямо в комнату-сейф? Зачем лезть в коридор?

— В сейфе стоят лазерные датчики. Как турникеты в метро. Перегородишь луч, завоет сирена. Датчики надо отключить до того, как войдешь в комнату-сейф. Есть еще шумовые датчики. Пол долбить нельзя. Все отключается снаружи перед дверью. Ты должна понять главное, Ляля, всю тяжелую мужскую работу за нас сделает Игумен.

— А мы придем на готовенькое?

— Доварило, наконец. Но это не все, дорогуша, это лишь начало. В каждом плане должен быть предусмотрен страховочный вариант. И он у нас был. Хуже всего, что этот план тоже известен Игумену и он им не побрезгует. Наша задача усложняется. А еще нам может понадобиться парочка человек и машина. Но тут надо будет думать.

— А как же охрана?

— Галерея занимает три этажа, на каждом по десять залов. Там шесть охранников, все женщины. В комнате охраны на первом этаже сидят еще четыре охранника, они следят за мониторами. В каждом зале по четыре видеокамеры. В подвале, где будут происходить события, камер нет. Помещение засекречено, и охрана не знает даже, где находится вход в подвал. Лестницы нет, туда ведет лифт прямо из кабинета директора. Кабинет охраняется отдельными людьми, и он нас не интересует.

Женщины заметили, как из люка поднялись двое чумазых мужчин, похожих на трубочистов.

— Похоже, одну стену они уже завалили, — усмехнулась Катя.

— А много денег в комнате-сейфе?

— На данный момент миллионов сто.

Ляля остановилась и присвистнула:

— Мать честная!

— Деньги пролежат там еще дней пять, это залог за картины, предоставленные Баскаковым отелю на прокат для презентации. Деньги он должен вернуть, когда ему вернут картины. Если говорить по большому счету, деньги труха. В сейфе хранятся картины, им нет цены, но они ворованные. В Третьяковке, Эрмитаже, Русском музее висит полно подделок, а оригиналы многих из украденных покоятся у нас под ногами.

— Их хотят продать?

— Нет. Такие люди могут обменивать шедевры на равные им, но не торгуют бесценными вещами. Сумасшедший народ. Нам их не понять.

— Сто миллионов! Это же целый грузовик.

— Ты права, девочка. Но нам столько не нужно. Мы возьмем лишь компенсацию за погибших мужей, а с остальными деньгами сдадим Игумена ментам. Так, хватит, нагулялись, теперь поедем в «Берлин» обедать. Я проголодалась.

Дамочки направились к припаркованной у тротуара машине.

4

Особняк Ильи Баскакова располагался на опушке березовой рощи. Он ничем не отличался от соседских, здесь жили состоятельные люди, и это был свой отдельный мир, не похожий на тот, к которому привыкли обычные смертные. Супруги в саду пили чай из самовара и не очень-то удивились гостям. Но когда оба полковника представились, на лицах хозяев появилось удивление.

Илья Данилович был человеком поджарым, крепким, подвижным, в то время как его жена производила впечатление светской дамы, медлительной и вальяжной.

— Присаживайтесь, господа полковники, и позвольте вам предложить чаю. — Хозяин указал на плетеные кресла, стоящие вокруг круглого стола, уставленного блюдами со сладостями, посередине красовался букет полевых цветов.

Посетители не стали отказываться.

— Что за срочность привела вас в воскресный день? — холодно спросила хозяйка.

— Срочности никакой, — пожал плечами Кулешов. — Мы были рядом и решили заглянуть. Вчера на вечеринке в отеле «Континенталь» у одной из дам украли сумочку.

— И такой мелочью занимаются два полковника милиции? — подняла брови женщина.

— Этот факт задел мое самолюбие, Юлия Михайловна, — пояснил Кулешов. — С одной стороны, ничего страшного не произошло, с другой стороны, это случилось в моем присутствии. Я тоже был приглашен на открытие и в некоторой степени отвечал за безопасность. Владельцам отеля нанесли оскорбление, своего рода оплеуху. На элиту общества брошена тень недоверия. Я считаю своим долгом разобраться в ситуации и разыскать шутника.

— И давно ли вы стали грабеж именовать «шуткой»? — рассмеялся Баскаков, наливая гостям чай.

— Среди приглашенных не было грабителей. Все они люди проверенные. Мы можем грешить на персонал, но он отбирался строго.

— Не верьте всему, что вам говорят, господин полковник... Леонид Палыч, если я правильно запомнила, — закуривая длинную черную сигарету, произнесла Юлия Михайловна.

— Вы правильно запомнили. Как я должен вас понимать?

— Отель строили стопроцентные бандиты. Назовите мне честного человека, готового вложить в гостиницу миллиард долларов! Есть такие деньги у честных людей? Я не собираюсь философствовать на эту тему, вам и без меня все понятно. Управляющий по работе с кадрами отеля — стопроцентный аферист. Он нанимал обслугу и несет за нее всю ответственность. Начинайте с него, а не с гостей.

— О ком вы говорите?

— О Нечувилине Аркадии Степановиче. Он сидел за мошенничество. Правда, давно, возможно, судимость уже погашена, но я придерживаюсь пословицы «Горбатого могила исправит».

— Вы знаете его лично? — подал голос Федоров.

— К сожалению. Два года назад он предлагал нашей галерее две картины. Достаточно известные полотна. Их даже по каталогу проверять не надо, мы знаем, кому они принадлежат, и не покупаем произведения искусства у кого попало. Пришлось выяснить, что из себя представляет продавец. Тогда мы и узнали биографию господина Нечувилина. От покупки пришлось отказаться. Илья Данилыч счел своим долгом связаться с владельцем картины. Выяснилось, что он погиб при странных обстоятельствах. Подробностей мы не знаем. А теперь Нечувилин занимается обслугой лучшего отеля страны. Извините, господа полковники, но я не верю в вашу историю с сумочкой.

— Как же вы узнали, кем работает Нечувилин? Вряд ли управляющий по кадрам дефилировал вчера по фойе вместе с гостями, — продолжал Федоров расспросы.

— Я видела его в отеле за два дня до открытия. Владелец гостиницы показывал мне номера, где будут висеть наши картины. Увидев его, я испугалась, но Мамедов сумел меня убедить в безупречности системы сигнализации. Ее может отключить только владелец отеля. Очень сложная схема. Даже те, кто ее устанавливал, не могли бы ничего сделать.

— Вы предоставили отелю свои картины? — спросил Кулешов. — Бандитам?

— Всего лишь навсего реклама, — вступил в разговор хозяин. — Владелец отеля хотел всему миру показать, что в его номерах висят подлинники великих русских мастеров. Для этого пригласили на презентацию лучших мировых экспертов. Через неделю подлинники заменят на копии, но мир об этом не узнает. Лучшей рекламы не придумаешь. В отель будут приезжать самые богатые клиенты и не для того, чтобы побывать в России, а посмотреть картины. Но это для нас не главное. Мы пошли на сделку с дьяволом после очень выгодного предложения, от которого невозможно отказаться. В отеле будет открыт аукцион. Аукционный дом отдается мне. Я хочу сделать его центром русского искусства, для этого есть все предпосылки. Мне это ничего не будет стоить. В деле заинтересованы все, и государство в том числе. Мы вернем из-за границы утраченные шедевры.

— Вы не будете продавать свои картины на аукционе, так я вас понял? — спросил Кулешов.

— Я собиратель, а не торговец. Посвятил этому важнейшему делу всю жизнь. Отель заработает всемирную славу, получит самых богатых клиентов. Аукционный дом вправе договариваться с продавцом о невыставлении лотов на торги, а оставлять их себе, если сойдутся в цене. Особенно если речь идет о целой коллекции. Нам больше не придется ездить за Кипренским и Бенуа на «Кристи», мы будем покупать их в России, у себя дома.

— Не горячись так, дорогой, — попыталась успокоить мужа Юлия. — Подумай о своем сердце.

— Черт с ним. Речь идет о гигантском проекте. И он реален. Вы не представляете, сколько шедевров русского искусства было распродано Сталиным и Берия в тридцатые и сороковые годы. Я никого не хочу обвинять, Россия голодала, но пора подумать и о возврате...

— Так что вы говорили о сумочке? — перебила мужа хозяйка. — Почему мелкая кража привела вас к нам?

Старик, как маленький ребенок, обиделся, замолк и уткнулся в чашку с чаем. Сразу стало ясно, кто в доме хозяин. Юлия Михайловна не была супермоделью — на вид около сорока, не очень красива, фигура стандартная, как у большинства женщин, но лицо благородное, породистое. Она обладала определенным магнетизмом.

— У вас была точно такая же сумочка. Может, охотились за ней и по ошибке взяли не ту? — вывернулся Кулешов.

— Вторая была у Анны Гурьевой. Я знаю, где она ее покупала, давала ей рекомендацию. Ей все нравится, что покупаю я. На месте вора я бы обратила внимание на ее гарнитур из бриллиантов, а не на жалкую сумочку. Может быть, речь идет о них?

— Слишком хлопотно, — улыбнулся Федоров.

— Не думаю. Шумиха никому не нужна. Сумочка не могла стать причиной ее отсутствия на банкете. Если за бриллианты заплачены баснословные деньги, то она бы пришла поблистать в них даже в нижнем белье. Где же еще ими хвастаться? Сумочка тут ни при чем.

— Кстати, вы покупали золотую фляжку в антикварном магазине? — спросил Кулешов, уходя от ответа.

— Я же говорю, она повторяет все мои покупки. Анна купила себе такую же. Но ей она нужна. Анна девушка пьющая, а я свою потеряла. Давно. Так уж получилось.

— При каких обстоятельствах?

— Забыла сумочку в такси. Я вечно что-нибудь где-нибудь забываю. О зонтах и перчатках говорить не приходится.

Баскакова врала, и оба полковника это поняли.

— А когда вы видели Анну в последний раз?

— В отеле. Мы общались, она была очень весела. Даже слишком. Вероятно, начала поднимать себе настроение еще дома. Много пила.

— Можете вспомнить конкретное место?

Женщина задумалась:

— Кажется, в туалете. Мне показалось, ее тошнит. Она зашла в кабинку, больше я ее не видела. Прозвучал третий звонок, и мы отправились в зал.

— Вы видели еще кого-то из знакомых в туалетной комнате?

— Не помню. Я без очков не очень хорошо вижу. Кто-то со мной здоровался, я отвечала, но не всматривалась в лица. Вы же понимаете, мы все друг друга знаем, в одном котле варимся. Положение обязывает. Надо дружить со всеми. Круг наш ограничен, мы знакомых не выбираем.

— А как зовут этого галантного джентльмена?

Кулешов подал Баскаковой снимок, сделанный с камеры видеонаблюдений. На нем Игумнов целовал ей руку.

Женщина внимательно рассмотрела фотографию.

— Я его не знаю, но помню. У меня выскользнула сумочка, он поднял ее и подал мне. Я поблагодарила, он поцеловал мне руку, а потом отошел. Мне показалось, что этот мужчина из команды охранников. Людей нашего круга я знаю. И смокинг он надел с чужого плеча. Для него одежда такого кроя непривычна, сразу видно.

Юлия Михайловна вернула фотографию, и офицеры встали.

— Спасибо за общение и за чай. Не будем вам мешать.

Юлия проводила их до калитки, и Кулешов понял, что сейчас она скажет правду. Похоже, она этого хотела.

— Я не поверил в вашу историю с такси, Юлия Михайловна.

— А я и не думала, что вы в нее поверите. Я купила фляжку в подарок мужчине, имя которого вам не назову. А теперь вы мне скажете правду. Бриллианты украли?

Ответа не последовало, но молчание выглядело многозначительным и могло стать ответом.

— На вечере был Всеволод Дербенев. Я его видела возле туалетных комнат. Это имя вам знакомо?

— Я его тоже видел, — кивнул Кулешов.

— В тот момент я забеспокоилась за свои картины, но о бриллиантах не подумала. Однако он разбирается и в том, и в другом. Я не очень боюсь жуликов, но Дербенев нечто большее, он непредсказуем.

— Вы думаете, он пришел в отель для ограбления?

— Нет, я так не думаю. Он пришел отвлечь на себя внимание. Вы же его видели. И не только вы. План, безусловно, принадлежит ему, но пока этот план осуществлялся, он водил вас за нос. Уверена, что с него не спускали глаз ваши люди и ничего другого не видели.

— Я подумаю над вашими словами.

Сыщики вышли за калитку, где их ждала машина.

— Порочный круг! — воскликнул Федоров. — Какие они все благополучные, полны достоинства. Сливки общества. Змеиная яма. Осиное гнездо.

— Да, Федя, блеска и шика много. Картинка красивая, яркая, как реклама на плазменном телевизоре, но я смотрю и ничего не вижу, словно передо мной поставили мутное тусклое стекло. Сплошные контуры, и ни одного лица. Все размазано. Следствие должна вести такая дама, как Юлия Баскакова. Куда нам со свиным рылом да в калашный ряд.

5

У него сегодня было прекрасное настроение, адвокат собирался хорошо провести вечер. Жизнь шла своим проторенным путем, по нужному руслу. Он считал себя счастливым и знал все наперед. Ездил на один и тот же курорт, уже порядком поднадоевший, ходил в один и тот же клуб и ресторан, ездил по одному маршруту, даже если на дорогах образовывалась пробка. Он лучше переждет, чем поедет в объезд по незнакомому пути. Когда он остановился на светофоре, за спиной раздался требовательный мужской голос:

— Припаркуйся к тротуару, Лурье. Надо поговорить.

Роман Лукич Лурье вздрогнул. Он попросту испугался. Человек, непривыкший к неожиданностям, всегда пугается.

Адвокат глянул в зеркало заднего обзора и увидел мужчину со строгим, решительным выражением лица. Его уверяли в сервисе, будто машину вскрыть невозможно, а этот тип в нее сел без всяких проблем. И сигнализация не сработала.

Он подчинился приказу и припарковался.

— Что вы от меня хотите?

— В твоем бардачке лежит видеодиск, фотографии и аудиокассета с записью твоего голоса. Все подлинное и отличного качества. За содержание притона получишь лет десять. Как понимаешь, туда войдут и другие статьи. Разврат малолетних, киднепинг и даже неуплата налогов. Что тебе объяснять, ты же классный адвокат.

— Вас убьют. Вы это понимаете?

— Кто? Ковалевский, что ли? Он убьет тебя. Это ты провалил хорошо налаженный бизнес. Во всем виноват ты. Посмотришь материальчик на досуге и сам все поймешь. Я сдам материалы в прокуратуру и отойду в сторону. Кто меня будет искать? А главное — кого и где? Нет, Рома, во всем виноват стрелочник. Со мной бесполезно торговаться.

— Я не могу понять вас. Почему вы пришли ко мне, а не в прокуратуру? Значит, вам нужен я?

— Какой ты умный мужик, Лурье. Схватываешь на лету.

— Вам нужен адвокат?

— Мне нужен господин Гурьев и его жена со всеми потрохами. Я тебя выпущу из капкана, как только ты мне их сдашь.

— У меня нет на них компромата. Гурьева можно поймать на финансовых операциях, но меня к ним не допускают. Он банкир и умеет считать лучше любого бухгалтера.

— Что получит Анна в случае его смерти?

— Она уже все получила. Гурьев висит на волоске, он близок к разорению. Банк дышит на ладан. Савелий Георгиевич переписал все на Анну, деньги переведены на ее счета полгода назад. Мало того, он с ней развелся, они чужие люди. Он проживает в ее доме, из которого она может выгнать его в любой момент. В случае банкротства с него нечего взять. Он пуст, как барабан. Отчаянный шаг. Я счел его сумасшедшим, но оказался не прав. Анна его не бросила и, думаю, не бросит. Поразительно. Она красавица, вдвое моложе его и продолжает с ним жить. Ей даже убивать его не надо, как это делают девчонки на ее месте. Анна получила все. Она миллионерша, а он банковский клерк, канцелярская крыса с подагрой. Вывод делайте сами. У меня не получается. В любовь я не верю. Среди пауков их породы чувствам нет места, есть только холодный расчет.

— Сколько лет он управляет банком?

— Четвертый год. Его пригласили из хабаровского филиала, где он сумел сконцентрировать весь капитал алмазных королей. Бывший председатель московского центрального отделения дышал на ладан с очередным инсультом, а местные продолжали грызть друг другу глотки за его кресло. Пошли на компромисс и позвали человека со стороны. Он сумел навести порядок, но к кризису был не готов. Впрочем, многие вовсе сгорели, а Гурьев сумел выстоять.

— Может, Анна ждет удобного момента?

— Момент наступил полгода назад, удобней не придумаешь. Я вам так скажу. Если бы Анна захотела нанять самого дорогого киллера в мире, чтобы прикончить мужа, банк Гурьева оплатил бы эту услугу и еще приплатил бы Анне за решительность.

— Я бы не назвал ее квашней.

— Нет, она женщина жесткая. Кого хочешь поставит на место, если будут затронуты ее интересы. То, что пьет, так может себе позволить. Кто сегодня без недостатков?

— Мне показалось, она побаивается мужа.

— Уважает, это точно, но не боится. Он знает о ее любовниках. Смирился. Во всяком случае, не мешает ей жить в свое удовольствие.

— Значит, у нее есть мужчины на стороне? Может, у них свои задумки?

— У кого?

Лурье вошел во вкус и уже забыл об угрозе, будто разговаривал с приятелем.

— Она же не дура. Кто и что ей может предложить? Это из нее могут высасывать денежки, а не она. Анна все понимает. Мужчины ей нужны для постели, а не для жизни. Выбирай, не хочу!

— Знаешь, что такое «Око света»?

Лурье даже засмеялся. Похоже, адвокат окончательно расслабился.

— Анекдот. Вся Москва уже говорит, будто с шеи Анны сняли ожерелье. Чушь собачья. Она пристрелит любого, не задумываясь, если к ней прикоснется рука постороннего. Она заплатила сумасшедшие деньги за одну безделушку — обыкновенную авторучку, беззвучно стреляющую отравленными иголками. Бац, и человек падает. Никаких следов. Мгновенная смерть. Пять выстрелов в секунду.

— Значит, вор знал о ее ручке?

— Вы это серьезно?

— А как можно относиться к слухам?

— Я вам так скажу. Если бы я попал на бал шакалов, то самое ценное доверил бы Анне. Надежней не придумаешь.

— Ладно, Лурье. На сегодня хватит, но ты мне еще понадобишься. Пару таких бесед, и мы забудем друг о друге. Бизнес! Ничего личного. Не обижайся.

Веня Скуратов вышел из машины и растворился в потоке прохожих. Лурье просидел, не двигаясь, минуты три и лишь тогда до него стало доходить, что же с ним только что произошло. Он старался сосредоточиться, понять, что же хотел узнать этот тип. Ничего особенного он ему не рассказал. Все это можно узнать из светских сплетен. Может, на диске и аудиокассете ничего нет? Обычный блеф?

Он достал из бардачка фотографии, просмотрел их и понял — нет, это не блеф.

6

Две машины остановились возле старого консервного завода, не первый год готовящегося к слому. Здание конца девятнадцатого века строилось тогда еще в пригороде Москвы как фабрика текстильной мануфактуры самим Саввой Морозовым. Теперь остались только развалины. Тем не менее один из подвалов продолжал функционировать — надежная железная дверь, чистота, порядок, электричество. И люди. На столах чертежи, инструменты, у стен станки. Похоже на подпольный цех, только не видно продукции. Четверо мужчин отдыхали, попивая пиво. Окон в подвале не было, подъехавших машин они не видели. Их заметил стоящий на стреме, но предупредить не успел, слишком быстро все произошло. Его схватили, уложили на землю и скрутили руки.

Он сразу понял — это не менты, те работают слишком шумно. Даже если приезжают брать полудохлого алкоголика, не стоящего на ногах, то с автоматами, в бронежилетах, с матерщиной, ором, будто освобождают захваченный террористами аэробус. А у этих даже оружия нет или они его не доставали. С ментами разобраться несложно, с чем пришли, с тем и уйдут, а с этими гусями разбираться придется.

Его подняли на ноги.

— Не дергайся, дружок, — приказал молодой парень. — Мы люди уравновешенные, если нас не злить. Веди к Игумену. Разговор есть.

Пришлось подчиниться. В подвал с провожатым пошли двое, другие остались во дворе возле машин.

Игумен курил сигару, сидя в кресле, закинув ноги на стол. Длинный, худой, рыжий, с горбатым носом, на вид лет сорок. На авторитетного вора вовсе не похож. Обычный забулдыга.

Увидев вошедших, все оцепенели. Нежданчик.

— Без паники, господа! — сказал один из вошедших. — За дверью шесть человек с автоматами. Выйти вам не дадут. Я не пугаю, а хочу с вами договориться, после чего мирно разойдемся. Идет?

— Ты кто? — спросил Игумен.

— Конь в пальто. Чем меньше будешь знать, тем дольше будешь жить. У нас была договоренность с Дербенем, она должна остаться в силе. Вы Дербеня убрали со своего пути. Дело ваше. Он мне не кум и не сват, но он остался нам должен. Долг автоматически переводится на вас как на преемников. Это понятно?

— Нет, не понятно. О чем ты лопочешь, дружок?

— О налете на хранилище галереи. Вы бы убрали чертежи со стола, я их уже видел и схему знаю не хуже вас.

— Хотите получить долю? Мы на дядю не работаем.

— Вы сделаете то, что я вам скажу, в противном случае ничего не получите. Загвоздка в том, что выйти из хранилища вы можете тем же путем, как и войдете туда, через канализационные люки. А если вас там будут поджидать менты? Так что, будем договариваться?

— Больше десяти процентов я вам не дам. Точка!

Молодой человек рассмеялся:

— Смешной ты мужик, Игумен. Пришел на халяву, а еще торгуешься. Дербень по моей наводке собирался сработать. Я в деле главный, а исполнителей нетрудно найти. Но не буду тебя пугать, я буду тебя удивлять.

Деньги все ваши, они меня не интересуют. Вам и вашим правнукам хватит.

— Чего же вам надо?

— Хранилище представляет собой огромный зал. На полках у дальней стены штабелями лежат деньги, ваша добыча. У других стен стоят картины. Они никого не интересуют. В углу — сейф. Маленький, неприметный, но не подъемный. Наберете нужный десятизначный код и достанете из него две папки черного цвета и одну огромную, как Библия, книгу с металлической застежкой. Положите все это в сумку. — Парень снял с плеча кожаную сумку и бросил на стол. — Вот в эту, и никакую другую. Когда выберетесь наружу через средний люк, сумку бросите в урну возле трубы и можете убираться с бабками ко всем чертям. Сумку заберут после вашего отъезда.

— Код сейфа?

— В сумке найдешь, на листке записан. Пустяковая работа. Но если вы ее не сделаете, то неприятности я вам гарантирую, ребята. От нас невозможно спрятаться. Видите, как легко мы вас нашли? Удачи. Принесете сумку с товаром и живите спокойно.

После ухода незваных гостей в помещении с минуту висела мертвая тишина. Наконец Игумен взглянул на мужчину, горло которого было перевязано шарфом. Он был самым старшим и походил больше на учителя, чем на налетчика.

— Что скажешь, Гаврилыч?

— Когда у меня требуют деньги, мне все понятно. Но когда человека деньги не интересуют, меня это настораживает, — прохрипел Гаврилыч осипшим голосом. —

Он прав в одном, мы никуда не денемся. Нас, как рыбку из проруби, выдернут из коллектора по одному.

— Я не верю, что им не нужны деньги, — возмутился здоровяк, сидящий в кресле. — Так не бывает.

— Всякое бывает, Черпак. Нам надо подстраховаться.

— Как? Пулемет на соседней крыше поставить? — вскинулся Игумен.

— Зачем?

Гаврилыч подошел к столу, вытянул нижний чертеж из стопки и положил его поверх остальных.

— Дербень за нас уже все придумал. Мы этот вариант не рассматривали, зачем лишний геморрой. А Дербень не зря это придумал. Значит, он тоже не доверял этому типу. Помните мешки, которые мы нашли в подполе дербеневского гаража? Мы их брать не стали, а теперь они нам понадобятся.

— Какие-то валики от диванов, длинные, круглые, как сардельки на шнуровке.

— Правильно, Синий, — согласился Гаврилыч. — Они нам и нужны.

Синим звали самого молодого парня с разрисованными татуировкой руками. Его звали Сергеем, ему дали погоняло Серый, но он не хотел на него откликаться и получил кличку Синий, с которой в конце концов смирился.

— Как я понял, Дербень хотел из этих мешков сделать эшелон, — вспомнил, о чем идет речь, Игумен. — Мешки для крепости обшиты кожей и парусина у них крепкая, а с двух концов прикреплены карабины. Цепляешь один за другой и вытягиваешь, как связку сарделек.

Гаврилыч улыбнулся. Его начали понимать. Он ткнул пальцем в чертеж.

— В хранилище четыре стены и в каждой свой воздуховод. Там поддерживается ровная температура и определенная влажность. На чертеже красным цветом обозначены воздуховоды, по которым поступает теплый воздух из бойлерной. Они нас не интересуют, тем более что в них могут стоять вентиляторы. А синие выходят на улицу, они служат для оттока воздуха. Причем по схеме видно, что выходят они на другую улицу, с противоположной стороны здания, а не со стороны главного входа, где расположены канализационные люки.

Нетерпеливый Черпак перебил старика.

— Да видели мы эти дырки, в них только кошка пролезет.

— Заткнись, Черпак, — гаркнул Игумен. — Продолжай, Гаврилыч.

— Дербень не зря придумал колбасу из мешков. Длина каждого около метра, нет, покороче. Они отлично пройдут в воздуховод. Один за другим, прицепив друг к другу карабинами, их можно протащить через весь воздуховод и вытащить наружу с другой стороны здания, а там перекидать в машину, и гудбай! Гениальная идея. Другая сторона дома выходит к парку.

— А мы как же? — наконец спросил парень, который не успел предупредить о чужаках. Он думал, ему морду бить будут, но не тронули. Теперь осмелел. — Нам же все равно вылезать через люк придется.

— Да! — рявкнул Игумен, словно его разбудили. — Бориска прав. А мы как же?

Гаврилыч продолжал улыбаться:

— Дербень — гений. Но я его замысел разгадал. Мы все делаем, как планировали. Приезжаем на фургоне к люкам, спускаемся вниз, проникаем в хранилище, грузим деньги в сардельки... Кстати, нам придется вернуться в гараж Дербеня и забрать мешочки, которыми побрезговали. Так вот. Пропихиваем мешки в трубу и ждем. Один человек с нами не идет, он остается в другой машине, которая подъедет к воздушке с другой стороны галереи. Все ждут сигнала. Или засечем время. Как только деньги будут погружены и уедут, мы вылезаем наружу. То, что этот парень просит, мы ему вытащим, не жалко. Книга, папки — это пустяки. Бросим в урну, сядем в машину и уедем. Если они нас захотят перехватить, то у нас ничего нет. Пусть даже менты нас берут. С чем?

Игумен захлопал.

— Дербень не дурак. Он так и хотел сделать. Люки находятся рядом с центральным входом на широкой, хорошо освещенной улице, а с другой стороны дома — темный узкий переулок и парк. Там и днем людей не встретишь.

Нашелся еще один умник, им оказался Синий. Он стоял как истукан и тупо смотрел на чертеж, наконец его прорвало.

— Ни хрена вы не разгадали, мужики! Считаете себя умнее Дербеня? Посмотрите на схему. Для чего у этой трубы стоит цифра «22 м»? Это длина воздуховода. Двадцать два метра от хранилища до стены дома. Как вы мешки пропихнете? Сами они не полезут. К тому же там два изгиба. Ваши «сардельки» рулить умеют?

— Ерунда, — махнул рукой Гаврилыч. — Изгибы не крутые. Дербень рассчитал длину мешков с учетом этих поворотов, они легко проскользнут. Вытягивать будем тросом. В одном ты прав. Трос тянуть одному не под силу. Мешки тяжелые. Нам нужна машина с электролебедкой, такие есть на некоторых джипах, которые сами себя вытаскивают из болота, обмотав трос вокруг дерева. Времени у нас вагон, успеем найти подходящую машину.

Тут прозрел Бориска:

— Ты, конечно, мудрый старик, Гаврилыч, но как ты этот трос просунешь на глубину двадцать два метра с улицы до хранилища, чтобы мы его поймали с другой стороны и начали к нему цеплять мешки? Он же не змея. Пропихнешь метров пять, и он начнет сворачиваться в бухту. Тут тысячи метров не хватит. А то трос вообще опишет круг и обратно вылезет тебе в руки. С другой стороны ты его тоже не подцепишь. Расстояние то же самое, с какого конца не пихай. А там еще эти повороты.

Все замолкли.

— Задачка! Будем думать, — протянул Гаврилыч.

— Этот тип, который приходил, — заговорил Черпак, — вякнул, будто он давал наводку Дербеню. Значит, он и про воздуховод знает. Может, там они нас и будут поджидать. Тем более если мы кого-то одного на улице оставим для приемки денег. Чего стоит убрать одиночку?

— Тогда так, — раскраснелся Гаврилыч. — Мешки мы к тросу прицепим и в трубу пропихнем. Трос должен лежать в трубе на всю его длину с карабинами по обоим концам. Вытягивать никто деньги не будет. Мы выйдем только с сумкой, которую дал нам этот хлыщ. Деньги в трубе, у нас ничего. Мы садимся в свой фургон и уезжаем. Делаем круг. Если все тихо, подъезжаем к джипу с лебедкой, пересаживаемся и едем к воздушке. Деньги будем вытаскивать все вместе.

— А этот хмырь со своей бандой? Их немало, я видел, — напомнил Бориска.

— В то, что он наводчик, я верю, — сказал Гаврилыч. — Но план придумывал Дербень. Он по чужим планам не работает и никому не доверяет. Подстраховку с трубой он придумал. И еще. Этот парень не так много знает, как думает, если считает, что Дербеня мы завалили.

Старик был прав.

7

Кулешов очень внимательно выслушал доклад Нечаева, сидя в роскошном кабинете Рашида Мамедова, который присутствовал, но молчал. В заключение Нечаев сказал:

— Я думаю, в первую очередь надо найти уборщиков — парня с девушкой, от них ниточка потянется дальше.

— Они мертвы, Эдик. Выпили отравленного шампанского в электричке. Их трупы обнаружены за двести километров от Москвы.

— Вы уверены, что это они?

— Перед тем как поехать к вам, получил подтверждение. В Туле взяли парня в обменном пункте валюты. Менял фальшивки на рубли. Воришка раскололся: рюкзачок спер в электричке. Парень с девушкой спали — так он подумал, увидев трупы. Рюкзак стоял рядом, он его и цапнул. В рюкзаке двадцать тысяч долларов и спецодежда уборщиков. В карманчике нашли аккредитационные пропуска отеля «Континенталь» на имена Лыковых Ирины и Виктора. Они муж и жена. С ними расплатились фальшивками, зная, что они все равно умрут. Грубая подделка. Ксерокс. Забудьте о них, меня интересует ваш грек.

— Константинес? Нет, исключено.

— Но он же врет, причем внаглую. Коридорная видела, как он пришел в номер. После того как разнесли приглашения, он ушел, а не упал в обморок. Портье видел, как он выходил из гостиницы, швейцар подозвал к подъезду его лимузин, он в него сел, объехал здание, подкатил к главному входу и с помпой поднялся по лестнице вместе с гостями. Я видел фотографии. И даже ту брюнетку помню, что к нему пристроилась. Однако по словам Константинеса он валялся без сознания в своем номере. Либо у всех нас галлюцинации, либо грек нагло врет. С какой целью?

— Мы хотели бы это выяснить без него, — пробурчал Мамедов.

— Сколько картин украли? — спросил полковник.

— Четыре. Две из номера грека и две из апартаментов леди Кэмирон.

— Какова их стоимость?

— Не менее ста двадцати миллионов. Минимум, — процедил Нечаев.

— Получите миллион наличными, если найдете их, полковник! — коротко, но внятно проговорил Мамедов, продолжая смотреть в окно на багровый закат.

— Неплохое предложение, — добавил Нечаев.

— Не отвлекайте меня по мелочам, — раздраженно отмахнулся Кулешов, еще не осознав смысла предложения, но его слова расценили как юмор. — Твоя фамилия Нечаев?

— Совершенно верно.

— У вас есть еще Нечувилин?

— Аркадий Степанович. Он кадрами занимается.

— Вот именно. Значит, и студентов он нанимал. А вы его прошлым интересовались?

— Кто такой Нечувилин, мы знаем, — опять вмешался Мамедов. — Никого он на работу не нанимал, он наш соглядатай. У Аркаши есть картотека на всех лучших аферистов и шулеров. Он всю жизнь собирал на них досье, потому что сам игрок. Мы его для того и взяли, чтобы опознавал своих и предупреждал нас о появлении в отеле аферистов. Должность ему определили незаметную, для ведомости. Устал мужик по стране мотаться, возраст уже не тот. Здесь он гадить не будет.

— Картины ваши? — спросил Кулешов.

— Взяты на презентацию в галерее Баскакова. Хотели купить, но он упрям как осел.

— Значит, заберет, а вы повесите копии? Когда?

— Дня два мы еще можем потянуть кота за хвост, но не больше. Тут есть какая-то связь с бриллиантами. Ни то, ни другое продать невозможно. Кто-то хочет дискредитировать нас и посадить в лужу. Если придерживаться такой версии, то можно подозревать всех владельцев крупнейших отелей мира. Они способны заплатить любые деньги за наш позор. Провалится фокус с бриллиантами, сработает с картинами. Продублированный вариант.

— Эта версия лежит на поверхности, — заключил Кулешов, — и она недоказуема. В таких делах принимают участие десятки посредников. Мне нужны исполнители, способные привести меня к пропаже. Я должен найти бриллианты, картины и вернуть владельцам. Светские интриги меня не интересуют, в них вы сами разбирайтесь, без меня. Я пришлю к вам троих или четверых своих ребят. Выдайте им униформу и дайте возможность гулять по отелю без ограничений. Я хочу понять схему, по которой работали воры. Но вернемся к конкуренции в гостиничном бизнесе. Построив отель в Москве, чем же вы насолили «Хилтону» в Нью-Йорке или «Плазе» в Лондоне? В чем суть войны?

— Отели не строятся поштучно. Если мы прогремим на весь мир, то «Хилтону» в России делать нечего, а они уже ведут переговоры. Мы готовы строить в Америке. Престиж отеля определяется не только обслуживанием и комфортом, но и постояльцами, — скороговоркой пояснил Нечаев.

— Хорошо. А теперь объясните мне, обывателю, как это два брата француза решились снять со стены картину, чтобы проверить ее подлинность. Они сумасшедшие? Не понимают, что даже в музеях к ценным вещам подводят сигнализацию?

— Братья Леблан — искусствоведы, — начал оправдываться Нечаев. — Любопытство взяло вверх. Они даже не испугались охраны, ворвавшейся в номер. Знали наверняка, но рискнули. Мы предполагали, что Лебланы попросят разрешения посмотреть картины вблизи, но у них не хватило терпения. Кушетку перепачкали ботинками. Вероятно, долго на ней топтались, разглядывая картину в лупу, и, наконец, не выдержали. В их номере ничего не украли.

— Ладно. И еще один важный вопрос. Украли самые дорогие картины. А кто знал, какие где висят? Мальчишка с девчонкой ни к кому больше не заходили. Они знали, в какие номера идти и не тащили туда лишних бокалов с шампанским, а точно знали, что там живут одиночки.

— Знали все! Увы! Мы же хвастались и провели экскурсию по этажу, а номера разыгрывались по жребию. Апартаменты на восьмом этаже одинаковые, все состоят из трех комнат. Только картины разные. Все гости приехали утром, чтобы днем отдохнуть, а ночью гулять. Все продумано. Общий завтрак в ресторане, экскурсия и отдых.

— Черт! Не за что зацепиться.

— Миллион! — повторил Мамедов.

— Какой миллион? — переспросил Кулешов.

Наконец до него дошло.

8

Они проникли на территорию участка ночью. Минуя яблоневый сад, добрались до гаража, он находился метрах в двадцати от дома, перед которым располагалась круглая площадка с огромной клумбой посередине. Чтобы подъехать к крыльцу, надо было сделать дугу.

Особняк вырисовывался черным контуром, над крышей в безоблачном небе висела желтоватая луна. Шел третий час ночи. Один человек остался в машине неподалеку от ворот усадьбы, трое перемахнули через забор. Они здесь уже бывали и передвигались по территории уверенно. Машина хозяйки стояла у крыльца, ворота гаража не были заперты, они предательски скрипели, поэтому их не стали распахивать настежь, проникли внутрь через щель и, только после того как прикрыли за собой створку, включили фонари. Их было трое. Возглавлял команду Игумен. Гаврилыч знал, что им делать и зачем они пришли. Бориске отводилась роль носильщика.

Гараж больше походил на ангар, сюда мог бы войти самолет. Они прошли к смотровой яме, спустились в нее и сдвинули деревянные щиты, за которыми находилась стальная дверь. Навесной замок висел на одном ушке. В таком положении они его оставили, когда были здесь в последний раз, ничего не изменилось.

— Значит, Екатерина сюда не приходила, — сделал вывод Игумен.

— Вряд ли она знает о тайнике мужа, — сказал Гаврилыч. — Дербень мужик скрытный, я не думаю, что его жена в курсе, чем он промышляет. Катя вся из себя такая положительная, правильная. Заведует ведомственной клиникой. Дербень всегда прикрывался своей женой.

— Крутая баба, — согласился Игумен. — Если бы она знала о его похождениях, давно выставила бы муженька за дверь. Усадьба принадлежит ей.

Они открыли дверь, включили свет и спустились в подвал, небольшую комнату метров в пятнадцать, где Дербень хранил все, что жене не следовало видеть.

— Вот эти мешки, — указал Гаврилыч на сложенные в углу продолговатые баулы из белой прочной парусины, обшитые кожаными полосками со шнурками и стягивающимися краями со стальными крепежами, на которые цеплялись карабины.

Игумен взял один продолговатый мешок и рассмотрел его.

— Сюда войдет миллиона три, не больше.

— Сколько их? — Гаврилыч начал пересчитывать. — Смотрите-ка, вдоль мешков кожаные ленты пришиты. А знаете для чего? Чтобы они хорошо скользили по жестяной поверхности. Воздуховод квадратный, из полированной жести, по нему на коньках кататься можно. Такой мешок с любым весом одним пальцем можно по трубе тащить.

— Их только двенадцать, — сказал Бориска.

— Двенадцать на три — тридцать шесть. Тебе мало? — ухмыльнулся Гаврилыч.

— Мне и одного миллиона хватит. Я тысячу долларов в руках держал и чувствовал себя богатеем.

— Правильно, сынок. Жадность фраера сгубила. Мы не знаем, сколько там денег. Может, и двух мешков хватит, — пожал плечами Игумен.

— Ребята, а нижний мешок не пустой, — удивился Игумен.

— Что там? — спросил Бориска.

— Сейчас посмотрим.

Сначала вынули из мешка скрученный моток стального троса, затем игрушечный танк и пульт к нему, дальше — навигатор, небольшой экранчик, который обычно можно увидеть в машинах у тех, кто прокладывает маршруты по электронным картам. Следом достали коробочку, снабженную крохотным глазком видеокамеры. Такие встраивают в стены лестничных площадок для квартир, оборудованных видеодомофонами. Наконец вытащили фонарь и моток скотча.

Весь товар разложили на полу и стали тупо разглядывать находки.

— Похоже Дербень в детство впал, — констатировал Игумен.

— А ты до сих пор не повзрослел, — буркнул старик.

— Ты чего, Гаврилыч...

— Заткнись.

Гаврилыч присел на корточки и начал рассматривать каждую вещь. Все молча глядели на старика, не решаясь открыть рот.

К детскому танку размером с обувную коробку и тяжелым на вес был прикреплен небольшой карабинчик. Он больше всего заинтересовал умудренного опытом вора.

— Промерьте трос, — приказал Гаврилыч.

— Чем? У нас рулетки нет, — пожал плечами Бориска.

— Мотай на локоть. Два витка — метр. Точность нам не нужна.

Бориска поднял трос и начал наматывать его на руку — через большой палец на локоть, накручивал, пока бухта не кончилась.

— Примерно двадцать пять метров.

— Правильно. Три метра допуска от окна отдушины до лебедки и двадцать два по длине воздуховода.

— Хватит мутить, Гаврилыч, — не выдержал Игумен.

— Я разгадал идею Дербеня. А теперь следите за мной.

Старик взял один конец троса, прикрепил его к карабину танка, потом включил игрушку и взял в руки пульт. Танк зажужжал и поехал вперед, волоча за собой трос. Гаврилыч повернул джойстик вправо, и танк повернул вправо. Игрушка оказалась очень послушной.

— Я все понял, — сказал Бориска. — Так трос можно протянуть с улицы до хранилища. Двадцать два метра.

— Молодец, Бориска. — Гаврилыч указал на коробочку с камерой и фонарь. — Фонарь и камеру мы крепим скотчем к башне танка, весь путь будет освещаться. А на мониторе будет виден этот путь. Там есть два поворота, но это не проблема, танк управляем, не врежется. Складываем все в мешок и забираем с собой.

— Черт... — буркнул Игумен. — Сколько еще задумок у Дербеня, о которых мы не знаем. Чертежи — одно, а план действий — другое.

— Здесь ты прав, — согласился Гаврилыч. — Надо продумать каждый наш шаг, выверить по секундомеру, и это еще не все. Мы должны знать, почему Дербень подготовил двенадцать мешков, а не пять или двадцать. Он ничего так просто не делает. Собирайтесь. Скоро рассвет.

Тем временем жена Дербенева не спала, уснула только Ляля, которая переехала жить к Екатерине. Они затеяли непростое дело.

Сейчас Екатерина сидела в кабинете мужа. Окна выходили на другую сторону от фасада дома, и светящийся экран монитора не мог быть виден нарушителям ночного покоя, однако хозяйка видела ночных гостей и знала, чем они занимаются. В доме, гараже, у заборов — везде были установлены камеры видеонаблюдений и микрофоны. Ни одна душа не могла проникнуть на территорию усадьбы незамеченной. Катя следила за налетом не одна, на диване сидела молодая парочка — парень лет двадцати двух и рыжеволосая хорошенькая девушка того же возраста.

— Господи, и эти тупые придурки собираются совершить кражу века, — тяжело вздохнув, сказала Катя.

— Я же говорил вам, Екатерина Андреевна, они ни на что не годятся, я правильно сделал, что сегодня навестил их. Бандитов стоило одернуть. Слишком расслабились, — уверенно заговорил молодой человек.

— Но ты потащил туда чуть ли весь свой курс. Целую кучу свидетелей, — возмутилась молоденькая блондинка.

— Ерунда. Для ребят это было лишь развлечением, игрой. Они не восприняли нашу вылазку всерьез. Я им сказал, будто могу напугать настоящих бандитов, которые намерены ограбить банк. Мы потом долго смеялись.

— Ладно, Алеша.

— Я серьезно. Экзамены закончились, почти все разъехались, на днях уезжают последние. К субботе ни одного человека не останется.

— Они на твоей совести, — сказала девушка.

— Я встроил чип в сумку, что оставил им. Когда мы ушли, мог послушать, о чем козлы говорят. И поверьте, услышал важные вещи. Вы удивлялись, почему они не взяли мешки. Потому что тупые, потащили бы деньги через люки. Только после того, как я их напугал, они подумали о воздушке. И то не сразу сообразили по поводу троса. Хорошо, что я вовремя предупредил вас по телефону и вы успели подбросить им танк. Они в жизни не догадались бы, как протащить трос через трубу.

Катя подняла руку:

— О'кей, ребята. Теперь пора подумать о машине. Нужна не простая «скорая», а реанимационная, ее везде пропустят. В моей клинике две таких. Их вообще очень мало. Угнать можно, но пропажа будет обнаружена мгновенно. В среду в Москву прибывает партия из двенадцати новых реанимационок из Германии. Таможню они прошли. Мы должны получить одну из машин. Оформление документов занимает много времени. А пока то, да се, они будут стоять в Северном порту, на спецстоянке. Если угнать машину со стоянки, ее не сразу хватятся. Но задачка не из легких.

— Вы знаете, где стоянка?

— Знаю. Это целый стадион. Туда стекается весь импорт. Но выгнать машину с нее практически невозможно.

— Для вас ничего невозможного нет, Екатерина Андреевна, — весело заметила девушка.

— Не подхалимничай, Уличка. Надо хорошо подумать. Достаньте какие-нибудь номера. Снимите с машины, хозяин которой в отъезде.

Дверь спальни распахнулась, и на пороге появилась Ляля с заспанной физиономией.

— Услышала голоса, думала, галлюцинации, свихнулась, а тут, и впрямь, разговаривают.

— Мы тебя разбудили, Ольга? Ладно, знакомься, раз проснулась. Это Алеша и Ульяна, дети моей хорошей подруги. Они будут нам помогать.

— Мешки таскать?

Ляля прошла в комнату. В длинной до пят белой сорочке с чужого плеча, босая, женщина смахивала на приведение.

— Они же совсем дети. А если влипнем? Их же посадят. О нас я не думаю.

— Они опытней нас. А потом, им отводится не очень ответственная работа. Говоришь, «мешки таскать?».

— Лучше сказать, «катать». Они же тяжелые. Нужна тележка, — сказал Алеша.

— Вертолет тоже не помешал бы, — усмехнулась Ляля.

Все засмеялись.

Глава 4

1

После оперативки, проводимой генералом каждый понедельник, полковник Кулешов задержался в кабинете высокого начальника и доложил обстановку. О происшествии и начале частного расследования никто, кроме них, в управлении не знал.

— Заявление так и не подали? — удивился генерал.

— Нет, Аркадий Семеныч. Для них скандал смерти подобен. Но отель кишит иностранными журналистами, утечка неизбежна. Шила в мешке не утаишь. Если кто-то из них получит информацию, они вцепятся в нее зубами. Владельцы отелей мирового класса, таких, как «Хилтон», за скандал в прессе заплатят сумасшедшие деньги.

— Вывезти краденое возможно? — спросил генерал, постукивая пальцами по крышке стола.

— У меня есть списки всех приглашенных иностранцев, включая представителей СМИ, они пройдут тщательный досмотр при выезде из страны. Но я исключаю участие иностранцев в операции. Работу выполняли наши спецы по этим делам. Заказ мог поступить из-за кордона, тут я согласен. Однако меня меньше всего интересует заказчик. Исполнители тоже вопрос третий. Нам надо найти гарнитур и картины. Нужен товар.

— Премиальные назначили?

Генерал все прекрасно понимал. Скрытое расследование без заявлений не ведется. Он знал, чем может кончиться скандал для владельцев отеля, знал, какими ресурсами они располагают. За бесплатно никто работать не будет. Даже если они найдут украденное, то не смогут рапортовать о своих успехах и восхвалять милицию или хотя бы как-то ее реабилитировать в глазах обывателя.

— Конечно. По моим прикидкам вам может перепасть около ста тысяч долларов.

Тема «гонорара» была закрыта.

— Скандал неизбежен, — сказал генерал после паузы. — Если кто-то хочет его раздуть, то его раздуют. Мы лишь придерживаем вожжи, насколько это возможно. И тут уже не важно, подавали заявление потерпевшие или нет, важно то, что милиция проморгала крупнейшее ограбление, совершенное в стране за последние пятьдесят лет, если не больше. О нас будут вытирать ноги кому не лень. С нашим сегодняшним авторитетом — это крах! В случае успеха мы себе баллов не прибавим, но получим деньги за свои труды. Это лучше, чем сидеть по уши в дерьме. Впрочем, мы давно там сидим. Что вам нужно для работы, Леонид Палыч?

— Отдайте в мое распоряжение управление Ленинского района Московской области. Федоров в курсе дела и уже сделал немало.

— Без вопросов. Приказ будет готов через час. Что еще?

— Нужны эксперты и криминалисты из министерства. Там работают лучшие. Нужны так же специалисты из управления по работе с художественными ценностями и два десятка оперативников. Список я составил. Перед нами ветвистое дерево, и я хочу на каждую веточку посадить свою птичку.

Генерал задумался. Требования полковника обязывали издать письменный приказ и подписать его у министра, а это возможно лишь при официальном открытии уголовного дела и уведомлении о нем прокуратуры. Если он отдаст приказы в устном порядке и об этом станет известно наверху, его лишат должности. С другой стороны, генерал понимал, что такие деньги ему платят не за погоны, а за конкретную помощь. Кулешов не новичок и не перестраховщик, лишнего просить не будет.

Генерал просмотрел список, поданный ему полковником, и половину фамилий вычеркнул. Тех, кому он не доверял, а он знал, кому можно доверять, а кому нет. К тому же чем меньше задействовано людей, тем спокойнее. Никто лучше генерала Волкогонова не разбирался в людях. Проницательность и информированность позволили ему занимать свой пост шестой год, в то время как предшественники не держались в этом кабинете больше года. Отвечать за оперативную работу министерства дело нешуточное, должность для битья.

— Этих ты можешь взять. — Он протянул исправленный список Кулешову.

Понимая, на какой риск идет генерал, полковник не стал настаивать на своем варианте. Он понимал, что и сам рискует всем в случае провала операции. Ему сорок пять, впереди отличная карьера — у него уже шесть благодарностей от министра. Но один срыв, и он на улице. Перспектива? Охранник на вещевом рынке. Кулешов сделал свою ставку. Или все, или ничего. С его расчет-ливостью и прагматичностью он кидался в омут с голо-вой. Решил сыграть в рулетку и поставил все фишки на зеро.

— Что ты думаешь об этом греке, Леня? — перешел на фамильярный тон генерал.

Они были старыми друзьями, начинали службу в од-ном отделении милиции четверть века назад. Но на службе всегда соблюдали субординацию. Если Волкого-нов ее нарушил, значит, официальная часть беседы за-кончена и они обо всем договорились.

— Речь может идти только о двойнике. Яхт-клубом Константинеса пользовались все светские бонзы, он не может быть заинтересован в ограблении. Списки гостей составляли пять человек — трое теневых владельцев оте-ля и Нечаев, главный менеджер отеля, человек, знающий гостиничный бизнес от «а» до «я». В своем деле луч-ший. Последние два года работал в парижском отеле «Риц». Его перекупил Мамедов. А ты знаешь, Арка-дий, Мамедов всего лишь марионетка, имеющая колос-сальные связи. Так вот, Константинеса в список пригла-шенных включил Нечаев. Когда задумывалось ограбле-ние, один из тех, кто составлял его план, мог наткнуться где-то на двойника Константинеса, решил привлечь его к делу и включил имя Константинеса в список. Подо-зревать Нечаева можно и по другой причине. Грабители очень хорошо знали все входы-выходы, коридоры, сис-тему работы лифтов, в каких номерах какие картины ви-сят. Все это в подробностях было известно Нечаеву. Но его просто так к стенке не прижмешь. Он слишком умен и действовал предельно осторожно, а в тот вечер ни на шаг не отходил от Мамедова. Я считаю, что с Нечаева нельзя спускать глаз.

— Допустим. Идея с двойником мне нравится. Что тебя натолкнуло на эту мысль?

— Этого якобы Константинеса видели охранники в вестибюле отеля, администратор, коридорная, лифтеры. А потом ну просто чудеса. Я видел фотографии и запись с камер видеонаблюдений. Иностранные гости спускались в фойе и зал из своих номеров через вестибюль. Никто из них на улицу не выходил и с центрального входа не возвращался. Через него проходил только наш бомонд по приглашениям. Те, кто не проживал в отеле. Зачем Константинесу делать такой крюк? Дальше интересней. Обслуга принимала двойника за Константинеса, а значит, он мог беспрепятственно вынести картины с восьмого этажа, засунув рулоны, например, в брюки, а из холла забрать украденные бриллианты. Потом он вдруг бесследно исчезает, не появляется в зале, не приходит на банкет. Это понятно — настоящий Константинес валяется без сознания в своем номере.

— Картина мне понятна, Леня, но это лишь твои догадки.

— Попробую их обосновать. Отель арендовал сорок шесть лимузинов и двести шесть «Мерседесов» для встречи гостей и их обслуживания на время пребывания в Москве. За Константинесом был закреплен пятисотый «Мерседес», а не лимузин. Но он сел в «Линкольн», объехал отель и вокруг. Больше этот «Линкольн» нигде не появлялся. Машина-призрак. Таким образом, двойник мог вынести картины, оставить их в машине и вернуться в фойе за бриллиантами с другой стороны. Если только оба ограбления связаны между собой.

— Нет, Леня, аргументов у тебя не хватает.

— Я не ошибаюсь. Обслуга могла ошибиться, но наш бомонд ошибиться не мог. Псевдо-Константинес вошел в фойе без своей секретарши Магды Церхер. Она просидела весь вечер в номере, ожидая звонка шефа, наряженная для выхода в свет. Вместо нее двойник провел в отель странную брюнетку в черных очках, которая потом спустилась в туалет в момент ограбления Анны Гурьевой и тоже бесследно исчезла. Испарилась. А к Константинесу в фойе не подошел ни один из наших светских бонз. Почему? Его знала добрая половина присутствующих. Многие являются членами клуба Константинеса и брали в прокат его яхты. На него даже не взглянули. Он ходил по залу в одиночестве и пил коньяк у стойки бара. Это что? Бойкот? Нет. Они не признали в двойнике грека. Черно-белая съемка видеокамер и несколько эпизодов не позволяют нам с полной достоверностью установить личность, но люди, видевшие его вблизи, не узнали в нем короля Средиземного моря. А должны были бы пресмыкаться перед ним. Вот мой главный аргумент! Плюс пропавший лимузин. Его сейчас ищут мои ребята. О своих выводах я никому не говорил. Не хочу спугнуть Нечаева.

— А студенты-уборщики?

— Я их допрашивал в туалете после ограбления. Меня смутила найденная в урне ампула, а потом поход за пакетами для урны. Упустил, ребята успели удрать. Их нашли мертвыми в электричке. Всех лишних убирают. То же самое сделали с Дербеневым и его подручными. Я думаю, что и двойника Константинеса убрали. Так что я ищу его труп, а не живого свидетеля. Все, кто засветился на видеопленках, должны умереть. Убили даже женщину, у которой последние дни отсиживался Дербень с подручными. Вряд ли она могла многое знать, но ее все равно убрали. Говоря о свидетелях, я имею в виду тех, чьи трупы мы еще не нашли. Это сторож из подземного гаража, шофер лимузина, двойник Константинеса и брюнетка, которую он провел в отель. Что касается жертвы — это владелец отеля. Залог за картины составляет сто миллионов долларов, сами картины стоят много дороже.

— Галерейщики могли их выкрасть, чтобы не отдавать залог?

— Могли. С большим успехом, чем кто-либо другой.

— Ну и?

— Илья Данилович Баскаков фанатично предан своему делу. Он отказался продавать картины отелю даже за сумасшедшие деньги. У него отличный совместный проект по открытию аукционного дома. Баскаков хочет вернуть русское искусство в Россию, его в этом поддерживает государство. Теперь представьте себе, во что ему обойдется эта афера. Сумасшедшие деньги? Да. Но если он выкрал свои четыре лучшие картины, гордость галереи, сделавшие его знаменитым на весь мир, он уже не сможет повесить их на место. Они не могут вернуться назад. Ведь тогда станет ясно, что украл их он. К чему вся суета? По мнению специалистов, он мог выставить эти картины на торги в Англии, Франции или Америке и получить за них много больше, чем выданный ему залог. И еще две жертвы — ювелир и банкир. С потерей бриллиантов оба вылетают в трубу. И речь идет не о деньгах, а об авторитете, благодаря которому они еще держатся на поверхности. У них нет мотива для ограбления. Теперь о ворах. С добром надо что-то делать. Что? Сбыть такой товар невозможно. Вернуть владельцам за выкуп? Вот на этом мы их можем взять. Товар не трудно проследить, а точнее, выкуп. Тут нового еще никто не придумал. В космос выкуп не пошлешь, его надо передать людям и получить гарантию возврата ценностей. Сидеть в ожидании мы не будем. Время работает против грабителей, они знают, что их ищут. Скоро им будут наступать на пятки. Картины и камни станут слишком горячими, чтобы держать их при себе.

С минуту оба молчали. Потом генерал сказал:

— Я в деле, Леня. Ты получишь мою поддержку по всем позициям. Но сам понимаешь, если завалишь операцию, нас вышвырнут на улицу. Я даже не говорю о том, что мы останемся не у дел, о деле и подумать не успеем. Московские воры получат шанс с нами поквитаться. У нас слишком много врагов, чтобы мы могли еще прожить какое-то время. Без мундиров мы голые и уязвимые. Был полковником, стал мишенью. Я не хочу думать о похоронах, даже с троекратным салютом почетного караула.

— Я ценю твое понимание, Аркадий. Вывернусь наизнанку.

— Держи меня в курсе дел.

Кулешов встал:

— Разрешите идти, товарищ генерал?

Волкогонов кивнул, оптимизма в его глазах Кулешов не заметил.

2

План сработал. Впрочем, Скуратов не сомневался в успехе своих интриг. Шантаж, построенный на сексуальном преступлении, всегда срабатывает. Проверено годами практики. Панкрат Шпаликов попался на крючок, банкир был готов совершить убийство, только бы его имидж не пострадал. Веня не ошибался в своих прогнозах, такие люди, как Шпаликов, на многое пойдут, если прижать их к стенке. Сегодня Скуратов позвонил банкиру. Телефон ему дала Инесса и сказала, что Шпаликов готов принять его условия. Разговор с банкиром длился недолго, Шпаликов был краток.

— Приедете к двенадцати часам дня. Зайдете в банк за пять минут до закрытия на перерыв. Пиджак оставите в машине. Рубашка, брюки — все. Фотоаппарат спрячьте в карман, с ним вас не пропустят в хранилище. Спуститесь на этаж ниже, лестница в конце операционного зала. Вас встретит дежурный по обслуживанию индивидуальных банковских ячеек. Назовите ему номера 806, 813, 824, 928. Он спросит, кто вы. Назовите свое имя и предъявите паспорт. Он у вас его заберет. При выходе отдаст, если вы ничего не возьмете из ячеек. На осмотр вам дается десять минут. Положите все на место, как лежало, и уходите. Большего я для вас сделать не могу.

— Мне большего и не нужно. И забудьте о фотографиях, я их тут же уничтожу.

Скуратов торжествовал.

— Кому какая ячейка принадлежит? — спросил он.

— Без имен. Сами разберетесь.

В трубке послышались короткие гудки.

К походу в банк Веня подготовился серьезно. Он умел проносить с собой нужные ему вещи даже через металлодетекторы, для этого существовали антидатчики, отражающие сигнал. Но вряд ли ему понадобятся все эти прибамбасы. Он ничего не собирался воровать. Скуратов хотел лишь убедиться в правильности своей версии. Если он ткнул пальцем в небо и промахнулся, значит, он ни на что не годен. Скуратов редко ошибался. Он очень хорошо изучил светские интрижки, знал, с кем имеет дело.

В полдень финансовое учреждение закрывалось на технический перерыв на полчаса. Скуратов вошел без пяти минут двенадцать, пересек зал, спустился по мраморной лестнице вниз и очутился перед решетчатой дверью. За ней сидел за столиком клерк в униформе, перед ним стоял компьютер и три монитора.

— Добрый день, — поздоровался Скуратов.

Клерк поднял на него глаза.

— Здравствуйте. Боюсь, что вам придется вернуться к нам через полчаса. Вы попали к перерыву.

— Я знаю. Мне нужны ячейки 806, 824, 813 и 923.

Клерк подошел к двери, прутья которой были толщиной с руку. Веня достал паспорт и протянул его типу с ледяной, ничего не выражающей физиономией. Тот глянул в паспорт, забрал его, вернулся к столу и нажал кнопку. Стальная дверь поползла вверх. Веня переступил порог. Решетка за ним закрылась.

— Следуйте за мной, — скомандовал охранник, и они пошли по лабиринту, похожему на картотеку, где кругом располагались ящики из полированной нержавеющей стали. Узкие коридорчики казались зеркальными, потолок был усеян скрытыми, утопленными вовнутрь плафончиками, света здесь было не меньше, чем на улице в солнечную погоду.

Они свернули вправо, потом влево, прошли прямо, потом опять свернули. Веня понял уже, что самостоятельно он из этого города не выберется. Тут не было ориентиров. Наконец в одном из коридоров они остановились. Скуратов пробежался взглядом по ячейкам, располагавшимся по обе стороны. По семь штук в высоту и следовали одна за другой по всей длине коридора. В этом закоулке находились сейфы, начинающиеся с цифры «восемь». На полированной крышке каждой ячейки имелась прорезь для ключа и ряд кнопочек с цифрами от ноля до девяти.

Клерк подошел к номеру 806, вставил ключ, повернул его, потом сделал набор. Его пальцы работали так быстро, что запомнить десятизначный код не представлялось возможным. Веня стоял в метре от клерка, держа руки в карманах и нажимал на тросик, который в свою очередь был связан с фотокамерой, встроенной в узел галстука. Таким образом шла беспрерывная съемка. Он запомнил лишь две цифры. Первой была пятерка, последней — ноль. Дверца ячейки открылась. Так было открыто три ячейки. Везде клерк набирал одну и ту же комбинацию, сначала пятерку, в конце — ноль, и Скуратов запомнил еще четыре цифры, которые так же повторялись. Закончив свою работу, клерк сказал:

— У вас десять минут. 923 сейф в другом месте, мы подойдем к нему позже.

Он повернулся и ушел, оставив репортера одного. Скуратов был уверен, что этот тип будет стоять рядом, но он скрылся за углом переулка.

Время пошло. Веня выдвинул ящик из ячейки 806. Небольшой, железный, высотой в двадцать сантиметров, шириной в сорок, длиной около метра, он легко скользил на салазках. Верхняя крышка сдвинулась, как в школьном пенале времен его детства. Веня достал из кармана крошечный фотоаппарат и приготовился к съемке. На каждую ячейку ему отводилось три минуты. Вникать в суть предметов он не собирался, он знал, что искал, остальное его интересовало в первую очередь.

Итак, ячейка номер 806. Кому она принадлежала, стало ясно, как только он увидел золотую фляжку. Скуратов осторожно перевернул — на обратной стороне гравировки не было. Найденная в туалетной кабине находилась в милиции на экспертизе. Сейчас Веня не делал никаких выводов, он только фотографировал. Под фляжкой лежала газета. Репортер развернул ее и увидел статью с фотографией молодой женщины. Некоторые строчки были выделены маркером. В небольшой шкатулке из слоновой кости с тончайшей резьбой лежали деньги, коробочки с кольцами, серьгами и жемчужным ожерельем. Документов не было. Сделав снимки, Веня сложил все как было и задвинул ящик.

Следующим на очереди шел сейф под номером 813. Он находился на противоположной стороне, с нечетными цифрами. Кому принадлежал этот сейф, стало ясно сразу — там оказалось множество мешочков из бархата и замши с разноцветными драгоценными камнями. Он их даже фотографировать не стал. В самом дальнем углу лежали три конверта, надорванные сбоку. Письма. Скуратов переснял конверты, а потом и содержимое. В двух из них были какие-то документы с печатями и сопроводительные записки. Если ювелир хранил письма в сейфе, значит, они имели определенную ценность.

Вениамин вернулся на четную сторону. Ячейка номер 824. Сдвинув крышку, он увидел черную коробку. Он открыл ее и едва не выронил фотоаппарат. На черном бархате лежало бриллиантовое ожерелье, браслет и серьги. Камни засверкали на ярком свету и едва не ослепили репортера. Красота неописуемая. Даже ребенок смог бы догадаться — перед ним шедевр! Скуратов сделал несколько снимков, потом взял в руки ожерелье. Ничего подобного он в жизни не видел. «Око света». Веня, равнодушный к разного рода побрякушкам, не мог выпустить из рук увесистое, переливающееся на свету чудо. К действительности его вернул мужской голос:

— Ваше время истекло.

Скуратов вздрогнул, будто вор, застигнутый врасплох. Он осторожно положил ожерелье на место, закрыл коробку и задвинул ящик.

Клерк провел его в соседний коридор и открыл перед ним последнюю ячейку, после чего снова скрылся. В этом ящике лежали только деньги и два конверта без надписи. Долларовые пачки с банковскими ленточками занимали все пространство, кроме конвертов в него уже ничего не вместилось бы. Скуратов открыл конверт, достал банковский бланк с печатями и штампами и успел прочить только одно слово «Расписка». Он сфотографировал ее и решил, что на этом его миссия окончена. Во втором конверте так же лежал документ, он сделал снимок и сложил все на место.

Сейчас он плохо соображал, в голове все смешалось, как в посудной лавке, где похозяйничал слон.

Его проводили до выхода, и он очутился на улице. Оглушенный увиденным до шокового состояния, Скуратов пошел не в ту сторону и шагал, пока его не догнала машина. За рулем сидела Дина. Гудки привели парня в чувство.

Усевшись в машину, он тупо уставился на приборную доску.

— Я все записала, — сообщила Дина. — У меня получилось. Но когда ты спустился вниз, сигнал пропал. Пошли помехи.

— Это точно, — произнес Веня, будто не слыша, что сказала девушка.

В кабинете директора банка по работе с вкладчиками господина Фельдмана сигнал был нормальным. Он и директор по ценным бумагам Шпаликов очень внимательно следили за экраном монитора. Скрытые камеры видеонаблюдения в хранилище работали бесперебойно. Каждый шаг Скуратова записывался на пленку.

— Что скажешь, Панкрат? — спросил Фельдман.

— Если по-умному смонтировать запись, все получится. Важно то, что рядом с репортером никого нет. Он один. И главное, он достал ожерелье из коробки и держал его в руках.

— Этого мало, Панкрат Антоныч. Полноценная запись должна начинаться с открытия сейфа. Он ничего не открывал, взлома не было.

— Нам не нужна видеозапись. Нам нужны отдельные фотографии с конкретными эпизодами. Это первое. А потом еще не вечер. Скуратов наверняка запомнил банковский код. Что, по-твоему, он будет делать? К чему его приведет логика авантюриста?

— Ты думаешь...

— Не сомневаюсь. Он абонирует в нашем банке ячейку, чтобы получить доступ в хранилище. Надо ему помочь. Выделим номер в том же коридоре и в том же ряду. Съемка ведется сверху и номера ячейки не видно. Важен уровень.

— Надеешься, что сработает?

— А ты видел, в каком состоянии он уходил? Я даю ему день на раздумье. Завтра же Скуратов нанесет нам повторный визит.

Директора банков умели не только деньги считать, они были прекрасными психологами. Ведь для того, чтобы считать деньги, сначала надо их получить, а значит, уметь обрабатывать клиентов, не то уйдут к конкурентам. Все приходит с опытом.

Веня лежал на тахте в одной из своих съемных квартир и смотрел в потолок с таким вниманием, будто читал сенсационное сообщение. Логика вещей диктовала следующее. Ячейка 806 принадлежит Анне Гурьевой. Там ее фляжка и шкатулка. 813 арендована ювелиром. Об этом говорят камни в мешочках. Отдельная ячейка в другом коридоре принадлежит банкиру. В ней деньги. А это значит, что «Око света» лежит в ящике Алины Малаховой, жены ювелира. Как оно могло попасть к ней? Задача без ответа. Важно другое — он не ошибся, он нашел бриллианты!

Дина была лишена самостоятельности. Ей говорили — она делала. Подай, принеси, раздевайся, приготовь, налей. Вот и сегодня — молчание. Наконец Скуратов заговорил:

— Завтра с утра пойдешь в банк и зарезервируешь за собой банковскую ячейку. Положишь в нее какую-нибудь коробку. Твоя задача — разобраться в лабиринтах. У тебя хорошая зрительная память. Потом нарисуешь мне схему.

Девушка ничего не поняла и присела на кровать.

3

Машина остановилась в узком длинном переулке. Слева — стена здания, справа — трамвайная линия, а за ней — чугунная ограда в метр высотой и парк. Сквозь деревья просматривалась аллея, по которой прогуливалась женщина с коляской, катался ребенок на трехколесном велосипеде, на скамеечке спиной к ограде сидела пожилая женщина, если судить о ее возрасте по старомодной шляпке, седым волосам и палочке с крючковатой ручкой, на которую она опиралась.

Катя тихо сказала:

— Не туда смотришь, Ляля. Смотри на здание. Видишь зарешеченное дупло в двух с половиной метрах от земли? Это и есть воздуховод. Пролезешь?

Девушка осмотрела квадратное жерло и пожала плечами:

— Запросто.

— Пятьдесят на пятьдесят. Втиснешься. Я с тобой согласна. Но по нему придется ползти. Как? Запаса нет ни с одной из сторон. Руки придется вытянуть вперед, иначе плечи не пролезут. Бедра от стенки до стенки. Зацепиться не за что, идеально гладкая жесть.

— Змеей поползу.

— Нет, детка, не получится. Скользко.

— Меня другое беспокоит — как вылезать наружу. Высоко. Из дырки можно только вынырнуть рыбкой и что? Башкой об асфальт с высоты двух с половиной метров?

— Придется сделать кульбит в воздухе и встать на ноги. У кошек это получается. Они всегда падают на лапы, с любой высоты.

— Значит, и я смогу. Нужно попробовать.

— И я о том же.

Они поехали дальше. Минут через сорок свернули с шоссе на проселочную дорогу и, проехав пару километров, еще раз свернули, потом пересекли колосящееся поле и остановились у ряда вытянутых амбаров.

— Что это? — спросила Ляля.

— Здесь был элеватор. Сейчас хранилища пустуют. Одно из них я арендовала на недельку для тренировок. Идем.

Женщины вошли в одно из строений. Там кипела работа. Плотники сколачивали ко́злы. На земле лежал короб из жести в форме буквы «Т», длинная часть которого составляла метров пять.

— Копия воздуховода, — прокомментировала Катя. — Пятьдесят на пятьдесят. Оригинал длиннее — двадцать два метра.

Один из рабочих, весь в опилках, подошел к женщинам и загудел басом:

— Мы концы не отпиливаем, Лариса Ванна. Высоту вы нам не определили.

— Два метра пятьдесят сантиметров. Положите короб на козлы и закрепите его насмерть, чтобы не ерзал.

— Сделаем в лучшем виде.

Рабочий отошел.

— Почему Лариса Ванна? — удивилась Ляля.

— А ты хочешь, чтобы я им наши паспортные данные оставила?

— Теперь поняла.

Работу закончили через час. Екатерина расплатилась с мужиками, и они ушли. Короб стоял на помосте на соответствующей высоте.

— Попробуешь? — улыбнулась Катя.

— Нужна стремянка, я же не достану.

— В багажнике есть складная лесенка.

Принесли и разложили лестницу. Катя прихватила с собой большую черную спортивную сумку и достала из нее черный эластичный костюмчик.

— Примерь.

Ляля переоделась, наряд обтягивал ее фигуру, не оставляя ни единой складочки. К костюмчику прилагались четыре повязки с резиновыми шипами: две на коленки и две на локти.

— Они не скользят, делай на них упор, — подсказала Катя.

— Я бы не догадалась. Хорошая идея.

— Ты работай, а догадки оставь для меня. Нарукавники останутся, но костюм у тебя в день «Ч» будет другой. Самое трудное — это поворот. Угол сорок пять градусов. Изогнешься?

— Хоть в дугу согнусь.

— Ну, деточка, с Богом.

Катя достала секундомер, Ляля быстро поднялась по лестнице и нырнула в жерло трубы.

— Тростиночка! — с завистью прошептала Екатерина. — Ну, не подведи, малышка.

Результата пришлось ждать долго, шестнадцать минут. Наконец из правого отростка показалось взмокшее лицо Ляли. Катя остановила секундомер.

— Поворот задержал?

— Поворот пустяк. Резиновые нашлепки скользят и сползают с локтей. Те, что были на коленях, я потеряла сразу же. Рука не пролезает, и поправить на ноге я ничего не смогу. Так и штаны сползут, и ничего не сделаешь.

— Не все сразу, детка. Теперь задача усложняется. Давай назад. Ползи ногами вперед.

Ляля оторопела, но возразить не посмела.

Обратный путь занял полчаса. Сначала из жерла высунулись кроссовки, потом коленки, еще немного, и Ляля выскользнула. Катя ее поймала. Она знала, что ползти ногами вперед, ничего перед собой не видя, очень трудно, еще труднее выскальзывать из трубы.

— Цела?

— Нормально, — глотая воздух, кивнула Ляла.

— Вижу, как нормально. Хуже всего, что в день «Ч» тебя никто ловить не будет.

— Нет, пятиться раком — это не дело. Если в воздушке есть развилки, проще развернуться, чем вот так мучиться. Там же перекресток. Я упираюсь в поперечный коридор буквы «т». Можно свернуть налево или направо. Значит, пятясь назад, я могу пройти поворот мимо, а потом завернуть в него головой вперед. Мне нужен фонарь. Тут отрезки короткие, свет проникает хорошо, а там его не будет.

— Иван ни черта не смыслил в бабах, — засмеялась Катя. — У него жена умница, а он ее дурой называл. Все правильно. Ну что, подруга, слабо́ еще раз сделать кружок, но с разворотом?

— Репетэ?! Я выносливая. Нам понадобятся маты. Это такие матрацы для гимнастов. Хочу стать кошкой, но тренироваться придется долго и упорно.

— Купим и маты. А теперь попробуем облегчить тебе задачу.

Катя расстегнула сумку и достала длинные перчатки по локоть, на ладонях были приклеены резиновые присоски.

— Они могут сковывать движение рук, но у тебя будет время. В нужный момент ты их снимешь, а потом опять наденешь.

Ляля рассмотрела присоски:

— Классная штука. А мне в голову приходили только вантузы слесарей, которыми они засоры прочищают.

— Сделано на заказ. В этих перчатках ты по стене лазить сможешь. Если только она гладкая. Человек-паук.

— Нет. Женщина-кошка. Классный фильм.

Ляля надела перчатки, застегнула их и полезла в трубу. Результат оказался поразительный — у девушки ушло всего три минуты.

Она выползла до бедер, крикнула: «Подстрахуй». Тело перевесило и начало сползать вниз. При падении Ляля сделала кульбит, перевернулась в воздухе, но высоты не хватило, и она приземлилась на колени. Катя успела ее подхватить, поэтому удар получился несильным, но Ляля разозлилась.

— Черт! Ерунда! Получится!

— У тебя все получится, детка. Но с каждым днем тренировок задача будет усложняться. Ты должна помнить, для чего ползешь. Обратно тебе придется волочь за собой груз, раза в два тяжелее тебя самой. И мы не решили вопрос, как этот груз цеплять за тебя. Не в зубах же ты его потащишь!

Ляля задумалась.

4

Шахматные задачки Скуратов разгадывать не умел, но сотканные светскими персонами паутины интриг распутывал легко. Достаточно было понять цель и определить жертву. Кто, кого и зачем. Методы войны не менялись. Проверка банковских сейфов подтвердила правильность его метода. Веня с самого начала не верил в примитивный разбой. Если Дербенева привлекли к этому делу, то ему дали гарантию, что он выйдет чистым из заварухи. Кто мог дать ему такую гарантию? На этот вопрос найти ответ труднее всего. Дербень никому не доверяет. Со светскими хищницами он связываться не станет. Торгуя антиквариатом, Сева Дербенев хорошо изучил повадки бомонда и ни за какие коврижки не пошел бы с ними в одной упряжке. Он мог выслушать предложения, сделать свои выводы и поступить по-своему. И если Дербенев появился на вечеринке, то имел свою цель, конкретную и отличную от той, что ему предложили.

Веня перебрал сделанные в хранилище фотографии. Чего он добился? Нашел бриллианты. Это событие! Но у кого он их нашел? Ячейка 824 может принадлежать и Анне Гурьевой, а может и Алине Малаховой. Оба варианта были правдоподобными. Чем больше он думал, тем меньше оставалось уверенности в обеих версиях.

Скуратов решил начать все сначала. Первая нестыковка. Ячейка 923 находилась в другом коридоре. Она принадлежит владельцу банка Гурьеву. Инесса об этом знала. По ее утверждению, эта ячейка не значится в реестре. Об остальных сейфах ей ничего не известно. Допустим. Но почему расписка и деньги лежали в сейфе Гурьева? Взяв напрокат «Око света», Гурьев написал расписку Печерникову и выдал ему пять миллионов страховки. Ячейка битком забита деньгами, там может поместиться пять миллионов. Расписка лежала сверху. Скуратов снова стал разглядывать фотографию документа. Все верно. Бланк банка, подпись Гурьева, подпись нотариуса, печати, штампы... Все это должно лежать в сейфе ювелира, а не в ящике банкира. Значит, банкир не отдал Печерникову расписку и деньги. По сути Юлиан лишился всех гарантий, его легко послать к черту. Тут может быть только один вариант. Гурьев вернул ювелиру бриллианты, а тот отдал банкиру деньги и расписку. По логике вещей все совпадает. Вопрос. К чему раздувать скандал и начинать следствие с привлечением лучших сыщиков страны? Полковник Кулешов не так прост, чтобы его водить за нос. С ним шутки плохи. А что лежит в ящике ювелира? Ячейка 813 несомненно принадлежит ему. Там хранятся мешочки с камешками.

Веня разложил перед собой снимки содержимого 813-го ящика. Мешочки с драгоценными камнями сами за себя говорят. А главное, письма. Первое написано дочерью. Дата трехлетней давности, пришло из Санкт-Петербурга в январе.

«Отец!

Я не вернусь в Москву. Не проси! Теперь у меня своя квартира на Васильевском острове и я работаю в Эрмитаже. У меня все в порядке. Я беспокоюсь за тебя. Ты женился на ведьме. Зря ты меня не слушал. Тогда прочти. Я наняла частного сыщика, и он занялся твоей женушкой всерьез. Она все о себе врет. В прошлом Алина работала в «Де Бирсе» и представляла наши интересы в разных странах. Она лучше тебя разбирается в «камушках» и знает им цену. Тебе же она сказала, будто работала в аптеке фармацевтом. Не верь ей, она тебя обворует. Ты пригрел змею на своей груди. Отчет сыщика я тебе перешлю. Если ты не хочешь умереть раньше времени, не выписывай на нее никаких доверенностей и не вписывай ее имя в завещание. Как только она получит право подписи на твоих документах, ты станешь лишним. Умоляю, будь осторожен.

Целую, Галя».

Письмо не стало для журналиста большим открытием. Алина Малахова не раз попадала в его объективы, он и лично знал Алину. Да, стерва! А кто среди этой своры святой? Дураку понятно, что она выходила замуж за Печерникова по расчету. А кто по любви? Анна Гурьева? Денежные мешки, такие как Гурьев и Печерников, прекрасно понимали, делая предложение молодым телкам, что идут на сделку. О любви никто не заикался. Отчеты сыщика Веня даже читать не стал. Их было три. Смерть Гали и ее брата при странных обстоятельствах вряд ли можно назвать случайностью. К их гибели приложила руку Алина Малахова, но что докажешь спустя годы? Кому это нужно? Сейчас Малахова владеет всем бизнесом Печерникова, и он жив-здоров. Адвокат прав, пока старик способен творить шедевры, он будет жить, а когда отсохнут руки, сам застрелится. Не зря же купил себе пистолет. По утверждению адвоката, Алина хозяйка, все принадлежит ей и только ей. Но раз ожерелье лежит в ее ячейке, то вся затея теряет смысл. Бриллианты украдены у нее, а не у Печерникова или Гурьева. Если она сумела их вернуть, то скандал ее фирме не нужен. Все портит ячейка номер 806. Как там очутилась золотая фляжка, принадлежащая Анне Гурьевой? В последнем разговоре с полковником Кулешовым выяснилась история со второй фляжкой. Она принадлежала Юлии Баскаковой, но жена галерейщика ее потеряла, забыла сумочку в такси. Чушь. Врет! Ей незачем возить с собой золотой флакон. Может, она подарила его любовнику, имя которого скрывает. Но как фляжка попала в сейф Анны? Белиберда получается. Если Анна положила ее в сейф, то зачем она пользовалась чужой? Да еще с гравировкой «Анне с любовью от Д.». Логика подсказывает следующее: фляжку в сумочке Анны подменили. Это подтверждается историей с отравлением снотворным. Фляжку, которую вытащили из сумочки, потом подложили в ее сейф. Такой фокус мог проделать только ее муж. Стоп, стоп, стоп! Гурьев — председатель совета директоров банка, при желании он может открыть любую ячейку. Если он подменил фляжку в сумочке жены, то мог и положить в ее сейф. Второе. Ему придется расплачиваться с ювелиром за утерянное ожерелье. В его шатком состоянии терять пять миллионов слишком накладно. Однако если он забрал деньги и расписку из ящика ювелира и переложил их в свою, то может послать всех к чертовой бабушке. В этой версии есть одна прореха. Ожерелье было на ней во время приема. Анна «засветилась». Сенсация опубликована во всех газетах. С тех пор бриллиантов никто не видел... Опять белиберда! Если в деле замешан Гурьев, то бриллианты должны быть у него, а не в ячейке... Чьей?

Скуратов начал прохаживаться по комнате. Помимо фляжки, в сейфе лежала шкатулка с украшениями и газета. Снимок газеты получился смазанным, к тому же сфотографирована только статья, нет ни названия газеты, ни числа ее выхода в свет. А ведь это могло быть подсказкой.

Веня подошел к столу и рассмотрел все фотографии украшений, лежащих в шкатулке. Ничего особенного. Вряд ли такие побрякушки будет носить жена ювелира с мировым именем. Значит, ячейка 806 принадлежит Анне Гурьевой, а не Алине Малаховой. Получается, что Алина каким-то образом сумела вернуть себе «Око света» и молчит об этом? Скуратов понял — проверка банковских сейфов лишь осложнила задачу. Придется идти в лобовую атаку. О деликатности надо забыть.

Возвращаясь к столу после долгого вытаптывания ковра, Веня заметил упавшую на пол фотографию. Он поднял ее и бросил в общую кучу снимков, но что-то его насторожило. Он присмотрелся. Перед ним лежала копия свидетельства о смерти Анны Каземировны Гурьевой. Женщина умерла четыре года назад в Хабаровске.

Причиной смерти явилась сердечная недостаточность. Возраст — двадцать пять лет. Но Анна жива, он ее видел и даже разговаривал с ней. В конце концов это с ее шеи сняли бриллианты. Подделка? Наверняка! Но вопрос следует уточнить — свидетельство подделка или жена банкира? Час от часу не легче!

5

Вторник стал решающим днем. Так считал Веня Скуратов. Он не был официальным лицом, и если перед ним захлопнут дверь, для протеста не будет оснований. Тем более что у него репутация скандального репортера, который усердно обливал грязью важных персон, не взирая на чины и звания.

— Я уже был у вас с полковником Кулешовым. Меня подключили к следствию, и я пришел как официальное лицо, — сказал он, когда на пороге увидел Анну.

Красавица стояла в нерешительности, но тут за ее спиной появился муж, вышедший из комнаты.

— Кто это?

— У нас с вами договоренность, если помните, Савелий Георгиевич.

— Заходите. Я помню.

Анна посторонилась, и Скуратов вошел в квартиру. Хозяин провел его в гостиную, где он уже однажды был, но жена банкира в комнату входить не стала.

— Есть новости? — спросил Гурьев, не предлагая гостю сесть.

— Новостей много, но они еще не отфильтрованы.

— Меня интересует конкретный ответ на единственный вопрос. Я получу гарнитур обратно или нет?

— Скорее да, чем нет.

Скуратов не стал дожидаться предложения и сел.

— Вы более оптимистичны, чем полковник, — смягчил тон банкир.

— У нас с Кулешовым разные возможности. Он бандитов ловит, а я специализируюсь на светских интригах. Кулешов ищет грабителей, а я — заказчиков. Он выполняет свой долг, а я работаю за деньги.

— Я помню. Вы получите пятьдесят тысяч, когда принесете мне гарнитур.

— Этот день скоро наступит. А пока он не наступил, вам придется мне помогать.

— Чем же? — удивился Гурьев.

— Отвечать на мои вопросы. Разобрав ситуацию по косточкам, я пришел к выводу, что снотворное в виски могла подмешать только ваша горничная или домработница, не знаю, как правильно ее назвать. В тот вечер Анна забыла сумочку на трюмо. За ней послали охранника. Он в квартиру не заходил, сумочку ему вынесли на площадку. Я хотел бы задать несколько вопросов вашей служанке.

— Ее нет, она не вышла на работу. В понедельник у нее был выходной, сегодня должна быть на месте, но не появилась.

— Вы знаете ее адрес, имя?

— У жены записаны ее данные. Но она не москвичка, приехала из Украины. Работала у нас последние два года, и мы ею довольны.

— Для справки. Вы ведь тоже не москвич?

— Из Хабаровска. В Москве три с половиной года. Я возглавлял филиал нашего банка на востоке. Когда меня избрали председателем совета директоров, пришлось переехать в Москву.

— Вы поменяли команду?

— Нет. Все остались на своих местах. В совет директоров входят финансисты высочайшего класса. В смене команды не было необходимости. Но при чем здесь мой банк?

— По некоторым данным большинство присутствовавших на открытии отеля гостей — ваши вкладчики. Это так?

— Да. Мой банк популярен в высоких кругах.

— Вы взяли напрокат «Око света», чтобы продемонстрировать свое благополучие? В год глобального кризиса, когда разоряется каждый второй, решили успокоить своих клиентов?

Гурьев начал раздражаться:

— Вас заносит не в ту сторону!

— В ту, Савелий Георгиевич. Вам нагадили, и сделать это могли только конкуренты. Какой смысл портить репутацию своему банкиру? Я говорю о вкладчиках. Меня не интересуют ваши банковские дела, я ищу заказчиков преступления. Если я держу деньги в вашем банке, значит, я вам доверяю. Зачем же мне делать вам гадости?

— Да, я видел нескольких банкиров, но в причастности к грабежу заподозрить никого не могу. За вкладчиков таким образом не борются, есть более действенные методы. Вкладчики — не самое главное, главное — банковские вложения, в какие отрасли банк вкладывает деньги. Тут наши интересы не пересекаются. Нас нельзя назвать конкурентами, каждый занимает свою нишу.

Скуратов не поверил банкиру: за вкладчиков дерутся, но заметив, что Гурьев не хочет обсуждать эту тему, и не стал настаивать.

— Вы знали о существовании золотой фляжки?

Банкир нахмурился и ответил не сразу:

— Я даже знал о том, что она лежит в ее сумочке.

— Как догадались?

— Я передал Анне коробку с гарнитуром в машине, ей пришлось надевать его в дороге. Она сказала, что забыла зеркальце, но сумочку не открывала. Я понял — боится, как бы я не увидел фляжку. Мне пришлось предложить ей свое зеркало.

У Гурьева были пышные усы и бородка клинышком, по моде девятнадцатого века. Не удивительно, что он носил с собой зеркало.

— Попросите жену принести данные домработницы.

Гурьев вышел из комнаты. Веня воспользовался моментом и налил себе выдержанного французского коньяка, который ему очень понравился в прошлый раз.

Муж и жена вернулись вместе. Анна подошла к высокому столику, где у телефона лежала толстая записная книжка, пролистала ее несколько раз, потом взглянула на мужа:

— Тут вырван листок с ее данными.

Скуратов вскочил с места и подбежал к хозяйке. Листок из книжки действительно был вырван, и очень грубо.

— Что вы знаете о ней?

Анна хотела бы игнорировать репортера, но теперь ей пришлось отвечать. Она осознавала свою вину перед мужем, а этот прохвост пытался им помочь.

— Ее зовут Оксана, отчество не помню, фамилия Мартынчук, приехала из Одессы. До нас работала у Карла и Ады Малиновских. Они дали ей лестную рекомендацию.

— Почему же она от них ушла, вся из себя такая хорошая?

— Они переехали в Израиль на постоянное место жительства.

— А где жила Оксана?

— Снимала квартиру где-то рядом, на Кутузовском. Я видела ее возле супермаркета «Перекресток», когда была в салоне красоты «Ника». Салон напротив. Пока мне делают маникюр, я смотрю в окно. Однажды я увидела Оксану. Она вышла из магазина с сумками, прошла метров двадцать и свернула в подъезд. Старый трехэтажный дом, но после капитального ремонта выглядит прилично.

— Почему вы запомнили дом?

— Потому что квартиры в нашем районе стоят очень дорого. Я говорю об аренде. Она не слишком много зарабатывала, чтобы снимать дорогую квартиру.

— Вы видели ее только один раз?

— Два. Второй раз она выгуливала собаку. Там же.

— У вас есть ее фотография?

— Нет. Зачем она нам? — удивилась жена банкира.

— Вы можете вспомнить, Анна, почему вы забыли сумочку дома?

— Меня торопил муж, мы опаздывали. Я встала из-за трюмо и пошла... Тут... Очевидно, если бы она лежала передо мной, я бы ее не забыла. Я никогда ничего не забываю. Мне кажется, сумочки не было на столике. Я хочу сказать, она не попалась мне на глаза.

Только когда села в машину, поняла — чего-то не хватает, руки пустые.

— Когда вы вернулись после приема, Оксаны уже не было?

— И не должно было быть. Проводила нас и ушла.

— У нее есть свои ключи от дома?

— Конечно. Она приходит рано и готовит мужу завтрак. Одну секундочку. Кажется, у меня есть ее фотография. Как-то случайно она попала в кадр.

Анна вышла из комнаты.

— Давно вы женаты? — задал неожиданный вопрос репортер.

— Шестой год, — не задумываясь, ответил Гурьев.

— Какие у вас отношения с ювелиром Печерниковым?

— Как у продавца с покупателем. Анна бывает в его салоне на показах новых коллекций. Иногда я ей что-то покупаю. Но не самые дорогие вещи. Дорого стоят украшения, сделанные самим Печерниковым, на них стоит его личное клеймо. В его мастерской работает два десятка мастеров высокого класса, но их труд оценивается ниже.

Девушка вернулась с фотографией и подала ее Скуратову:

— Вот. Это все, что есть. Мы отмечали день рождения мужа. Оксана разносила горячее и попала в кадр.

— Для опознания сгодится, — кивнул Веня. — Я возьму снимок на время, потом верну. Все гости поместились на фотографии?

— Тогда дома собрались только свои. Накануне день рождения отмечался в банкетном зале «Праги».

Скуратов убрал фотографию в карман.

— Скажите, пожалуйста, Анна Каземировна, вы свои украшения держите в доме или в сейфе?

— У меня нет ничего особенного, чтобы хранить в сейфе.

— Но вы же покупали в салоне Печерникова украшения? Можете показать?

Скуратов заметил под глазами хозяйки неприятные круги. Похоже, красавица много выпила накануне. Она была без грима, и репортер невольно подумал: «Пока молода, может пренебрегать помадами, но не долго, если не покончит с дурной привычкой».

Она вновь вышла из комнаты, и через несколько секунд мужчины услышали крик. Оба бросились в комнату Анны. Она стояла возле трюмо и ошалело смотрела на столик. На нем были резной стакан из слоновой кости с цветными карандашами, щетка для волос с ручкой из слоновой кости и несколько безделушек из того же материала. Шкатулка с драгоценностями, сделанная из слоновой кости, лежала в ячейке 806. Он ее сфотографировал и содержимое тоже.

— Вот, стерва! — воскликнул Гурьев.

Кого он имел в виду, непонятно, но, скорее всего, оскорбление адресовалось домработнице.

— Соблюдайте спокойствие, господа, — поднял руку Скуратов. — Шкатулка найдется. Мне нужна опись всех предметов, хранящихся в ней. Мы найдем вора. Я знаю, через чьи руки проходит краденое золото, оно еще не разошлось по свету. Мне нужен перечень вещей с подробным описанием.

У Вени чесался язык, ему очень хотелось сказать, где находятся побрякушки Анны, но он не мог этого сделать. Операция с ячейками еще не закончилась, нельзя перекрывать себе кислород.

Анна пришла в себя после нескольких взрывов нецензурной брани. Отборный трехэтажный мат сотрясал комнату в течение минуты. Потом повисла пауза. Веню трудно было удивить, он видел разных светских дам без маски и воспринял взрыв спокойно. Банкир тоже не удивился. Видимо, знал нрав своей женушки, которая только на людях выглядит кроткой овечкой.

Пауза кончилась. Анна подошла к книжной полке и достала толстый том «Дон Кихота». Между страницами лежали квитанции. Она трижды его пролистывала и трясла, потом собрала все квитанции и отдала репортеру:

— Я их храню. Они дают право на гарантийный ремонт ювелирных изделий в мастерской изготовителя, если порвется цепочка или обломится сережка.

— Важные документы, они нам помогут. — Скуратов убрал квитанции в карман. — Не буду терять времени. Вечером позвоню.

Репортер спешно ушел. Отдышаться он смог, только сев в машину. Придя в чувство, достал квитанции и пакет с фотографиями, начал сравнивать. Все сходилось.

Возникал серьезный вопрос. Если Анна отнесла свою шкатулку в банк и спрятала ее в сейфе, то какую цель она преследовала? Тут и гадать не надо. Ей нужен козел отпущения, на которого можно свалить все грехи. В том числе и отраву, подлитую во фляжку. Она определенно дала понять, что сумочки на трюмо не было, когда ее позвал муж. Все стрелки указывают на домработницу. Девушка пропала, вали на нее все, что угодно. Но если так, то Анна не стала бы показывать фотографию и называть адрес. Люди, рекомендовавшие служанку, недоступны, эмигрировали в Израиль.

Скуратов включил двигатель и поехал на поиски салона красоты «Ника».

Дом, который указала Анна, находился в десяти минутах ходьбы от дома Гурьевых. В нем был только один подъезд, в нем сидела консьержка. Ковры, мраморная лестница. Анна права, такое жилье стоит недешево.

Веня подошел к окошку консьержки и поздоровался. Ухоженная, хорошо одетая дама, больше похожая на учительницу-ветерана, глянула на гостя сквозь очки с толстыми стеклами и спросила:

— Вы к кому?

— К Оксане Мартынчук.

— Сожалею, но она уехала.

— Давно?

— В воскресенье рано утром. Часов в шесть утра.

— Куда?

— Не знаю. Она позвонила мне сверху и сказала, что уезжает. Попросила, когда приедет такси, сказать шоферу, чтобы поднялся в ее квартиру, помог с багажом. Машина приехала, и шофер поднялся наверх. Минут через десять они спустились с двумя огромными чемоданами и собакой. Я только успела крикнуть ей вслед: «Надолго?» Она ответила на ходу: «В отпуск». Вот и все.

— Какая у нее квартира?

— Шестая, на третьем этаже.

— Странно. Уехала в отпуск, а балконную дверь не закрыла.

Женщина встревожилась:

— Не может быть.

Она встала, вышла из своей уютной комнатки, где даже диван стоял. Дом относился к категории помпезных сталинских построек и имел огромные балконы с широкими перилами из камня. Чтобы разглядеть двери балконов третьего этажа, пришлось перейти на другую сторону улицы.

— Ну что вы мне говорите. Закрыт у нее балкон.

Женщина указала ему точное направление.

— Этот? А я думал, соседний.

— Соседний относится к пятой квартире. Той, что напротив.

— Теперь понял. Странно, что она уехала. Я же звонил ей и предупреждал о своем приезде. Я из Одессы. Друг семьи.

— Семьи? Она же сирота. В отпуск ездит к своим подружкам. Полные чемоданы нарядов им возит, купленных на Черкизовском рынке.

— В Одессе своя толкучка есть, лучше нашей.

— Не знаю, не была. К Оксане никто никогда не приезжал. Даже друзья не приходили. Тихоня.

— Могу с вами согласиться. И работала тихо.

Скуратов направился к своей машине.

6

Стоя у окна своего шикарного кабинета, владелец отеля Рашид Мамедов смотрел на мир с высоты четырнадцатого этажа, держа руки в карманах, и рассуждал:

— Вся система службы безопасности ни к черту не годилась. Обвинять я никого не могу, мы сами во всем виноваты. Поторопились. По графику отель должен открываться на Рождество. Мы планировали устроить грандиозную встречу Нового года, но совет директоров пересмотрел сроки. Испугались. Думали, ну кто поедет в чужую страну, где, рассказывают, по улицам бродят медведи? Новый год встречают в проверенных местах. Мы решили запустить пробный шар, показать себя в полном блеске. И это получилось. Клиенты в восторге и можно со спокойной душой готовиться к новогодним каникулам, не беспокоясь, что деньги будут пущены на ветер. Презентация — праздник на один день. Мы не собирались открывать отель завтра же, недоделок еще хватает. В идеальное состояние приведены только шесть этажей, которые мы заселили гостями. Нагнали четыреста человек прислуги. Я говорю обо всем обслуживающем персонале. И надо понимать, что в коллектив попали случайные люди. Мы ни с кем не заключали долгосрочных контрактов. Какие претензии можно предъявлять службе безопасности, когда никто никого никогда не видел в лицо. Бирки на груди — не гарантия. Личный персонал проверяется не одним днем. Годами. Лет через пять я вам смогу сказать, какой портье или горничная чего стоит. За первый, второй год работы обслуга может поменяться на сто процентов, и не однажды. Мы же открылись на неделю. Неделя шика и роскоши. Я до сих пор уверен, что мы сделали правильный маркетинговый ход. Конечно, от неожиданностей никто не был застрахован. Но больше всего мы боялись пожара. Умышленного поджога, взрыва, любой пакости, на которую способны конкуренты. Но на двойное ограбление никто не рассчитывал. На гостей и постояльцев я грешить не могу. Значит, персонал.

Полковники Кулешов и Федоров терпеливо выслушивали долгую песню генерального директора, который разговаривал, скорее сам с собой, успокаивая свою нервозную натуру.

— Расскажите о ваших договоренностях с галереей, — попросил Кулешов. — Как вам удалось уговорить Баскакова доверить свои шедевры отелю. Вы же не выставку устраивали, а повесили картины в апартаментах.

— Это объяснимо. — Рашид вернулся к столу и сел в свое удобное кресло. — Баскаков один из самых крупных галерейщиков России. Я говорю о частных коллекциях. Третьяковка мне ничего не даст и Пушкинский музей тоже. Баскаков в свое время выступал в качестве эксперта русской живописи в США и Франции, назвав сотни картин и икон известных галерей подделками. И он прав. Это долгая история. Сталин продавал подделки американцам, начиная с тридцатых годов. На него работали специальные мастерские копиистов, расположенных на территории Кремля. На эти копии ставили штампы Третьяковки и Эрмитажа, выдавали сертификаты подлинности. Так что наш «отец всех народов» тоже дорожил достоянием отечества. Теперь выяснилось, будто в Метрополитене висит туфта. На Баскакова очень обозлены западные коллекционеры. Он сделал их нищими. И я предложил ему компромиссное решение. Раз он не хочет продать нам свои картины, то пусть даст их напрокат. А мы пригласим на презентацию самых лучших экспертов по русской живописи и повесим подлинники в их номерах. Пусть удостоверятся в том, что Баскаков не хранит у себя дерьмо. Для собственного престижа мы объявили гостям, что все картины мы выкупили у галереи. Так был найден компромисс.

— И поэтому вы отключили сигнализацию, когда французские эксперты сняли картину со стены? — спросил Кулешов.

— Вы правильно поняли. Но сигнализация была тут же включена, как только постояльцев известили о начале вечера. У лифта восьмого этажа дежурили двое охранников, на первом этаже еще двое и два десятка в холле. Разумеется, обслуживающий персонал они пропускали. Я говорю о девушке и парне, отравленных шампанским в электричке. И если, как вы предполагаете, в деле замешан двойник, то он тоже мог пройти в номер.

— Но Константинес уже находился в номере, — поправил Мамедова Федоров. — Охранники знали об этом, так же как дежурная по этажу. И вдруг появляется дубликат знаменитого грека.

— Нечаев допрашивал ребят, дежуривших у лифта. В три часа дня все гости были приглашены на обед. После обеда разошлись по номерам на отдых. Так вот. После обеда жильцы восьмого этажа вернулись в двух лифтах. Гурьбой. Следом приехало еще два лифта, и опять полные. Был ли среди общей группы Константинес, никто не запомнил. Он мог пойти погулять по городу, а потом вернулся один. Вот тогда его заметили, но кто же мог знать, что это двойник?

— Вы говорили, будто швейцар вызвал лимузин к подъезду, когда вечером двойник вышел из отеля? Так? — попытался уточнить Кулешов.

— Нет. Машина подъехала без всякого вызова, как только двойник вышел на улицу. За настоящим Константинесем был закреплен «Мерседес» представительского класса, его никто не вызывал. Машина стояла на нашей парковке, как и все остальные, а шофер «Мерседеса» дремал за рулем. Зачем греку понадобилось выходить на улицу, объезжать отель и заходить обратно через гостевой вход? Для постояльцев есть специальный лифт из холла отеля, ведущий в фойе перед концертным залом, где собирались гости. Там не было ни одного иностранца. Все вместе собрались после вступительной части и показа мод на банкете.

— Двойник вынес картины и оставил их в лимузине, а в отель вернулся пустым, — пояснил Федоров.

— Зачем? — удивился директор. — Он же украл картины. Ему надо смываться, а он возвращается.

— Возможно, двойник был замешан и во втором ограблении. Только он мог беспрепятственно вынести бриллианты. Какое-то время он тусовался среди гостей, а потом бесследно исчез. Как? — задал вопрос Кулешов.

— Поднялся на лифте в холле отеля и опять вышел на улицу.

— Это мог сделать любой? — спросил Федоров.

— Нет. Охрана не впустит в лифт человека, если у него нет электронного ключа от номера, в котором он остановился. Гости не могли пройти в апартаменты. Лифты обслуживали только постояльцев, — разжевывал ситуацию Мамедов. — Но мы знаем, что ключ из номера Константинеса пропал. Значит, украл его двойник, открыв себе доступ в любое место. Мы не ограничивали иностранцев в передвижении. Они должны были видеть грандиозность нашего творения — холлы, бары, рестораны, тренажерные залы, казино. Люди с улицы в эти места не допускались. Любопытных слишком много, мы не хотели устраивать толчею. Иностранные журналисты приехали за день до почетных гостей, для них была организована экскурсия под присмотром.

— Они видели картины? — спросил Федоров.

— И даже фотографировали их. Но в пятницу сигнализация не отключалась.

В кабинет вошел Эдди Нечаев с листком бумаги в руках.

— Кажется, в нашем деле появился просвет, — сказал он взволнованным голосом и, подойдя к столу, положил документ перед директором.

— Что это? — спросил Мамедов, надевая очки.

— Письмо. Пришло по электронной почте. Его отправили из интернет-кафе. Концов мы не найдем.

Мамедов уткнулся в бумагу, пробежал глазами, потом начал читать вслух:

— «Хотите получить свои картины назад, готовьте пятьдесят миллионов долларов. Заплатите бриллиантами весом по пять карат. Свяжетесь с ментами — сделка не состоится. Если согласны, то дайте в газете "Из рук в руки" объявление следующего содержания: "Продается уникальный столовый сервиз из серебра на пять персон". И помните, картины предложены не только вам. Я объявил конкурс. Кто первый подсуетится, тот их и получит. Всем известно, что я прошу полцены».

Директор отбросил бумагу и ударил кулаком по столу:

— Мерзавцы! Наглецы!

— А по-моему, достаточно разумные люди, — про-комментировал Нечаев. — Нам предлагают заплатить пятьдесят, чтобы мы вернули себе сто.

— Почему сто? — спросил Кулешов.

— Залог, выданный Баскакову, — пояснил Нечаев. — Грабитель в курсе событий. Мне непонятно, как он собирается произвести обмен. Что касается его предупреждения о ментах, то это стандартное условие, обычная приписка. Он не дурак и знает о следствии, о том, что все, кому надо, письмо прочтут и на него выставят капканы. Я не понимаю, на что он рассчитывает.

— А что вас так удивляет? — спросил Федоров.

— Пятьдесят миллионов в карман не положишь. И наличность в таких размерах не так просто найти. Проще всего предоставить нам счет в оффшорной зоне и потребовать перевести деньги туда. Счет может быть номерным. Деньги переведут ну, скажем, на Филиппины, он их тут же перебросит на Гаваи, а потом на Кипр. Они будут гулять по свету, пока в один прекрасный момент не превратятся в ценные бумаги. Могут на первой же стадии деньги разделить на части и раскидать по разным странам. Это я называю деловым подходом.

— А если у вора нет возможности мотаться по свету? — ухмыльнулся Федоров.

— Если у него нет такой возможности, — вступил в разговор Кулешов, — то бриллианты ему не нужны. Что он будет с ними делать в России? Расплачиваться камешками в супермаркете? Я прошу прощения за свое невежество, господа миллионеры, мы люди далекие от денег. Здесь звучат какие-то заоблачные цифры. По мне, что тысяча долларов, что миллиард — одно и то же. Я не понимаю, что можно делать с такими деньгами и что можно на них купить...

— Не так много, — сказал Мамедов. — Мы ведем переговоры о покупке ресторана «Прага». Вы знаете, что это такое. Хозяин хочет получить за него триста восемьдесят миллионов, а престижная квартира в Москве может стоить десять миллионов. По сути, вор сможет купить себе пять хороших квартир на Тверской за эти деньги или три особняка на Рублевке. Примерно так. Но Эдди прав. С бриллиантами связываться очень опасно.

— Какое количество бриллиантов можно купить на пятьдесят миллионов? — полюбопытствовал Федоров.

— Бриллиант бриллианту рознь, — с деловым видом начал объяснять Нечаев. — Не буду вдаваться в подробности, возьмем средний вариант. Обычный камень оценивается приблизительно в пять тысяч долларов за карат. Бриллиант в пять карат может стоить двадцать пять тысяч. На пятьдесят миллионов можно купить две тысячи стандартных пятикаратных бриллиантов. Но если мы будем говорить о камнях высшей пробы, чистой воды, особой огранки, то и тысячи не купишь. Я вот о чем подумал. Бриллианты нужны ювелирам. Они не станут их продавать и найдут чим применение. У Печерникова украли «Око света». На восстановление шедевра денег у него нет, да и сроки не позволяют. Они в цейтноте.

— Мы с вами отлично друг друга понимаем, Эдди, — кивнул Кулешов. — И кандидатура Печерникова меня устраивает. Но есть одна нестыковка. Зачем Печерникову понадобилось воровать картины?

— У него же украли бриллианты. Хочет возместить ущерб.

— Вы забываете, что картины и «Око света» были украдены в одно и то же время. В тот вечер он ни о какой компенсации не думал. А ограбление продумывалось и просчитывалось загодя. Вы думаете, так просто найди двойника Константинеса? Во-первых, организаторы ограбления должны были видеть Константинеса раньше или иметь его фотографии в значительном количестве в разных ракурсах. Во-вторых, они должны были знать, что его пригласят на открытие отеля. Его пригласили с вашей подачи, вы участвовали в составлении списков. И третье. Кто мог знать, где его поселят? Почему самые дорогие картины оказались в его номере?

— Этого никто не мог знать, — нахмурившись, ответил Нечаев. — Номера разыгрывались по жеребьевке.

Кулешов махнул рукой:

— Жеребьевку можно подтасовать. Те же карты. Кто ее проводил?

— Я, — ответил Мамедов. — Но зачем мне что-то подтасовывать? Все гости имели высокий статус, мы никому не отдавали предпочтение. Каждый подходил к барабану и вытаскивал из него ключ от номера. Кстати, грек вытаскивал последним. Ему достался номер с картинами Кандинского. Вот и все.

— Намудрили, не расхлебаешь! — раздраженно воскликнул Кулешов. — Как вы будете реагировать на письмо?

— Сегодня же соберем совет директоров. Такие вопросы я не могу решать в одиночку, — ответил Мамедов.

— Что ж, держите нас в курсе дел.

Ничего нового из этого визита полковники не почерпнули. Ни один вор не рискнет пойти на прямой обмен: он может не вернуть картины, а ему вместо бриллиантов подсунут хорошо выполненную подделку. Риск себя не оправдывает. Все слишком примитивно для человека, устроившего безукоризненное ограбление. А скорее всего не одно, а два. И Кулешов, и Федоров не сомневались в том, что дело о краже картин и бриллиантов совершила одна группа, и это высококвалифицированные аферисты. Вряд ли на такие тонкости способны примитивные уголовники. Да и зачем им нужны уникальные драгоценные камни и произведения искусства?

Опыта работы со светскими авантюристами ни у Кулешова, ни у Федорова не было за всю их многолетнюю практику.

7

Банковский менеджер ввел данные девушки в компьютер и подал ей ключ с брелоком, на котором стоял номер 839.

— Теперь вы можете пользоваться своей ячейкой.

— И что я должна делать? — наивно взглянула на служащего Дина.

Молодой человек улыбнулся. Девушка ему очень понравилась. Впрочем, ничего удивительного, Дина покоряла сердца многих мужчин. Она знала о своей привлекательности и умела ею пользоваться. Но ее запоминающаяся внешность была и недостатком, Дина не могла остаться незамеченной, даже если этого хотела.

— А дальше, — молодой человек едва не высунул голову из окошка, — вы пересечете операционный зал, спуститесь по той лестнице вниз и упретесь в решетчатую дверь. За дверью сидит дежурный. Покажете ему ключ, дверь откроется. Зайдете в хранилище, назовете свой номер ячейки. Вам дадут карточку, на которой вы распишетесь. Вашу подпись сравнят с электронным образцом, и вы пройдете к своей ячейке. Ничего сложного.

— Моему преподавателю по электромеханике тоже все было понятно, и он всегда удивлялся, почему у него такие тупые студенты.

— А вы веселая! — еще шире улыбнулся молодой человек.

— С чего бы мне плакать? Я в полном порядке. Чао! Еще увидимся.

Это прозвучало как обещание. Дина всегда оставляла надежду мужчинам. Никогда не знаешь, кто тебе будет полезен в будущем, жизнь такая непредсказуемая штука.

Глотая слюнки, парень смотрел вслед высокой красавице, виляющей округлой попкой, он не мог оторваться, пока девушка не скрылась, начав спускаться вниз.

Дина подошла к решетке, постучала ключиком по стальному пруту. Дежурный, сидевший за столом, взглянул на нее, решетчатая дверь уползла в потолок.

Показав брелок с номером, новая клиентка получила бланк, расписалась на нем. Пока клерк сравнивал ее подпись, девушка осмотрелась. Никелированные стены со множеством проходов, словно улицы в новом районе, где стоят типовые дома. Никаких ориентиров. Пол выложен плиткой из толстого матового стекла с медными прожилками, разделяющими плитку на квадраты. Он выглядел очень хрупким, Дине показалось, что она расколет стекло своими каблучками-шпильками.

— Можете проходить, — сказал клерк, возвращая ключ.

— Куда?

Это был не вопрос, а возмущение.

Клерк набрал на клавиатуре номер ее ячейки, и под плиткой загорелись лампочки. Высветилась дорожка.

— Идите по светящемуся кафелю, он приведет вас к вашему сейфу.

Дина взяла ключ и пошла. Веня просил ее запомнить дорогу. Девушка обладала хорошей зрительной памятью, но тут нечего запоминать, кроме поворотов. В дремучем лесу легче сориентироваться, все деревья разные, можно зарубки оставить, а тут?.. Светящаяся дорожка все время петляла. Дина была уверена, что есть прямой путь или более легкий, что ее специально запутывают. Она прошла коридор с ячейками, номера которых начинались с тройки, а в соседнем переулке они начинались с семерки. Нумерация была сбита умышленно и носила хаотический характер. Номера ячеек не могли стать ориентиром. Дорожка сделала восемь поворотов налево и пять направо. Ее гоняли по кругу, но по разным переулками, и она ни разу не попадала в одно и то же место. Если светящиеся плитки погаснут, самостоятельно человек из лабиринта не выберется.

В одном из проулков дорожка оборвалась. Девушка встала на последнюю из светящихся плиток и осмотрелась. Сейф с ее номером находился по правую руку. Она вставила ключ в скважину и повернула его. Толстая дверца открылась. На ее внутренней стороне висела стальная пластинка с вытесненным текстом: «При открытой дверце наберите десятизначный код и запомните его. После того как вы захлопните дверцу, сработает электронный замок. В следующий раз, чтобы дверца сейфа открылась, после поворота ключа вам придется набирать установленный вами код. Вы можете менять его после каждого своего визита в банк. Желаем удачи!»

Дина выдвинула ящик, открыла крышку, затем свой портфель, переложила коробку в сейф, потом набрала с внешней стороны дверцы код: «0,1,2,3,4,5,6,7,8,9». Захлопнув дверцу, провернула ключ и выдернула его. Прозвучал тихий зуммер, что-то щелкнуло. Система сработала. Иметь свой сейф в банке было давней мечтой девушки. Но ей нечего хранить в нем. Она знала, что недалек тот день, когда ее ящик наполнится деньгами и она станет богатой. Дине всего двадцать четыре года, жизнь только начиналась, девушка верила в себя и свою судьбу. Девизом ее стали прочитанные где-то слова: «Никого не бойся, никому не верь и ничего не проси!» Но это на будущее. Сегодня и просить приходилось, если не сказать клянчить, и бояться было кого. Что касается веры, то как без нее обойтись. Она верила, и это придавало ей силы. Дина надеялась, а вот с любовью дело обстояло плохо. Кроме себя, она никого не любила. Ей очень хотелось влюбиться, но принц на белом коне встречается только в сказках. Главным своим достоинством девушка считала не внешность, а решительность, смелость и стойкость. Считала, что важно иметь цель, а каким образом ты к ней придешь, не имеет значения.

Дина перешла к ячейке номер 824 и вставила ключ. Он повернулся. Она достала из кармана жакета бумажку, на которой был написан код. Набрала его. Раздался щелчок, дверца открылась. Оказывается, сейфы не так надежны, как кажется на первый взгляд. Дина выдвинула ящик, открыла его и увидела коробку, похожую на ту, что принесла. Она приоткрыла ее, и тысячи огоньков засверкали при ярком освещении. Девушка тут же захлопнула коробку и переложила ее в дипломат. Задание выполнено. Дина вернулась на светящуюся дорожку. Она хорошо помнила, что свернула в отсек с правой стороны, но тропинка сворачивала влево. Ей высветили новый путь, который должен окончательно сбить ее с толку.

Веня Скуратов сидел в машине и ерзал на сиденье, лоб покрывали капельки пота. В способностях Дины Скуратов не сомневался, но он не знал всех банковских секретов и возможных ловушек. Девушка пошла на разведку, она предупреждена об опасности, но может выкинуть любой фортель. Она делает, а потом думает, это чревато непредсказуемыми последствиями.

Дина вышла из банка через пятьдесят три минуты после того, как вошла в него. Выглядела она спокойной, уверенной в себе и, как всегда, прекрасной. Неторопливой походкой супермодели подошла к машине, села на переднее сиденье.

— Я получила ключ от ячейки 839. Ключ и код подошли к 824. Коробку с камнями забрала. Бриллианты в портфеле. У меня даже не попросили паспорта при оформлении.

Скуратов смотрел на Дину, хлопая глазами, и не мог проронить ни слова. Он не верил своим ушам, у него пересохло горло, язык прилип к небу.

Девушка повысила голос:

— Трогай, болван, пока нас не взяли за жопу!

Часом ранее в кабинете Фельдмана раздался звонок внутреннего телефона. Начальник внутренней охраны, сидящий за пультом камер видеонаблюдений, доложил:

— К банку подъехала машина Скуратова. Из нее вышла девушка и направилась к нашим дверям.

— Включите запись, я сейчас подойду.

Фельдман нажал на рычаг и соединился с менеджером по оформлению индивидуальных сейфов:

— Саша, к вам подойдет девушка. Оформите ее и отдайте тот ключ, который я вам оставил.

— 839-й сейф?

— Да. И не тяни волокиту. Клиент не должен нервничать.

— Я вас понял, Саул Яковлевич.

Фельдман тут же позвонил Шпаликову по мобильному телефону.

— Панкрат, Скуратов заслал к нам свою птичку, сам идти не рискнул. Жду тебя у монитора. Запись включена.

Через пять минут они, выставив из комнаты всех сотрудников, наблюдали за девушкой по монитору.

— Я дал ей универсальный ключ, код Скуратов наверняка сфотографировал. Посмотрим на эту птичку. Хватит ли у нее смелости?

— Скуратов может раскусить наш ход, — задумчиво протянул Шпаликов. — Но хуже всего то, что коробку заберет не он, а женщина.

— Мы должны их сфотографировать вместе. Бабу с улицы он на такое дело не пошлет. Важно доказать, что они связаны друг с другом. Он привез ее на своей машине и ждет. Это уже записано. Теперь они вместе уедут. Теперь их надо поймать за одним столиком в ресторане, наверняка поедут праздновать событие. Жучок к его машине прилепили в прошлый визит. Будем воевать с ним его же оружием.

Раздался телефонный звонок. Фельдман снял трубку.

— Дежурный хранилища докладывает. Сработал зуммер ячейки 824. Открылась дверца. В отсеке находится клиент 839-го бокса. Какие будут распоряжения?

— Не реагировать. Клиент имеет допуск, это наш человек.

— Все понял.

Фельдман положил трубку.

— Ну вот, мы можем порадоваться за Скуратова. Подвоха он не заметит, парень убежден в своей гениальности. Прохвост первостепенный. Только бы не наделал глупостей. Нахватался верхушек и мнит себя знатоком человеческих душ. По сути, он не понимает, в какую игру его втянуло любопытство, плохо себе представляет, с кем собирается тягаться.

— Не загадывай наперед, Саул. Проблема в том, что у этого парня мозги вывернуты наизнанку и острое чутье. Его действия не подчиняются логике, их трудно просчитать.

— Но легко направить в нужное русло. Пока он работает в правильном направлении, ничего необычного я не вижу. Нет, с логикой у него все в порядке. Я вызову наших сыщиков. Пора взять его под контроль.

— Пора, — согласился Шпаликов и вышел из комнаты.

8

На место происшествия приехал майор Панкратов. Он отслеживал все сводки и на все случаи, связанные с убийством, тут же реагировал. Дежурная часть управления докладывала о происшествиях в городе и области в первую очередь в отдел полковника Кулешова, таково было распоряжение начальника главка.

Убийство произошло в центре города, и занимался им райотдел, однако вмешательство Петровки было в порядке вещей. От управления всегда приезжал офицер и вникал в детали. Если управление не заинтересовывалось конкретным случаем, то представитель главка разворачивался и уходил, дело продолжал вести райотдел совместно с прокуратурой города или района.

Этот случай Панкратова заинтересовал. Человек сидел за рулем «Нивы» и был убит выстрелом в сердце. Точным, одним выстрелом. Из пистолета с глушителем стрелял пассажир, сидевший рядом. На заказное убийство не похоже, убитый знал своего палача, если подпустил так близко и позволил сделать точный выстрел. Киллеры предпочитают стрелять в голову. Лицо мужчины лет пятидесяти оставалось совершенно спокойным. Он не ожидал выстрела. Труп обнаружили мусорщики. Машина подъехала, чтобы загрузить контейнеры, а «Нива» мешала подъезду. Рабочие хотели попросить шофера проехать чуть дальше метров на пять, но увидели, что водитель сидел за рулем с простреленной грудью и остекленевшими глазами. Вызвали милицию. Прибыла оперативно-следственная группа. Врач определил приблизительное время смерти — два часа дня. Труп обнаружили в четыре. За два часа убийца мог уйти очень далеко, по горячим следам взять его не удастся. Личность убитого установить не удалось, документы отсутствовали — пустые карманы. Похоже, он пользовался барсеткой, которую киллер унес с собой. На заднем сиденье лежала спортивная сумка, в ней черный парик с сединой, театральные усы, грим, резиновые перчатки и продукты. Парик никого не удивил: покойник был лысым. Многие носят накладки в таком возрасте, когда женщины в их жизни еще не стоят на последнем месте. Но усы — вещь специфическая. Придется вычислять убитого по машине. Панкратов обратил внимание на номер, ведь он повторял его вслух десятки раз, чтобы запомнить. Впервые он увидел его на фотографии, этот номер стоял на лимузине, который подвез к отелю «Континенталь» греческого бизнесмена Константинеса. Поиски лимузина ни к чему не привели, а номер был украден с машины дипломата, стоящей в гараже уже два года, так как хозяин находился в длительной командировке в Новой Зеландии. Значит, и «Нива» не даст ответа на вопрос, кого же в ней убили. Скорее всего, машина числится в угоне.

Панкратов позвонил полковнику:

— Тут ребята нашли «жмурика» на Покровке. Документов и вещей нет. Застрелен в сердце одним выстрелом. Номер на машине тот же, что на лимузине, который подвозил Константинеса к центральному входу отеля.

— Что скажешь о трупе?

— Если паричок надеть и усики приклеить, будет смахивать на грека. Очки еще нужны.

— Вызови Нечаева из отеля, пусть глянет на труп, потом разбирайся с машиной. Вечером доложишь.

— Понял.

До Нечаева дозвониться было непросто, но майор сумел его найти и уговорил приехать на место трагедии.

— Вы что-то знаете, майор? — прищурившись, спросил Панкратова следователь прокуратуры. — Не хотите поделиться информацией?

— Наша информация вас не заинтересует. Похожий тип участвовал в афере с высокими ставками. Не увозите пока труп, я вызвал свидетеля. Если я не ошибся в своих догадках, то этот «жмурик» приезжий, а значит, машина принадлежит убийце. Скорее всего, он ее угнал. Думаю, он умышленно посадил жертву за руль, а сам сидел рядом. Обратите внимание на коврик пассажирского сиденья рядом с водителем. Вряд ли вы найдете другие следы.

— Уже нашли. Гильзу от «ТТ», которая валялась на коврике соседнего сиденья. Там есть следы от ботинок сорок второго размера. На подошвах убийцы был какой-то жир. В лаборатории разберутся. Аферы нас не интересуют, как вы понимаете. Но убийца имел зуб на афериста. Я могу рассчитывать на сотрудничество?

— Конечно. И я на вас хотел бы рассчитывать.

Они пожали друг другу руки и познакомились:

— Квашевский. Городская прокуратура.

— Панкратов. МУР.

Майор напялил на покойника парик и приложил усы. Подъехавший Нечаев тут же сказал:

— Константинес. — Потом всмотрелся и покачал головой: — Нет. Не похож. Но с первого взгляда, если не придираться, их можно перепутать.

— На это и рассчитывалось. Лифтер, охранники, дежурная по этажу с ним даже не разговаривали. Он же не говорит по-русски. И кому могло прийти в голову, что в отель забрался двойник с целью ограбления. Фокус сработал.

Майор предложил подвезти главного топ-менеджера до отеля, заметив, что тот приехал на такси. Они поехали к «Континенталю».

— Никак не могу взять в толк, как эти французы рискнули снять картину со стены, зная о сигнализации. Они же эксперты, опытные люди.

— Ну, тут есть очень простое объяснение, — начал объяснять Нечаев. — Сигнализация их не пугала, им никто ничего не сделает. А любопытство, которое заставило их приехать в Россию, должно было быть удовлетворено. Картину, которая висела в их номере, они хорошо знали: братья Морис и Жорж Леблан — главные эксперты аукционного дома Парижа. Эту картину купили на аукционе пять лет назад. Покупатель не русский. Стоила картина сумасшедших денег. И вдруг они видят ее в номере отеля. Фокус в том, что аукционный дом оставляет на холсте свои пометки, известные только им. Обратная сторона холста — вот что хотели увидеть братья Леблан. Для этого пришлось снять картину.

— Они убедились в ее подлинности?

— Разумеется. Теперь все об этом узнают. Ни один отель в мире не может позволить себе такой роскоши. В общей сложности мы пригласили девять лучших мировых экспертов по русскому искусству. Их вердикт не подвергается сомнению. Вы себе не представляете, как это отразится на нашей репутации. Через неделю отель получит статус, о котором другие и мечтать не могут. Гениальный ход.

— И вы окажетесь в глубокой луже, если весь мир узнает, что вас обокрали в первый же день.

— Это, к сожалению, правда. На карту поставлено все. Мы вложили в создание замка миллиард долларов. Таких отелей в мире три. Наш — четвертый по счету, но должен стать первым по значимости, иначе зачем вкладывать сумасшедшие деньги. Скандал для нас равен смерти. Мы уповаем на вашу помощь, больше нам рассчитывать не на кого.

— Гости уже разъехались?

— Большинство. Но журналистов и каленым железом не вытравишь. Наши газетчики подлили масла в огонь. Им, разумеется, верить нельзя, но дыма не бывает без огня, западные репортеры заняли выжидательную позицию и потихонечку собирают сплетни. Накапливают багаж. Это бомба с часовым механизмом, когда рванет, от нас мокрого места не останется.

9

Предстоящая встреча должна поставить точку в деле — так считал Веня Скуратов. Теперь, когда «Око света» попало в его руки, он мог себе позволить идти на рискованные шаги. Свидание было назначено в уютном ресторанчике в одном из спальных районов Москвы. Место удаленное, цены заоблачные, поэтому здесь никогда не было много народу. Скуратов давно присмотрел это местечко и обычно именно здесь ставил жирную точку в своих операциях, когда был окончательно уверен, что жертва, припертая к стене, согласится на любые условия. Сегодня его жертвой была Алина Борисовна Малахова, жена великого ювелира Печерникова, женщина высокого полета со скрытыми талантами и возможностями. Такую к стенке не прижмешь, она слишком независима и не считается с мнением света. О ее нетрадиционной ориентации знали многие. И что? Сплетни и пересуды Алину не волновали. Несмотря ни на что, купить колье или браслет в салоне Печерникова считалось престижным. Если на изделии стояло клеймо мастера, о цене никто не думал. Не имея козырей, с этой женщиной тягаться бесполезно, но у Скуратова был козырной туз.

Алина никогда не опаздывала на встречу, на этот раз тоже пришла вовремя. Метрдотель проводил ее к столику Скуратова, который уже выпил для храбрости коньяку и раскраснелся так, словно его обожгло солнцем.

Дама села напротив и осмотрелась. Все соседние столики пустовали. Похоже, кавалер позаботился об уединении. За холодность и бесстрастность Алину прозвали Снежной королевой. Она умела мгновенно оценивать ситуацию и поворачивать предложенные ей правила игры против соперника.

— Я могу предложить тебе шампанского? — подобострастно начал Скуратов.

— Нет. Я выпью пару рюмок водки за отведенные тебе полчаса.

Стол ломился от деликатесов и выпивки, но о водке Веня не подумал. Пришлось заказать.

— К чему этот спектакль? Ты мог бы приехать к нам домой. Речь пойдет о бриллиантах, как я догадываюсь. У меня нет секретов от мужа.

— У меня есть секреты.

— Хорошо. Выкладывай.

— Вы наняли полковника Кулешова, а мне платит банкир Гурьев. Слово «выкладывай» здесь не подходит.

— О'кей! Если ты хочешь продать информацию, я за нее заплачу. Вопрос в другом. Стоит ли она денег?

— Ты сомневаешься в моих талантах?

— Для того чтобы подглядывать в замочные скважины, больших талантов не требуется. Ремесло соглядатая никогда высоко не ценилось, а теперь особенно, техника работает на грани фантастики.

Алина вынула из довольно большой наплечной сумки приборчик, похожий на плоскую электробритву.

— Знаешь, что это?

Скуратов расплылся в улыбке:

— Сканер, чувствительный к работающим приборам.

— Многофункциональный. Начнем с того, что ты вынешь из кармана диктофон и выключишь его. Я не артистка в студии звукозаписи.

Веня вынул авторучку из нагрудного кармана пиджака и нажал кнопку движущегося стержня. Стрелка на приборе упала на ноль.

— Симпатичный диктофончик.

— Сорок минут беспрерывной записи. Не очень много.

— Вишневый джип «Лексус-350» твой?

— Мой.

— У тебя жучок стоит под задним бампером. Твоей деятельностью кто-то интересуется. Обвешался аппаратурой, а собственную машину не проверил. Думаешь, один ты умный?

Веня перестал улыбаться. Официант принес запотевший графинчик с холодной водкой. Алина сама налила себе рюмку и выпила, не предлагая тоста.

— Не думал, что моя скромная персона может кого-то заинтересовать.

— Их интересуешь не ты, а те, с кем ты встречаешься. Мне плевать, но другие могут обеспокоиться.

— Ладно. Разберусь и с этим.

— Так чем ты удивишь меня, Веня?

— Хочу спросить, сколько может заплатить Гурьев тому, кто вернет ему «Око света».

— Пять миллионов максимум.

— Долларов?

— Ну не рублей же.

— Тот залог, который он оставил вам?

— Мы у него не взяли денег, расписку тоже. Он оставил залог. Не денежный, но это не твоего ума дело.

— А если «Око света» к вам не вернется?

— Мы уже говорили на эту тему. Нас порежут на кусочки и сожрут. У сына шейха через десять дней свадьба. Невеста должна быть в фамильных бриллиантах.

— А сколько ты готова заплатить за «Око света»?

— Ничего. У меня нет денег. Наши средства в обороте, все вкладывается в производство.

— Значит, мне выгоднее сделать предложение Гурьеву?

— Если ты нашел бриллианты, он тебе заплатит. Но я думаю, что ты блефуешь. Твои шутки могут стоить тебе головы. Не обижайся, Веня, но ты мелкий шантажист-одиночка с амбициями короля, не тебе лезть в большую политику. Таких используют на каком-то этапе, а потом вытрут о них ноги.

Скуратов скрипнул зубами. Ему было наплевать, когда его оскорбляли от слабости и безвыходности, но снисходительности он терпеть не мог.

Веня вынул фотографию и положил ее на стол.

— Узнаешь эту брюнетку в черных очках? На твое счастье, тебя узнал только я, от меня под париком и очками не спрячешься. На этом снимке ты спускаешься в женский туалет. Следом за тобой туда входит Анна в бриллиантах. Через пять минут ты выходишь, а потом Анну находят в кабинке без сознания и без бриллиантов. Только ты одна из присутствующих знала, в чем появится Анна в отеле. Ты знакома с Дербеном, который крутился рядом. Ограбление было продумано заранее, экспромтом тут и не пахнет. Все стрелки указывают на тебя.

— Слабенькие аргументы, Веня. Я была на вечеринке. Так что из того? Я вам объясняла причины, по которым не могла прийти под своим именем. Мне бы не дали проходу, приставая с вопросом: правда ли, что мы продали «Око света» Гурьеву? Что я могла ответить? «Нет, мы выдали бриллианты на прокат». Но и не прийти я не могла, хотела своими глазами увидеть реакцию публики на «Око света». Мое любопытство закономерно.

— Тогда как ты объяснишь появление бриллиантов в твоем банковском сейфе?

У хладнокровной Снежной королевы взлетели брови. Ее растерянность не была поддельной:

— О каком сейфе ты говоришь?

— Банк «Юнисфер», ящик номер 824. До сегодняшнего дня «Око света» лежало там.

Алина выпила еще рюмку водки и закурила. Скуратов ждал реакции и уже пожалел о том, что рано выложил свой козырь. Но что сделано, то сделано.

— Будем играть в молчанку?

— Мне нечего тебе сказать, Веня. Я уже все сказала. Ты идиот. Не с теми игроками сел за стол.

Она открыла сумочку, достала ключ с брелоком и бросила его на стол. На золотом медальоне стоял номер 266.

— Я не храню бриллианты в банковских ячейках, у меня для этого есть более надежные места. Только сумасшедший может положить в карман банкира то, что украл у него. В моей ячейке лежат акции. Бумага. И номер ячейки никто не знает.

— Банкиры знают все номера.

— Так значит, они открыли тебе ящики? Кого на этот раз ты застукал в постели со шлюхой?

— Не имеет значения. Я получил доступ — это главное.

Веня выпил две рюмки подряд. У него появилось неприятное предчувствие.

— Попробую объяснить тебе, Венечка, сколько будет, если помножить два на два. Ты был в хранилище и видел этот сумасшедший город. Знаешь, в чем его преимущество? В банковской надежности никто не сомневается, секрет успеха в другом. Аренда ячейки в банке Гурьева стоит в три раза дороже, чем в других банках. Там более трех тысяч ячеек и все они заняты. Фокус в том, что у тебя не требуют документов. Банкиры не знают, кому какой сейф принадлежит. Твоим пропуском является ключ с номером и электронная подпись для сравнения. Грабители, воры, авантюристы, шулеры и прочая нечисть пользуются услугами этого банка. Но не все так просто. Новый клиент открывает свой ящик и кладет туда награбленное. Когда он уходит, ячейку тут же проверяют и сразу становится ясно, кому она принадлежит. Если имя не удалось установить, клиента прослеживают. Ну хотя бы с помощью маячка, что прицеплен к твоей машине. Очень многие попадаются на крючок. Но как правило, банк сохраняет тайну и не афишируют свою информированность без крайней нужды. Таким образом, у банка собралась огромная картотека на криминальный мир Москвы. У него есть своя собственная служба безопасности, состоящая из профессионалов высокого класса. Их картотеке может позавидовать ФСБ. Эта практика существует давно и возглавляет ее Фельдман. Я не уверена, что Гурьев в курсе дела, он человек новый. Три года — не срок. Тем более что его считают чужаком. Он не вписался в команду, скоро его кресло займут другие. Что касается моей ячейки. Арендовали ее другие люди, честные, они не заинтересовали банкиров. Я получила ключ лишь через месяц. За моим сейфом не следят. Вопрос. Почему тебе показали ящик под номером 824? Значит, эту ячейку открыли на мое имя и положили туда буклеты моего салона и незначительные документы с моим именем. Это продуманный шаг. Кто арендовал ячейку, тот и положил в нее бриллианты. Банкиры знают, что принадлежит сейф мне, и появление драгоценностей в нем никого не удивило. Таким образом вор себя обезопасил. Но ты никогда не узнаешь истинного арендатора ячейки 824. Хотя его можно просчитать, если ты ограбил грабителя.

— Зачем он мне? Вор выбыл из игры, остался ни с чем. Ящик пуст.

— Ты же заставил банкиров открыть чужой ящик, вор может заставить их сказать, кому они его открыли. Это не простой карманник, а личность серьезная. Ты о нем ничего не знаешь и никогда не догадаешься, из-за какого угла в тебя целятся.

— И как я могу его вычислить?

Алина засмеялась:

— А ты наглец, Венечка! Пришел сюда, чтобы меня взять за глотку, теперь я же должна спасать твою шкуру.

— Я ничего не имею против тебя, Алина. Ни одной чайной ложки дегтя на тебя не вылил. Многие попадали под мой пресс, а тебя я берег...

— Заткнись. Я слишком самостоятельна, чтобы кто-то мог мне угрожать, и слишком независима, чтобы бояться.

Алина достала из сумки газету:

— Москву уже известили о краже бриллиантов. Статейка слабенькая, но с подробностями и снимочком, где Анна уходит из отеля без ожерелья со слезами на глазах. Скандал начинает раскручиваться. Если не будет опровержения, последствия могут быть непредсказуемы. Теперь понятно, что заказчик нанял не только грабителей, но и фотографа, который поджидал выхода Анны из отеля. Что касается статей, то их могут пересылать в редакцию по электронной почте, автора ты не вычислишь.

— Автор тот, кто заинтересован в скандале.

— Значит, все! Копать надо глубже. Опровержение будет. Сегодня ко мне в салон приезжал Гурьев с женой.

Я им дала копию «Ока света». Сегодня же в ресторане они собирают узкий круг друзей. Там будет присутствовать парочка журналистов, а завтра в газетах появятся снимки Анны в бриллиантах. Копия сделана отлично и при правильной подсветке может сойти за оригинал. Вот вам и опровержение.

— И как же вычислить вора? Какая тут связь?

— Ты же мастак на придумки, Веня. Или только считаешь себя таким, а на деле лох? Слабак ты, парень. О копии никто не знает, распознать ее может только ювелир. Что сделает вор? Бросится к сейфу. Бац! Там пусто. Кто выкрал у вора «Око света»? Ответ понятен. Гурьев. Ожерелье на шее Анны, а ее муж — хозяин банка. Скандал с треском провалился. Но подлог может раскрыться. Не знаю как, вор получит информацию. Что тогда? Тогда все обвинения в причастности Гурьева к делу рухнут как карточный домик. Вот тут за горло возьмут Фельдмана и Шпаликова. Они молчать не будут. Ты на них давил компроматом, а грабитель приставит к их виску пистолет.

Скуратов еще выпил коньяка. Закуривая, он заметил, что у него дрожат руки.

— Как вор может узнать о подмене? Ты же сама сказала, что это может определить только ювелир. Нет. Он не догадается. Тем более, когда увидит пустой сейф. У него и мысли не возникнет о подлоге.

Снежная королева продолжала холодно улыбаться.

— Возникнет. Если я ему дам подсказку.

— Ты знаешь вора?

— Мне не нужно его знать, достаточно пустить слух. Отправить небольшую заметку в ту же газету.

— Постой, постой. Зачем тебе это надо? Ты хочешь натравить на меня бандитов?

— Послушай сам себя, аферист-неудачник. Ты меня обокрал и только что хвастался этим. Это мои бриллианты, а ты спрашиваешь меня, как тебе на них заработать. Если у тебя их найдут, то ближайшие годы ты проведешь в зоне. Докажи, что не ты снял их с Анны в отеле! Ты в полном дерьме, Веня.

— Найдут, говоришь? Найдите. Ты и впрямь меня лохом считаешь? А может, я тебя на понт брал? У меня работа такая.

— Твоя затея не удалась, дорогуша. Дело в том, что за гарнитуром приедут в воскресенье. Мы должны его отдать владельцу, в противном случае придется официально заявить о краже уникального ювелирного изделия. Поисками займутся арабы, а у них порядки строгие, даже рыночному вору руки отрубают. Что касается кражи фамильных ценностей великих шейхов, то чем это чревато, не берусь предполагать. У тебя один выход. Предложить гарнитур Гурьеву и попытаться выкачать из него деньги. Ты сам его вынешь из тайника, сам принесешь бриллианты на блюдечке. Вот тут тебя и возьмут под белы рученьки.

— Гурьев меня не сдаст. Он не идиот!

— Сдаст с потрохами. В первую очередь попытается доказать, что не он устроил спектакль с ограблением, и выложит передо мной все карты. Он это сделает, потому что мой муж в открытую обвинил его в подстроенной краже, а теперь пытается выкрутиться и просит подделку для второго спектакля. К тому же Гурьеву придется отчитываться перед следствием — где это он нашел бриллианты. «Ах, да! Забыл их в кармане смокинга!»

— Я сам все расскажу полковнику Кулешову.

— И он поверит в сказку, как банкиры сами открывали тебе чужие сейфы и позволили ограбить их на несколько миллионов. Ты подумал, что сказал? Я допускаю, что Гурьев тебе заплатит. На пять миллионов можешь не рассчитывать. Если он согласится выплатить такую сумму, не верь. Это ловушка. Тысяч пятьдесят он тебе даст. Но при свидетелях. По акту с протоколом. Все должны знать, что у него ожерелье украли и он в деле не замешан. А такие слухи уже ходят в свете.

— Хитришь, стерва, — прищурился Скуратов. — Никто у него ничего не крал. И сегодня он это докажет. Гурьев никогда не признается в своей бездарности. У банкиров ничего никогда не пропадает.

— Вот именно. И в твои сказки следствие не поверит. Что ты из себя представляешь, Кулешов знает не хуже других. Все зависит теперь от меня. Как я захочу, так дело и повернется.

Скуратов тяжело вздохнул. Коньяка в бутылке не осталось.

— Ладно. Я понял, диктуй условия.

— Придет время, продиктую. За труды ты получишь свои пятьдесят штук, большего ты не стоишь. А с вором разбирайся сам. Я тебе все разжевала. Выбор у тебя невелик. Либо он тебя, либо ты его. На сегодня хватит. Мне жаль потерянного времени.

Алина встала, повесила на плечо сумку и ушла.

10

После свидания с Алиной Скуратов решил действовать быстро. Сначала он на своем джипе петлял по улицам города, понимал, что за ним следят и что обнаружить преследователей ему не удастся. Им не обязательно сидеть у него на хвосте, маячок срабатывает на пять, а то и больше километров. За его передвижениями наблюдают по монитору и определяют местонахождение с точностью до трех метров. Веня заехал в проходной двор и вышел из машины. Обследовав задний бампер, нашел маячок, снял его и прикрепил к водосточной трубе. Затем поехал к ресторану «Трапеза», но заходить в него не стал, компанию Гурьева было видно в окно. Скорее всего, они специально выбрали такой столик. Человек восемь весело что-то обсуждали. Среди присутствующих была только одна женщина — Анна. На ней сверкал гарнитур «Око света». Веня ничего не смыслил в бриллиантах, но побрякушки производили впечатление. Парочка придурков бегала вокруг стола и щелкала затворами фотоаппаратов. Картина ясна.

Убедившись в справедливости слов Алины, Скуратов вернулся в машину и поехал на дачу. Дом он арендовал у того же дипломата, чьей квартирой пользовался как наблюдательным пунктом. Только теперь его укромный уголок был засвечен. С помощью маячка он засветил несколько самых надежных квартир, и сыщики банкиров могли составить на него приличное досье. К счастью, ни в одном из этих мест он не держал серьезных документов и тяжеловесного компромата.

Въехав на территорию участка, он запер за собой ворота и направился к дому. Уже стемнело, но в окнах не было света. Дина опять куда-то смоталась. Он понимал, что девчонка в ее возрасте и с ее характером не будет коротать вечера в одиночестве, сидя у телевизора. В свободе Веня ее не ограничивал. Постель ни к чему не обязывала, они были партнерами и на определенном жизненном этапе устраивали друг друга.

Скуратов открыл стальную дверь с хитрыми замками и вошел в дом. Включив свет, выругался — стол в гостиной остался неубранным. Пустые бутылки, бокалы, грязные тарелки, остатки еды атаковали мухи. Веня прошел в холл и с помощью кнопки, встроенной в золоченую раму, сдвинул огромное зеркало у стены. За зеркалом находилась дверь, тоже из стали. Он набрал код, дверь открылась. Автоматически зажглись лампы. Ступени вели в подвал, где стояли банки с компотом, оставшиеся от хозяев, да несколько ящиков вина из личной коллекции репортера. Он имел слабость к хорошим французским винам и знал в них толк. За стеллажом с банками находился маленький сейф, приколоченный к бетонной стене огромными штырями. Веня набрал код, открыл его и замер, тупо глядя на полки, где лежал только пистолет, купленный им по случаю, и несколько коробок патронов. Тридцать две тысячи долларов и футляр с гарнитуром «Око света» бесследно исчезли.

Скуратов присел на корточки, сжал виски руками и завыл волчьим воем.

Вероятно, пистолет ему оставили, чтобы он застрелился. Волчья песня длилась недолго. Началась истерика, сопровождаемая погромом. Билось все, что попадало под руки. Черт с ним, с компотом, а вот два ящика «Бордо» жалко. На третьем он выдохся. Достал бутылку, отбил горлышко и начал заливать горе вином, половина которого выливалась на костюм, рубашку и галстук со встроенной камерой в узле. Самый дорогой костюм, одетый на свидание со Снежной королевой, восстановлению не подлежал. А как все хорошо начиналось!

Веня сел на ящик, продолжая прихлебывать из бутылки. Он пытался взять себя в руки, но получалось плохо. Жизнь часто подбрасывала ему сюрпризы, от которых волосы вставали дыбом. Не без этого, работа такая. Не раз он попадал в капканы, которые сам же и ставил.

Подозревать свою подружку он не мог. У Дины еще не окрепли клыки, чтобы самостоятельно прогрызть себе дорогу в будущее. Начать с того, что она не знала о входе в подвал и двери за зеркалом. А если бы и узнала, то не смогла бы ее открыть. Сейф тоже имел не простой замочек. Бриллианты ее не интересовали, она ничего не смыслила в камнях. Но девчонку могли запугать или перевербовать. На деньги она могла клюнуть. Скуратов держал ее на голодном пайке. Но Дина не дура. Деньги — дело наживное, а она мечтает о карьере модели. Веня сумел ей вдолбить, что, кроме него, никто не сможет вытащить красотку на подиум. Она верит в него, как ребенок в Деда Мороза. Нет, Дина не пойдет на предательство. Оставался другой вариант — банкиры. Они следили за ним, адрес дачи им известен. У них есть своя служба безопасности. Не хуже Лубянки. Но возникал вопрос: они знали содержимое ячейки и могли забрать ожерелье сами. Украсть у вора нестрашно, он не будет устраивать шума. Вариант второй. Могли отнять у него бриллианты в пути. Дорога на дачу идет через лес. Там бомбы взрывай, никто не услышит. Зачем же лезть на дачу? Конечно, для опытных взломщиков его замки не проблема. Но надо знать, где спрятан товар... Главное открытие — Гурьев понятия не имел, что украденный у него гарнитур хранится в его же банке. Из этого можно сделать вывод: заказчиками ограбления были Фельдман и Шпаликов. Но возникает дурацкий вопрос: зачем Шпаликов открыл ему ящик и показал бриллианты, а впоследствии позволил их украсть? Кому принадлежала ячейка 824, если не Алине? Вору? Значит, Шпаликов и есть вор, то есть заказчик. Теперь, перебирая в памяти детали, Веня убедился, что за ним следили с момента первого появления в банке. Когда приехала Дина, они знали, кто она и кто ее прислал. Ей выдали ключ от ячейки, расположенной в том же отсеке, в двух шагах от бриллиантов, сделали это намеренно. Дина получила универсальный ключ. Она могла открыть им любой ящик, а он ей назвал универсальный код. Его набирали четыре раза у него на глазах, когда он пришел в банк с ревизией. Расчет был на то, что он его запомнит...

— Какой же я козел! Считал себя гением, всех обвел вокруг пальца, а на деле обвели меня. Использовали! Все это время я работал на дядю. Меня провели поганые бухгалтеры!

У Скуратова глаза налились кровью. Он с силой швырнул опустевшую бутылку о стену, она рассыпалась в крошку. Ему не всегда удавались задуманные аферы, были случаи, когда рыбка срывалась с крючка, но чтобы из него делали посмешище... Нет, этого не случалось. Хуже того. Теперь он попался на крючок, а Алина из тех людей, которые способны раздавить любого, кто встанет на ее пути. Ее фотокарточками с голой задницей не напугаешь.

Скуратов достал из сейфа пистолет, глушитель и запасную обойму. Эти скоты даже деньги забрали. Для отвода глаз, чтобы он заподозрил в краже Дину. Ничего, он сумеет за себя постоять. Вопрос поставлен ребром. Если он не вернет все на круги своя, то ему крышка! Чтобы он сейчас не сделал, хуже не будет.

Веня покинул подвал, оставив все потайные двери открытыми, поднялся на второй этаж, скинул с себя испорченный костюм, надел джинсы, темную рубашку, кроссовки, прихватил свою деловую сумку, ветровку и вышел из дома.

11

Самуил Яковлевич Фельдман, как и все обеспеченные люди, летом жил на даче. В последние дни он скучал. Жена с внучкой уехали отдыхать на море, а дочь с мужем пустились в круиз на океанском лайнере. Сам же он, как и его коллеги, в разгар кризиса об отпуске не думал. У банкира было замечательное хобби. На втором этаже особняка под его «игрушки» отведена самая большая комната. Она представляла собой ландшафт с полями, горами, тоннелями, мостами, реками, деревьями, станциями и прочим. По железнодорожным путям ходили поезда. Пассажирские, грузовые, цистерны, платформы, груженные лесом и углем. Вагоны были размером не менее сорока сантиметров, составы тянулись метров на шесть-семь. Пульт управления диспетчерской находился в центре комнаты на стойке, круглой платформе, крутящейся на массивном стержне. Там же располагалось кресло и рычаги управления. На платформу вела крутая стальная лестница. По проводам проходил ток — работали светофоры, стрелки рельсов двигались. Все было сделано так тщательно и точно, что, глядя на пейзаж с высоты роста, казалось, будто ты пролетаешь на самолете над пригородом. Если заснять эту красоту на пленку, не отличишь макет от реальности. Тут была даже плотина, протекала река, воды которой крутили мельницу. За стеклянными стенами комнаты вставало и заходило солнце, появлялась луна и звезды, создавалась иллюзия дня и ночи. В вагонах поездов включались огни, у тепловозов зажигались прожектора, а у машин, стоящих на железнодорожных переездах, фары. Эта сказочная мини-страна управлялась с одного пульта-стола с сотнями тумблеров и кнопок, в которых нужно было разбираться не хуже любого работающего на настоящей дороге. Хозяин управлял шестью поездами одновременно — их скоростью, освещением, стрелками. В его власти было даже изменение погоды. Смешно сказать, но вряд ли среди обычных смертных нашелся бы отец, у которого хватило бы денег, чтобы купить сыну хотя бы один из самых скромных вагончиков. Никакой штамповки, все детали делались вручную. Самуил Яковлевич сидел в кресле и с наслаждением руководил жизнью на земле. Пока на точной копии. Он знал, что придет время и он станет хозяином подлинной жизни. Его макет создавался годами, тщательно, скрупулезно, и стоил заоблачных денег. Когда Фельдман уходил в «игровую комнату», он забывал обо всем на свете, мог пропадать в своем мире часами и днями, забывая о сне и еде. Он садился на трон и правил своим мини-миром, как самодержец. Банкир погружался в другое измерение и ничего не слышал вокруг себя. Никто не смел ему мешать. Никто не имел права заходить в эту комнату, пока он сам не выходил, усталый и удовлетворенный. Это было уже не хобби, а страсть.

Ранним утром, когда хозяин дома управлял своим миром, незваный гость с помощью крюка и веревки перелез через трехметровый забор, оглушил сторожа на воротах, пристрелил двух собак, сломал нос охраннику, дремавшему на крыльце, и подобрался к святая святых. Дверь распахнулась, раздался едва слышный хлопок выстрела. Тепловоз, шедший на высокой скорости, слетел с моста и потянул за собой вагоны, груженные лесом. Посыпались бревна. Катастрофа напоминала реальную.

Фельдман вскочил с кресла, обернулся и потерял дар речи. На него смотрел ствол пистолета, который держал сумасшедший.

— Слезай с престола, засранец! Власть переменилась!

Самуилу Яковлевичу в этом году отметили пятидесятилетие, и умирать он не собирался. Правда, выглядел он намного старше из-за своей грузности и седины, но со здоровьем, за которым следил, проблем не возникало.

— Что вам надо?

В ответ раздался второй выстрел, и стоящий рядом с Фельдманом плоский монитор разлетелся в куски.

— Вниз, гнида!

Других вопросов не последовало. У хозяина затряслись колени, цепляясь за стальные перила, он спустился по крутым ступеням. Скуратов схватил перепуганного хозяина и выпихнул через ближайшую дверь в соседнюю комнату, где были задернуты тяжелые портьеры и стояла невыносимая духота. Похоже, тут никто не жил и попасть сюда можно только через игровой зал, который запирался на сейфовую дверь с цифровыми замками. Теперь Скуратов понимал, кто проектировал хранилище в банке с индивидуальными ячейками.

Веня нащупал на стене выключатель, вспыхнула люстра. Судя по обстановке, это был архив. Вдоль стен стояли комоды с множеством ящиков, на ящиках висели таблички с номерами. Скуратов пробежал глазами по табличкам и на одной из них увидел цифры 810—890. Он не стал раздвигать шторы. Приказал:

— Сядь, придурок. Твоя жизнь в твоих руках. Если я не узнаю того, что хочу узнать, ты с кресла не встанешь. Твой труп потяжелеет на вес пули. Я человек нервный, импульсивный и не всегда могу себя контролировать. Одна оплошность, и ты покойник. На спасение не рассчитывай, мертвецы тебе не помогут.

Фельдман прошел к столу и рухнул в кресло. Он уже не мог держаться на ногах, они подкашивались, пол гулял, как палуба корабля во время шторма.

Скуратов уселся прямо на стол и поигрывал пистолетом перед носом банкира, тот вздрагивал, будто кто-то колол его иголками.

— Уберите эту штуку. Так я не могу разговаривать, — пересохшими губами пролепетал он.

Веня откинул полу ветровки и сунул пистолет за пояс брюк.

— Кто снял бриллианты с шеи Анны Гурьевой?

— Не знаю.

Репортер опять выхватил пистолет и прижал глушитель к горлу Фельдмана.

— Я предупреждал!

— Клянусь, что не знаю. Мы знаем только, что Гурьев взял его на прокат и в качестве залога оставил акции
«М-Даймондс» на большую сумму. Гурьев не приносил
бриллианты в банк и не хранил их в личном сейфе.

Скуратов убрал пистолет.

— Кто принес ожерелье в банк?

— Женщина. Молодая женщина. В воскресенье утром. Личность установить не удалось. Когда вы потре-
бовали показать вам ячейки Гурьева и Печерникова, мы
догадались о том, что вы ищете. Слух об ограблении уже
передавался из уст в уста. Мы поняли главное. Вас наняла Алина Малахова для того, чтобы вы выкрали ожерелье и вернули его ей. Таким образом, ей не придется
отдавать акции, оставленные Гурьевым. Гурьев становится банкротом и должен сесть в тюрьму. При таком раскладе ему остается только один выход — застрелиться.

— Оставив молодую вдову без гроша в кармане?

— Он никогда не заботился о своей жене.

— Вам нужно его кресло, но зачем Алине нужны
акции?

— Сложный вопрос. Существует большая предыс-
тория.

— Я должен это знать. Передо мной стена черного
леса, мне нужна тропинка, ведущая из него. Выбора,
Фельдман, у тебя нет. В лес без поводыря я не пойду,
перестреляю всех, кто находился в поле моего зрения.
Меня обложили красными флажками, как волка, но я

никому не дамся в руки. Сам сдохну, но и вас с собой уволоку.

— Постараюсь быть кратким, — задыхаясь, прохрипел банкир. — Гурьев хорошо заработал на алмазах, когда возглавлял Хабаровский филиал. Тогда было открыто Ломоносовское месторождение, оно оценивалось в двенадцать миллиардов долларов. Добыча руды может вестись больше сорока лет со стабильной добычей в триста миллионов долларов в год, а в пиковые годы намного больше. Это двадцать—двадцать пять процентов как минимум от якутских залежей. Теперь для справки. Девяносто пять процентов добытых русских алмазов продаются в мире монополистом мирового рынка южноафриканским концерном «Де Бирс». В 2007 году договор с «Де Бирс» закончился и русская «АЛРОСА» хочет иметь самостоятельный международный рынок. Это хорошо. Но Хабаровское месторождение требует капиталовложений в семьсот пятьдесят пять миллионов. «Де Бирс» может дать деньги, но тогда ничего не изменится, он останется монополистом. Деньги надо изыскать в стране. Вот тут Гурьев подсуетился, он уже сумел неплохо заработать на якутских алмазах. Когда умер председатель нашего банка, общим голосованием мы избираем Гурьева. Он приезжает в Москву, но делает ряд непоправимых ошибок. Ему нужны легкие деньги. И он впутывается в аферу с «Афинсой». Не считаясь с нами, начинает вкладывать деньги в пирамиду. Вы знаете знаменитые аукционные дома «Кристи» и «Сотби». Так вот, «Афинса» стояла по уровню продаж на третьем месте и специализировалась на марках. «Афинса» находится в Мадриде. Но испанцы решили заработать на пирамиде. Им сопутствовала удача первые два года. Гурьев влез в их кухню, а пирамида лопнула. Премьер министр Испании едва удержался на своем посту. Гурьев разорен. Хуже всего то, что он пользовался деньгами вкладчиков, нашим банковским капиталом. Афера провалилась. Но Гурьев — богатый человек, он обязан вложить в систему собственные деньги, и мы определили сроки погашения растраты плюс проценты. И опять Гурьев решил заработать легкие деньги, чтобы покрыть свою растрату. Он игрок. Человек с такой болезнью не может быть допущен к деньгам. Катастрофа неминуема. Гурьева надо убирать из банка, но как? Он должен банку деньги, и нам необходимо их получить любым способом. Гурьев понимает, что произойдет после возвращения долгов и ввязывается в новую аферу. «АЛРОСА» начинает разработку месторождения алмазов в Анголе. «Де Бирс» не тревожится на сей счет, пусть русские добывают, по условиям контракта продавать они не могут. Но «АЛРОСА» открывает фирму «М-Даймондс» и привлекает к работе Израиль. В Израиле лучшие огранщики алмазов. Фирма «MON» готова работать на «М-Даймондс» за пять процентов прибыли. Залежи в Анголе солидные, и сырье пошло на конвейер. Евреи начали превращать алмазы в бриллианты. «Де Бирс» не имеет права кому-либо запрещать торговать бриллиантами, у них монополия только на алмазы — чистое сырье. На этот раз Гурьев не просчитался. Он скупил акции «М-Даймондс» на сто миллионов. Теперь он хочет возвращать долги банку со своей прибыли. Мы понимаем, что это дело перспективное. Но нам не нужны растянутые во времени подачки. Банк рассыпается. Мы выдвинули требование продать акции и погасить долг. Гурьев на эти условия не идет, так как, продав акции, он остается ни с чем. Акции растут в цене не по дням, а по часам. Глупо убивать курицу, несущую золотые яйца. Но речь идет о его личной прибыли. Банку нужны деньги. Кризис достиг пиковых вершин. Сейчас нас не спасут никакие проценты. И мы не можем доверять Гурьеву. Проценты он нам не отдаст, а купит на них новые акции. Он же игрок! К тому же «АЛРОСА» начинает расширять свою сферу деятельности. Разработки начались в Монголии и на очереди Малайзия. Гурьев погряз в бриллиантовом болоте и его уже не вытащить.

— Подайте на него в суд и конфискуйте имущество! — выпалил Скуратов.

— Ничего не выйдет. Заняв место председателя, он получил неограниченные полномочия и право распоряжаться активами единолично. На таких условиях он к нам пришел. Второе. Мы не можем обнародовать положение дел. Вкладчики потребуют свои деньги обратно, а у нас их нет. Банк лопнет.

— Опустошите ячейки бандитов и аферистов. Там денег больше, чем вам нужно. Они не пойдут в милицию подавать на вас заявление.

— Нет. Не пойдут. Они всех взорвут или перестреляют, а на том свете нам деньги не нужны.

— В итоге я понял главное. — Скуратов забыл об угрозах и начал прохаживаться по комнате. — Сумасшедший Гурьев отдал акции на сто миллионов под залог гарнитура «Око света». Так?

— Он мог это сделать. Игрок, привыкший к риску, способен на такую выходку.

— Алина Малахова не скрывает этого факта. Она получила акции, а не деньги. А почему бы Алине самой не выкрасть ожерелье? У нее есть расписка, и она обладает суммой в сто миллионов.

— Я так не думаю. Акции именные. Алина не сможет их продать и даже получать проценты. Воспользоваться ими никто не может, в чужих руках они превращаются в обычную бумагу. Гурьев мог без опасения отдать акции под залог. Он хочет всем показать свое благополучие. Ему как воздух нужен блеск. Банк и его председатель на высоте. Аренда бриллиантов — хороший и правильный ход.

— Почему вы сами не взяли бриллианты из ячейки, но позволили это сделать мне?

— Потому что мы не сможем договориться с Алиной. Она выдаст нас Гурьеву и тот от нас избавится. В лучшем случае уволит, в худшем — посадит. Вы сумеете с ней договориться, передадите ей ожерелье, а она отдаст вам акции. А мы сумеем договориться с вами. Вы нам их продадите из расчета сто к одному. За сто миллионов получите миллион.

— А вам они зачем?

— Мы сумеем обратить их в деньги.

— Как приемники в случае смерти Гурьева?

Фельдман промолчал.

— Когда вам в голову пришла эта идея?

— После проверки ячейки номер 824. Мы тоже предполагали, что заказчицей была семья ювелиров. Ваше требование показать вам сейфы Гурьевых и Печерниковых лишь подтвердили наши подозрения. Но тут в воскресенье приходит неизвестная женщина и заказывает себе сейф. Она его получает. Проверка новых клиентов всего лишь проформа. Дежурный проверил ее ячейку и остолбенел. Он увидел «Око света». Служба безопасности по воскресеньям работает в малом составе, и девчонку упустили. Ее личность не установлена, мы не знаем ее планов и намерений. Тогда-то мы и решили всучить «Око света» вам. Человеку, с которым можно договориться.

— А если бы я отказался?

— От миллиона не отказываются.

— Гурьев может заплатить пять миллионов.

— Он ничего не может заплатить, у него нет денег на завтрак. Это мы положили в его ячейку пять миллионов, чтобы вы поверили в денежный залог. Как только вы ушли, деньги были изъяты.

— Но зачем платить мне миллион? Это огромные деньги. Да, я могу договориться с Алиной и обменять бриллианты на акции. Но я убежден, что и вы сумели бы с ней сторговаться.

Фельдман уже успокоился и, встав с кресла, подошел к картотеке. Он выдвинул один из ящиков и, достав конверт, передал его Скуратову. Там было несколько фотографий, цветных, четких, сделанных профессиональной аппаратурой. На одном он открывает ящик сейфа, на втором — разглядывает ожерелье, на третьем изображена Дина, достающая из той же ячейки коробку, открывает ее, потом кладет в портфель. На последнем снимке Скуратов и Дина пьют шампанское в ресторане.

— Мы всегда сможем оправдаться перед Гурьевым. Ячейка принадлежит неизвестной личности. Возможно, вам. Мы не знаем, кто в нее положил бриллианты, но взяли их вы. Значит, вы либо вор, либо заказчик кражи. Гурьев ничего вам не заплатит, он посадит вас в тюрьму. И я не думаю, что после таких фактов вы сумеете отмыться перед полковником Кулешовым. Даже в милиции о вас невысокого мнения, им известен ваш авантюрный склад характера. Бриллианты у вас. Теперь вы можете их обменять на акции, за которые получите миллион долларов. Лучшей сделки ваша практика еще не знала. Я же вам уже объяснил. Банк не должен участвовать в торгах и переговорах. Мы должны оставаться в стороне и ради этого готовы пожертвовать миллионом. А для вас все эти манипуляции ничего не стоят. В этом ваш образ жизни. Вы сделаете все как надо и лучше, чем сделают это другие. Наш временный союз выгоден обеим сторонам.

Скуратов отшвырнул фотографии и вновь вытащил пистолет из-за пояса:

— Вот теперь я точно знаю, кто у меня украл гарнитур. За мной следили ваши люди, и они же выкрали у меня коробку. Банкиры не разбрасываются миллионами. Вы имеете доказательства моего участия в выносе бриллиантов из банка, вам этого достаточно. Остается лишь вернуть их себе и найти посредника для переговоров с Алиной Малаховой. За такую работу можно заплатить сто долларов бомжу с Курского вокзала.

На этот раз пистолет не напугал Фельдмана. На его лице появилась растерянность.

— У вас нет гарнитура?

— Его выкрали ваши люди!

— Чушь! За вами никто не следил. Нет нужды. Могу показать вам ваше досье, там есть все адреса.

— А маячок слежения на моей машине? Как вы узнали, в каком ресторане мы будем пить с Диной шампанское?

— Места вы заказывали по телефону. Ваш номер на прослушке. Мы хотели за вами проследить, но наши сыщики за вами не поехали. Шпаликов дал отбой. Он совершенно разумно рассудил, что к делу не нужно подключать бывших оперативников. Вы и без того в наших руках и не станете отказываться от нашего предложения. Какой смысл за вами следить и зачем кому-то знать, где вы спрячете бриллианты. Они нам не нужны. Они нужны вам, чтобы обменять их на акции. За акциями мы готовы поохотиться, но не за ожерельем. Посредники с Курского вокзала нам тоже не нужны. Алина очень умная и осторожная женщина, она не будет вести переговоры с кем попало. Вас она считает серьезным игроком и может пойти на сделку. Вы для нас идеальный вариант. А службе безопасности я не могу доверить такие секреты. Многие из них преданы Гурьеву, и возможна утечка информации.

— Я тебе не верю, Фельдман. Чужой не мог найти у меня бриллианты. Работали профессионалы. Они нашли мой тайник и с легкостью открыли все замки. Они знали, что я вынес «Око света» из банка, иначе не полезли бы в мой дом.

— Вы сейчас на взводе, Вениамин, — вкрадчиво продолжил банкир. — Вам надо сосредоточиться. И уберите свой пистолет, он мешает мне думать. Хотите коньяку?

— Хочу.

Фельдман достал из ящика бутылку, рюмки. Скуратов выпил рюмку, выхватил бутылку из рук банкира и сделал несколько глотков из горлышка, бросив пистолет на стол.

— Что касается профессионалов, — продолжал хозяин дома, — на презентации отеля тоже работали профессионалы. Те, кто снял с шеи Анны ожерелье. Представим себе, что они передали гарнитур заказчику и получили деньги за работу. Но, выполняя задание, они сообразили, что заказчик им мало заплатил и на этих побрякушках можно заработать гораздо больше. Я сейчас фантазирую, но если подумать хорошенько, то фантазия имеет под собой основания. Гарнитур пришлось отдать заказчику. Причина простая. Воры не смогли бы вынести его из отеля, а заказчик мог. Попытайся они уйти с добычей, я говорю об исполнителях, их взяли бы на выходе. Заказчик их мог сдать. Воры решили сделать иначе. Они дали заказчику возможность вынести гарнитур, чтобы потом выкрасть его повторно и потребовать настоящую цену за алмазы. Но заказчик успел положить гарнитур в банк. Вот тут они оказались бессильны. Нас невозможно ограбить. Это вам дали универсальный ключ и показали общедоступный код. Когда открывается дверца сейфа, у дежурного зажигается на мониторе номер открытой ячейки. Он знает, что в зал вошел владелец тридцать пятой ячейки. Она горит у него на экране, а открылась сороковая. Срабатывает автоматика блокирования всех дверей. Вы пойманы. Что делать ворам? Ждать, когда бриллианты вынесут из банка и продолжить на них охоту. «Око света» вынесли вы. Вас и обчистили.

— Полная хрень! Они ничего обо мне не знали. Их дело — следить за тем, кто положил гарнитур в сейф, а не за кем попало.

— Я конечно фантазер, но мои фантазии никогда не рождаются на пустом месте. Я же не писатель, а банкир. Когда мы обнаружили ожерелье в сейфе, нас смутило и даже насторожило то, что на замках ожерелья и браслета стояли радиочипы. Вы их не заметили, а мы очень внимательно изучили гарнитур — вдруг это муляж! От этого факта я и плясал. Мы в курсе хода следствия. Нам известно, что воры сняли с шеи Анны ожерелье и тут же сняли с него чипы. А почему не предположить, что они их заменили своими. С другими сигналами, работающими на других волнах, а потом передали ворованное заказчику. Так они могли прослеживать за передвижением коробки с бриллиантами. Немного замешкались — коробочка пропала в лабиринте хранилища. И не имеет значения, кто ее вынесет. Достаточно поставить машину со своим человеком и приемником возле дверей банка и устроить дежурство. Когда ваша подружка вышла из банка, у наблюдателя сработал сигнал. И где бы ни находился ваш тайник, его легко найти по сигналу. Как в игре «холодно — горячо». Чем ближе подносишь прибор к предмету, тем громче он пищит.

Скуратов сел на стол и задумался, изредка делая глотки из бутылки.

— Значит, вы заинтересованы, чтобы ожерелье вернулось в мои руки? — спросил он, глядя в пол.

— Слава богу, что вы это поняли, наконец.

— Чем можете мне помочь?

— Просмотреть все пленки видеонаблюдений улицы. Если возле банка дежурила машина, то мы ее определим. После вашего отъезда этой машине у банка делать нечего. И еще. Каждый клиент, оформляющий сейф в пользование, всегда фотографируется. В окошке менеджера на календаре встроена камера. У нас есть снимок женщины, арендовавшей ячейку 824, но установить ее личность нам не удалось.

— Покажите.

Фельдман достал из одного из сотен ящиков картонную карточку, где была фотография владельца и перечислены хранящиеся в сейфе предметы. Он подал карточку Скуратову. На ней стоял номер 824. С фотографии смотрела миловидная девушка лет двадцати пяти с короткой стрижкой, рыженькая, голубоглазая, без особых примет. Ее лицо показалось Вениамину знакомым, но вспомнить, где он видел девчонку, он не смог, хотя был уверен, что это было совсем недавно.

— Я забираю этот снимок. И еще. Завтра я приду в банк, и вы мне позволите открыть еще несколько ячеек. Все для дела, надо проверить кое-какую версию. На сегодня с вас хватит.

Скуратов забрал свой пистолет и сунул его за пояс.

— Что вы сделали с моими охранниками? — спросил банкир.

— Поди уже очухались. Иди, распутай, я обмотал их скотчем.

По дороге домой Скуратова осенило. Он прижался к обочине и затормозил. Достав фотокарточку, он извлек из сумки черный фломастер и перекрасил рыжие волосы девушки, удлинив их до плеч. Вот теперь он узнал ее окончательно. Это Оксана Мартынчук, пропавшая горничная Гурьевых, уехавшая в отпуск.

— Хрен-то ты уехала, подруга! Бриллианты не бросают на произвол судьбы. Если только за ними не должен прийти кто-то другой. А кто?

Веня откинулся на спинку сиденья и задумался.

12

Идти напролом Панкратов не решился. Надо бы сначала прощупать почву, тем более что такая возможность имелась. На скамеечке у дома сидели женщины, лузгая семечки и перемывая косточки всем подряд. Деревня, тут уж ничего не поделаешь. Одна-единственная улица в километр длиной, домишки по обеим сторонам. С одного конца деревни — магазин, с другого — развалины церкви. Когда-то здесь стояло хорошее село и люди жили по-человечески. Сейчас остались одни развалюхи, пожилые женщины и старики, не способные топор в руках держать.

— Доброго здоровьичка, сударыни, — поприветствовал женщин майор.

— Здорово, милочек. Ты чего здесь выглядываешь?

Три немолодые женщины с хитрецой в глазах и ухмылкой разглядывали интересного парня в наглаженных брюках и чистой белой рубашке.

— А где тут Даша Сотникова живет?

— Дом за твоей спиной, ты уже раза три мимо него прошел, — заговорила бойкая толстуха. — Только она больше здесь не живет, три недели назад как померла. Молодая девка, а вот видишь, что бывает.

— Вот те раз...

— С сердцем плохо стало. Квартирант вызвал «скорую», но до больницы не довезли, умерла по дороге. Тридцать два недавно стукнуло, отродясь ничем не болела.

— А квартирант-то здесь? Может, он чего знает?

— Нет. Тут же съехал. У нас на лето дачи сдают. Москва под боком, а на пенсию не проживешь.

— Молодой квартирант-то?

— Молодой. Около сорока. Обходительный, здоровкался со всеми, машина своя, харчи привозил. Да ты зайди в дом-то, там Галька углы вычищает. Сестра Дашкина. Хочет дом продавать.

— Ну спасибочки.

Панкратов направился к дому. Что его принесло сюда и кто такая Даша Сотникова? Все началось с телефона убитой женщины, той самой, у которой в последние дни перед ограблением жили Дербенев и его подручные, погибшие в сгоревшем фургоне. Женщину застрелили. В доме под кроватью нашли ее сотовый телефон, проверили все входящие и исходящие звонки. За час до убийства ей звонил абонент, не значившийся в ее записной книжке. Обратились к связистам, определили имя владельца сим-карты. Им оказалась Дарья Сотникова, но это еще не повод ее разыскивать. Провайдер предоставил список всех номеров, кому звонила Дарья, среди них оказался домашний телефон банкира Гурьева и многие другие номера, еще требующие проверки. Тут была определенная связь. У Гурьева украли бриллианты, а у застреленной вдовушки жили грабители. В чем же заключалась роль Сотниковой, поддерживающей отношения с волками и овцами? Чтобы разобраться в этом, майор Панкратов и появился в деревне Проскурино в двадцати километрах от Москвы. С убитой Дашу еще можно как-то связать. Деревня Проскурино находится в пяти километрах от поселка Спирово, где жила погибшая. Они могли быть подругами. Но связь деревенской женщины с председателем совета директоров банка в сознании не укладывалась.

Галине на вид было лет сорок. Улыбка тут же сползла с ее лица, как только она поняла, что пришел не покупатель, а любопытствующий. Пришлось показать удостоверение, только после этого она впустила незваного гостя в дом.

— Меня интересует мобильный телефон вашей сестры, — строго сказал Панкратов.

— Я забрала его себе.

— Значит, вы знаете Гурьева? С ее телефона звонили ему несколько дней назад.

— Не слышала о таком.

— У нас есть распечатка всех звонков.

Майор достал лист бумаги и протянул хозяйке. Она внимательно просмотрела распечатку и вернула документ.

— У Даши был другой номер, а этот телефон, наверное, тот, что она подарила Сергею.

— Кто это?

— Дачник. Снимал на лето комнату. Она в него тут же втрескалась по уши. Еще бы. Не пьющий. Своего-то алкаша она вышибла из дома. Колошматил ее почем зря. Гнида! А этот интеллигент. Обхаживала его, как могла, подарки дарила. Вот и телефон тоже.

— Вы видели Сергея?

— Нет. Как-то приезжала к сестре, так он даже из комнаты своей не вышел поздороваться. Стеснялся. Можно подумать, я его съем. Уж как она его расхваливала! Святой, не иначе. Жратву из ресторана привозил, все горячее. От простой еды, к которой мы привыкли, нос воротил, а за жилье так и не заплатил. У Дашки и без того денег кот наплакал, так она все на него, любимого, тратила, а он еще и друзей привозил.

— У него была своя машина?

— Да, стояла какая-то у дома, когда я приезжала, но я в них ничего не понимаю. Помню, что желтая.

— Он жил один? Не семейный?

— Прохвост. Я это сразу поняла. Мужику под сорок, а он не женат. Зачем и для кого тогда дачу снимать?

— Квартиры в Москве дорого стоят, а на машине тут рядом. Где он работал?

— Ничего о себе он Дашке не рассказывал. Татуировок у него на теле много. Говорил, будто в молодости по глупости в армии сделал. И еще два шрама на груди. Сказал, что служил на границе и получил ранение при задержании нарушителя, что ему за это медаль дали.

— Это он вызывал «скорую»?

— Вроде он. Но в больницу не поехал. И на похороны не пришел. Свалил, и с концами. Не знаю, сколько денег у Дашки было, но в доме я не нашла ни копейки. А у нее имелась заначка, точно знаю. Говорю же, прохвост.

— Вскрытие сестры было?

— Нет. В нашей больнице только один хирург и тот болел. Врачи уверены в диагнозе. Инфаркт.

— И где теперь искать этого Сергея? — покачал головой Панкратов.

— А может, он и не Сергей. Паспорта его она так и не видела. Нашел еще какую-нибудь дуру, вроде Дашки. Таких пруд пруди. А мозги пудрить он мастак. Я помню, как у сестры горели глаза.

Из Проскурино Панкратов поехал в прокуратуру, где встретился со следователем Квашневским. Следователь был человеком деловым и сразу заговорил о достигнутых результатах.

— Ваше замечание, Евгений Иваныч, по поводу коврика у водительского сиденья, мне показалось интересным. Если предположить, что рядом с водителем сидел убийца, то он пришел на встречу из ресторана. Где-то пролили борщ, и он правой ногой вляпался в разлитую по полу жижу. Борщ не домашний, учитывая добавление красителей и растительных жиров. Хозяйки дурью не занимаются, а в ресторане внешний вид имеет значение. Что еще интересно. В машине не обнаружено ничьих отпечатков пальцев, кроме убитого. Вытирать их у киллера не было времени, значит, он был в перчатках.

— В июне месяце?

— Тут подтверждается ваше второе предположение. В начале за рулем сидел убийца, а потом уступил водительское место жертве.

— Не понял... — удивился Панкратов.

— Сейчас модно сидеть за рулем в перчатках. Шик своего рода. На педали газа тоже обнаружены следы борща. Машина угнана, как вы и сказали, и номера украдены. Убийство планировалось заранее. Странно, что оно совершено в центре города, в людном месте. Значит, стреляли с глушителем. Много мудрежа, все можно сделать проще.

— Я думаю, они не доехали до цели, — растягивая слова, проговорил Панкратов. — Не договорились. Возник конфликт, и они остановились раньше положенного. Или мотор забарахлил. Что я могу вам сказать... Личность убитого до сих пор не установлена. Его подозревают в крупной краже. Убийца тоже в ней заме-

шан. Они соучастники. Предположительно убийцу звали Сергеем, но, скорее всего, он всем женщинам пред-
ставлялся разными именами. Странствующий альфонс.
Живет у разных женщин и пользуется их наивностью.
Любит ресторанную пищу. Возраст — около сорока и,
скорее всего, сидел и не один раз. Все тело в накол-
ках, имеются следы резаных ран на груди. Высокий, с
приятной внешностью, деликатный. Внушает доверие,
особенно женщинам. В меру осторожен. Надо искать
такого типа из недавно освободившихся. Что касается
громкого ограбления, то я не думаю, что он играл в нем
важную роль. Скорее всего, он заметает следы и унич-
тожает свидетелей по приказу заказчика. Когда покончит со всеми, придет его очередь. Вряд ли он знает, на
кого работает.

— Почему вы так решили? — склонив голову на бок,
спросил следователь.

— Я же говорю вам, речь идет о большой сумме денег, а убийца ничего об этом не знает. Живет на подачки, обчистил женщину, у которой жил. Участники кражи заработали миллионы, и если еще не получили их, то
ждут, что вот-вот.

Панкратов не мог сказать Квашневскому об убийстве Дербенева и его подручных. Следствие велось скрытно, прокуратуру к делу не подключали, а значит, об
убийстве говорить он не имел права, ведь тяжкие преступления расследует прокуратура. Все, что узнал Панкратов, лишь капля в море. До главных открытий, похоже, еще далеко.

13

Спортивная сумка, которую нередко брал с собой Веня Скуратов, содержала в себе все необходимое для работы вора, но не журналиста. В ней лежали капроновые веревки, складывающиеся якоря, крюки, отмычки и другие инструменты, скотч — все нужное для проникновения на чердаки или в другие закрытые помещения. Конечно, не обходилось и без фотоаппаратуры. Идя к Фельдману, он впервые взял с собой пистолет и прибег к насилию. Расчеты себя ·оправдали. Обстоятельства складывались таким образом, что он вынужден будет повторить силовой прием. Он больше часа просидел в своей машине напротив дома, где жила гувернантка Гурьевых Оксана Мартынчук, но ни один человек не вышел из подъезда. Тут нечему удивляться, в доме всего три этажа, шесть квартир — по две на этаже. Жильцов не так уж много. Шел первый час ночи, шансы попасть в дом мирным путем таяли с каждой минутой. Зачем здесь? У него не было однозначного ответа. Девушка уехала на такси в шесть утра еще в воскресенье, а сегодня уже четверг. Скуратов не сомневался в причастности Оксаны к ограблению, ей легче всего было подсыпать снотворное в золотую фляжку. Кроме нее это мог сделать телохранитель, но вряд ли, ведь Анна забыла сумочку дома, потому что та не попалась ей на глаза, когда она закончила свой макияж у трюмо. Ее торопил муж. После отъезда хозяев на презентацию Оксана могла уходить домой. Идти до ее квартиры не больше десяти минут, но пришла после двенадцати ночи, а в шесть утра вызвала такси и уехала. Якобы в отпуск. Но в десять утра, напялив рыжий парик с короткой стрижкой, она появляется в банке, арендует ячейку и кладет в нее бриллианты. Потом исчезает. Кстати, о таксисте. Он мог быть ее сообщником. Нужно проверить, кто привозил Оксану в банк. У Фельдмана есть видеозаписи. Что мог найти Скуратов в пустой квартире? Он этого не знал, но надо же с чего-то начинать. Оксана — единственная ниточка, за которую можно уцепиться.

Наконец ему повезло. Возле подъезда трехэтажного дома остановился шикарный «Бентли». Скуратов схватил с соседнего сиденья сумку и вышел из машины. Фары «Бентли» погасли, дверца открылась, тут и подоспел Веня. Ему опять повезло, хозяин шикарного авто был человеком пожилым и вряд ли мог оказать сопротивление.

— Простите, вы живете в этом доме?

— Да. В этом.

Мужчина вышел и захлопнул дверцу. Переулок и днем не казался людным, а уж ночью тем более, но освещался хорошо. Скуратов достал пистолет.

— Извините, но я вор-домушник и маньяк-убийца в одном лице. Вашу квартиру я грабить не буду, по плану у меня намечена другая. Вы меня проведете наверх мимо консьержки как своего приятеля. Она ничего не должна заподозрить. За эту услугу я не стану отстреливать вам яйца. Вы все поняли?

Мужчина не мог произнести ни слова, лишь кивнул головой. Скуратов взял его под руку и повел к подъезду. Клиент попался здравомыслящий, он даже поздоровался с консьержкой, а та по слепоте свой сквозь линзы очков Скуратова не разглядела.

Они поднялись на второй этаж, мужчина остановился у двери справа. По расчетам Скуратова, сосед жил под квартирой Оксаны. Задача упрощалась.

— Открывайте, не стесняйтесь, — предложил репортер.

— Вы же не ко мне шли.

— От вас ближе. Открывайте.

Спорить не имело смысла, и сосед открыл свою дверь. Скуратов обратил внимание на стальные двери, выкрашенные под дерево, и сложные замки. У него не было опыта вскрывать такие, он имел дело с чердачными дверьми, где вопрос решался быстро и просто.

Сосед впустил незваного гостя в свои апартаменты.

— А теперь отключите сигнализацию. Живо!

Хозяин нажал кнопку на коробочке у двери и назвал пароль. Красный огонек погас, зажегся зеленый.

— Все квартиры оборудованы сигнализацией? — спросил вор.

— Весь дом, — ответил мужчина, лишившись последней надежды на спасение.

— Я так и думал. А теперь до моего возвращения вам придется немного полежать без движения.

Скуратов раскрыл сумку, достал скотч и обмотал хозяина липкой лентой, после чего оттащил беспомощный кокон в спальню и бросил на кровать.

— Воры и убийцы тоже умеют держать слово. Вас я убивать и грабить не намерен. Будете паинькой и через полчаса обретете свободу.

Квартира была огромной, пять комнат, значит, и у Оксаны такая же. Недурно устроилась служанка банкира. Скорее всего, имела спонсора, так это теперь называется. А по внешности не скажешь, заурядная девчонка.

Балкон выглядел как дополнительная комната, и что радовало — имел крепкие, надежные перила. Веня достал веревку и прикрепил к ней раскладной якорь. Он раскрывался, как зонтик при нажатии кнопки. Подойдя к перилам, Веня раскрутил веревку и швырнул якорь вверх. Он зацепился за ограду верхнего балкона с первой же попытки. Лазить по канатам Скуратов умел с ловкостью трюкача и, повесив сумку на плечо, быстро взобрался на третий этаж, а потом вытянул веревку вверх.

Балконная дверь оказалась запертой. В ход пошел стеклорез. Он вырезал квадрат у ручки, локтем выдавил стекло. Образовалось ровное отверстие. Просунув руку, открыл дверь изнутри и вошел в квартиру, после чего включил фонарь, а затем нашел выключатель на стене. То, что в квартире зажегся свет, его не смущало. Кроме консьержки, освещенные окна никого не смутят. Комната служила гостиной, здесь был даже камин. На полу валялись рамки с разбитыми стеклами, но фотографии из них вынули. Первый признак того, что хозяйка сюда не вернется. Конечно, Оксана могла не знать о фотографии, сохранившейся у Анны, и уж тем более не подозревала, что ее сфотографируют в банке. Рыжий парик с челкой — не способ изменить внешность до неузнаваемости. Банковский клерк может и не узнал бы ее, но только не Скуратов с его профессиональными навыками. Запоминать лица людей входило в его обязанности, особенно женские лица. Ведь женщины, их слабости кормили его. Вещи и мебель квартиру не загромождали, обстановка выглядела скромной, что упрощало поиски.

Одежды в шкафах не было. Он помнил слова консьержки: «Оксана попросила шофера подняться наверх за вещами». В другой комнате Скуратов заметил сумочку, застрявшую в щели между сиденьем и подлокотником. Он вытащил ее. Это была копия той, с которой Анна ходила на вечеринку. Такую же при себе имела и Юлия Баскакова. Помимо женских причиндалов в сумочке оказались ключ с позолоченным брелоком, рыжий парик и записная книжка. Золотая зажигалка не могла быть уликой, но она понравилась репортеру, и он бросил ее в свой карман как сувенир. Скуратов сгреб все предметы в свою сумку. Рядом с креслом на столике стоял телефон, на корпусе которого мигало красное окошко, сигналил автоответчик. Веня включил автоответчик. Механический голос сказал:

— У вас три новых сообщения. Пятница. Восемнадцать часов семь минут.

Раздался гудок, потом послышался мужской голос:

— Завтра в восемь тридцать придешь в ресторан «Маяк» и не опаздывай, он этого не любит.

Раздались короткие гудки, и вновь послышался механический голос:

— Воскресенье. Одиннадцать часов двадцать минут.

Опять заговорил мужской голос, и Скуратов узнал его, это говорил банкир Гурьев:

— Оксана, почему ты не пришла на работу? Анюта опять тянется к бутылке, я не могу за ней углядеть, у меня своих дел хватает. Приходи срочно!

Веня вспомнил, как Гурьев уверял его, что не знает координат служанки, и позвал Анну, а та нашла вырванную страницу в блокноте. Старик врал. Зачем?

И опять железный голос, незнакомый.

— Воскресенье. Одиннадцать часов тридцать одна минута.

— Куда ты подевалась, чертова кукла?! Мне нужен ключ! Где ты?

На этом записи оборвались.

Скуратов достал ключ. На брелоке стоял номер ячейки, в которой лежали бриллианты. 824.

Веня перешел в следующую комнату и включил свет. От увиденного он едва не вскрикнул и выронил сумку из рук. В кресле сидела Оксана и смотрела на него. Скуратов не мог пошевелиться, но и она не шевелилась. Так продолжалось с минуту, пока он наконец не понял, что у девушки стеклянные глаза и она никуда не смотрит, или точнее, ничего не видит. Лицо Оксаны походило на белую простыню. Подойдя ближе, Вениамин коснулся ее руки, из которой тут же выскользнул бокал и упал на ковер. На полу стояла бутылка французского шампанского. Точно такое разносили по фойе в отеле «Континенталь». Им уже отравили уборщиков в электричке, дошла очередь и до Оксаны. Скуратов решил ничего не трогать. Этим делом займутся эксперты Кулешова.

В квартире раздался звонок, и парень похолодел. Звонки начали повторяться один за другим. Перепуганный вор выскочил на балкон и глянул вниз. У подъезда стояла милицейская машина с работающими мигалками. Кто их вызвал? Сосед? Нет, он не мог встать. Взломать двери они не смогут, им понадобится динамит и веревок с собой они тоже не возят. Но как... Идиот! Ну, конечно же! На дверях балконов тоже стоит сигнализация.

Ждать у моря погоды Скуратов не стал. Пришлось опять воспользоваться веревкой с якорем, но теперь пришлось закидывать его на крышу. Жестяной карниз не был таким надежным как балконные перила, но выбора не было.

Ему опять повезло, он взобрался на крышу, не сломав себе шею. Перебежав на другую сторону дома, Веня взглянул вниз. В темном уютном дворике стояли высокие деревья, но далеко, метрах в пяти от здания. Раздумывать было некогда. Достав из сумки самую длинную веревку, он привязал один конец к мачте антенны, другой сбросил с крыши. Конец повис чуть ниже второго этажа. Прыгать опасно: в доме четырехметровые потолки, третий этаж, как современный пятый. Скуратов натянул перчатки, ухватился за веревку и начал спуск. В середине пути он остановился, совсем рядом оказалась огромная ветвь дерева. Скуратов уперся ногами в стену дома, резко оттолкнулся, но до ветки не дотянулся. Только с четвертой попытки он уцепился за сук, сумел взобраться на него, потом доползти до ствола. В этот момент во дворе появились милиционеры с автоматами. В квадратном дворе, похожем на колодец, было две арки, в одну и вошли стражи порядка, другая находилась напротив, за садиком с игровой площадкой. В ветвистом дереве фигура человека сливалась с темнотой и загораживалась ветками. Его не заметили, как и черную тонкую веревку. Милиционеры потоптались на месте и ушли. Веня спустился на землю и пустился бежать что было сил. К машине он возвращаться не решился, выбрался на Кутузовский проспект и зашел в небольшой ресторанчик, работающий до утра. Заказав бутылку водки и салат, начал приводить свои мысли в порядок.

Поверить в то, что Оксану послали работать в дом Гурьевых как лазутчика, очень трудно. Девчонка пахала на семью два года, а тогда о бриллиантах никто не думал. Оксану просто купили, когда возникла необходимость. Пообещали денег, она и клюнула. Ее использовали, а потом убрали. Убийцей могла быть женщина, сумевшая попасть в ее квартиру до возвращения Оксаны домой. Как? Имела ключи от квартиры? Ее знала консьержка? Нет, не знала. Скорее всего, происходило следующее. Женщина уже находилась в квартире Оксаны, когда та вернулась домой. Они знали друг друга, и неизвестная приволокла с собой отравленное шампанское с презентации отеля. Такую же бутылку подарили уборщикам «на дорожку», те отравились в электричке. Гостья отравила Оксану и вызвала своего сообщника. Тот приехал как таксист и поднялся наверх. Они прихватили чемоданы для отвода глаз, убийца надела парик, взяла собачку на руки, и парочка уехала. Консьержка приняла убийцу с собачкой за Оксану, ведь та ей позвонила, предупредила об отъезде. Ну кто еще мог выйти из дома? Тут все чисто. Искать Оксану никто не будет, она уехала. Труп может пролежать в доме, пока от него ничего не останется. Все так, если следовать фактам. Но с другой стороны в убийстве нет никакого смысла. Ключ от сейфа, в котором лежали бриллианты, остался в доме. Найти сумочку было нетрудно, Веня заметил ее сразу же. Значит, убийца не искал ключ, а избавлялся от ненужного свидетеля. В таком случае, убийца и таксист-сообщник были уверены в том, что ключ находится у кого-то другого, уверены на сто процентов, если не стали заглядывать в сумку жертвы. Значит, существуют две конкурирующие фирмы. Скуратов вспомнил мужской голос с автоответчика: «Куда ты пропала... Мне нужен ключ!» Тогда понятно, что убийца и шофер могли дежурить возле банка и ждать того, кто придет за бриллиантами. Пришел он, точнее, Дина, их проследили. Дальше все понятно... Стоп! Ничего не понятно! Скуратова прошиб пот. Произошло невероятное. В воскресенье, в одиннадцать утра Оксана пришла в банк сама и арендовала ячейку. Она собственноручно положила гарнитур в сейф. Есть ее фотография и свидетельство Фельдмана. Покойница не могла прийти в банк. И если ее убили в ночь с субботы на воскресенье, то ключ от ячейки не мог попасть к ней в сумочку, иначе получается, что она арендовала ячейку через пять часов после смерти. Выходит, из дома уезжала настоящая Оксана. Но зачем она вернулась? Как могла попасть в дом незамеченной? И возможно не одна, а с человеком, который ее отравил шампанским и им не обязательно должна была быть женщина. Мужские голоса на автоответчике... Первый голос назначил ей свидание в ресторане «Маяк» в половине девятого вечера в субботу. Суббота... В семь часов у Анны украли гарнитур. Предположительно, Дербенев. Сейчас это не так важно. В восемь вечера синий фургон выезжает с подземной стоянки отеля. До места аварии ему ехать полчаса, а с бензовозом он столкнулся только в девять пятнадцать, на сорок пять минут позже, чем мог там оказаться. Если ехать от отеля к Варшавскому шоссе, то можно сделать небольшой крюк и проскочить мимо ресторана «Маяк». Там Дербень выходит, встречается с Оксаной, передает ей ожерелье и едет дальше, где в конце концов попадает в аварию. Бриллиантов в сгоревшей машине не нашли, ясно, что Дербень сбросил товар по дороге. И этому есть подтверждение — две конкурирующие банды. Соперники должны были знать о том, что Дербень «сбросил груз» и его можно поджечь, не рискуя потерять добычу. Либо за ним проследили, либо Оксана работала на тех и других и предупредила о том, что товар у нее. Дербень свою задачу выполнил и его можно убирать. Получается очень складно, за исключением самого главного. Гарнитур «Око света» в сейф положила Оксана Мартынчук. Это уже доказано и то, что ее убили, тоже доказано. Вопрос. Почему ключ до сих пор валяется в сумочке и за ним никто не пришел? Какой-то тип звонил ей и требовал ключ, но она была уже мертва или находилась в это время в банке.

Веня покопался в своей сумке, нашел записную книжку Оксаны и внимательно ее пролистал. Все телефоны были зашифрованы, вместо имен стояли инициалы. В.Н.Д. Телефон начинался на пятерку. С пятерки начинаются телефоны области, а В.Н.Д. очень смахивает на Всеволода Николаевича Дербенева.

Скуратов не стал медлить, достал мобильный телефон и набрал номер. Ответил женский голос.

— Извините за поздний звонок. Я могу поговорить с Севой?

— Кто звонит?

— Старый друг. Я проездом в Москве. Сто лет не виделись.

— Севу сегодня похоронили. Увидитесь в другом мире.

В трубке раздались короткие гудки.

Связь Оксаны и Дербенева доказана. Но не на сто процентов. Скуратову показалось, что телефонная книжка заполнялась мужской рукой. Он не видел почерка Оксаны, но вряд ли она стала бы носить с собой чужую книжку. Странно и то, что в сумочке не было мобильного телефона. Обычно телефонные номера хранят в памяти мобильника.

И что в итоге? А в итоге Веня попал в лужу с дерьмом, из которой ему надо выпутываться.

14

Удостоверение внештатного сотрудника Министерства внутренних дел, со скрипом выданное полковником Кулешовым после того, как Веня навел ребят с Петровки на крупный наркопритон, не раз выручало репортера в щекотливых ситуациях. Сегодня был тот случай, когда оно снова должно ему помочь. Настроение было отвратительное. Что бы Скуратов ни делал, все оборачивалось против него. К тому же пропала Дина. С момента обыска в его доме и похищения гарнитура он ее не видел и не слышал. Девчонка словно растворилась. Он предполагал самое худшее. Она стала свидетелем появления неизвестных на даче, и ее убрали, а труп вывезли. Других объяснений у него нет. Он был ее единственной опорой и надеждой в жизни, сама девчонка ни на что не способна. Мужики на нее клюют, и она это знает, но с ее характером она никого возле себя не удержит. Слишком требовательна, прямолинейна, амбициозна, груба и независима. Веня сумел подобрать к ней ключик, потому что сумел ее заинтересовать — предложил стать партнерами. Он помогает ей, она ему, и каждый получает свое. Постель для них имела второстепенное значение, так уж получилось. Она молодая темпераментная женщина, а он мужчина с опытом, умеющий удовлетворять женские фантазии. Не было необходимости думать о смене партнера, оба не желали тратить время на сюсюканья, цветочки, рестораны. Дина не стала бы ломать сложившиеся взаимоотношения ради одноразового заработка. Да и по натуре она не предательница. Если бьет, то в лоб, но за спиной пакости делать не станет.

Помахав красной книжечкой перед глазами метрдотеля, Скуратов сказал:

— Ваша смена работала в субботу вечером. Меня интересует женщина, которая в районе восьми вечера встретилась в вашем ресторане с неким лицом. — И показал фотографию Оксаны с дорисованными фломастером волосами.

— Вы позволите?

Метрдотель взял снимок и ушел с ним в подсобку. Минут через десять он вернулся с официантом.

— Я думаю, этот человек вам сможет помочь.

Метрдотель удалился, а официант, парень лет тридцати пяти, остался. Таких типов, умеющих себя правильно подать и заработать чаевые на своем знании психологии, Веня видел не раз, и это его устраивало. У этих ребят хорошая память, и они редко упускают детали.

— Понятно, о ком идет речь? — спросил Скуратов.

— Да. Эту девушку я помню. Она пришла одна. Заказала бутылку сухого и фрукты. Сидела минут двадцать. Потом к ней подсел мужчина. Я принес ему графин водки. Он выпил рюмку и тут же ушел. Находился здесь минут десять от силы. Следом ушла и девица. Оставила деньги на столе и исчезла, я даже не заметил.

— В котором часу?

— Минуточку, уточню.

Официант вернулся быстро, вырвал лист со счетом, который ему уже был не нужен, и отдал его Скуратову.

— В восемь пятнадцать пришла, а в восемь сорок ушла.

Веня убрал чек в карман и достал снимок Дербенева, сделанный с камеры видеонаблюдений. Фотография получилась удачной.

— Я не уверен, тот ли мужчина встречался с девушкой. Но похоже, он. При мне они молчали. Он все время поглядывал на часы, — глядя на снимок и растягивая слова, пробормотал официант.

— Встреча носила деловой характер, так я вас понял?

— Да. Ужинать они не собирались.

— Спасибо за информацию.

Скуратов поехал в банк. Перед тем как зайти в здание, он позвонил Фельдману.

— Я прибыл. Мне нужно проверить две ячейки и просмотреть видеозаписи уличного наблюдения.

— Проходите в хранилище, я буду ждать вас там.

Фельдман был готов к встрече. Скуратов назвал номер сейфа Алины Малаховой, хотя ни на что не рассчитывал. Действительно, сейф оказался пуст. Если акции и лежали в нем, то их уже унесли. Алина не дура держать их под носом у тех, кто за ними охотится. Возможно, их и вовсе там не было. Она хотела ему доказать, что не имеет отношения к сейфу, где хранились бриллианты. Следующим Фельдман открыл сейф под номером 923, тот, что принадлежал Гурьеву. Он тоже оказался пустым.

— В прошлый раз здесь лежали деньги. Вы сказали, будто их подложили вы. Для показухи. Так? — спросил Скуратов.

— Я же вам рассказывал. У Гурьева нет денег, — холодно ответил Фельдман.

— Там лежал один любопытный документ, вы не могли его не видеть, а может, сами подложили, специально для меня. Это свидетельство о смерти, выданное клиникой Хабаровска, где черным по белому написано: «Анна Каземировна Гурьева умерла от сердечной недостаточности». Случилось это четыре года назад. А теперь объясните мне, с кем же живет ваш шеф, если его жена умерла? Я могу послать в Хабаровск официальный запрос, и если мне подтвердят смерть Анны Гурьевой, то девчонка, живущая с банкиром, будет арестована. Она может быть соучастницей ограбления.

— Да, вы правы. Когда мы решили подложить деньги в сейф Гурьева, то нашли в нем свидетельство о смерти. Сейчас я не могу вам ответить на вопрос, с кем живет Гурьев. Мы отправили сыщиков по старому месту жительства Гурьева, в Хабаровск, они занимаются этим делом. Как только получим ответ, я буду готов доложить вам о результатах.

— Не советую играть со мной в кошки-мышки, Саул Яковлевич. Я взялся за дело серьезно и доведу его до конца. Еще никому не удавалось оставить меня в дураках, и вы не исключение.

— Я же вам объяснял, мы на вашей стороне и готовы помогать по мере сил. Нам не нужны бриллианты, нам нужны акции, мы должны их получить в обмен на миллион. Мы заинтересованы в вашем расследовании.

— Ладно. Давайте посмотрим видео. Покажите мне, что сумели зафиксировать наружные камеры видеонаблюдений.

— Идемте, вам будет интересно это увидеть.

Фельдман вывел «инспектора» из хранилища и привел его в специальную техническую комнату, где находились охранники, а на двери висела табличка «Посторонним вход запрещен». В офисе остался только один оператор, он уже знал, какую пленку надо поставить и сам ее комментировал, а банкир стоял в сторонке, будто гость, ничего не смыслящий в происходящем.

— Это приезд неизвестной, которая в воскресенье открыла ячейку номер 824. Ее привез внедорожник «BMW-X5» серебристого цвета. Мы сумели считать номер с машины. Вот он в увеличенном виде. По базе данных ГИБДД нами установлено, машина принадлежит некоему Всеволоду Дербеневу. Но обратите внимание, девушка приехала на машине одна и сама сидела за рулем. Вот она подходит к дверям банка...

— Достаточно. Повторите мне этот кусок еще раз.

Оператор перемотал пленку и показал двухминутный ролик еще раз. Скуратов смотрел его очень внимательно.

— А теперь я хочу просмотреть свой приезд в банк. Первый раз я приезжал один, а второй раз привозил девушку. Вы знаете, о чем я говорю.

— Да, меня предупредили. Пленки готовы к показу.

— Так запускайте.

Ни на одной из просмотренных пленок он не заметил стоящей перед банком машины, и никто за ним не поехал, когда он забрал ожерелье. Может, наблюдатели были на почтительном расстоянии и не попали в обзор видеокамер банка, тогда это свидетельствует об их профессионализме. Скуратов следил за монитором очень внимательно и увидел более интересные вещи. О своих открытиях он не собирался говорить. Во всяком случае здесь.

Выйдя из комнаты, он сказал Фельдману:

— Я должен кое-что проверить. Приеду вечером к вам на дачу, там и обсудим все обстоятельно. Предупредите охранников о моем визите, чтобы мне их снова не связывать.

Отъехав от банка метров на триста, Веня вышел из машины, пересек улицу, вернулся назад и остановился напротив банка. До дверей было метров сто.

Просматривая пленку, Скуратов сделал два открытия. В окне дома напротив с биноклем в руках он видел фигуру. Запомнил этаж, теперь нетрудно отыскать квартиру, из которой велось наблюдение. Но не это открытие стало самым важным. На крыше дома находилось рекламное табло с бегущей строкой: «Лотерея "Миллион на счастье" состоится послезавтра. Торопитесь! Сегодня последний день продажи билетов!» Он, Скуратов, приехал в банк в понедельник после разговора со Шпаликовым, именно в понедельник ему открыли четыре ячейки. Гарнитур «Око света» лежал в ячейке номер 824. Ключ от нее он нашел у Оксаны. Он хорошо помнил, когда к банку подъехала его машина, на табло шел следующий текст: «Читайте таблицу выигрыша лотереи "Миллион на счастье" в газете "МК"». Значит, тираж состоялся в воскресенье, а Оксана приезжала в банк не в воскресенье, а в пятницу, получила ключ от ячейки, но ничего положить в нее не могла. Бриллианты были украдены лишь на следующий день, она подготовила под них хранилище. Положить туда бриллианты мог кто угодно. Вот только как ключ от ячейки попал обратно к Оксане? Вопрос или уже ответ? Банкиры в деле замешаны — это на сто процентов. Фельдман обманул его, сказав, что ячейка была арендована Оксаной в воскресенье. К тому моменту девчонка была уже мертвой и его умышленно водят за нос. Они точно знали, когда была арендована ячейка и кем. И наверняка знали, кто в нее положил бриллианты. Надо найти объяснение встречи Оксаны с Дербеневым и смерти ее в ночь с субботы на воскресенье.

Веня чувствовал, что окончательно запутался и решил взять тайм-аут на пару часов, вернуться на дачу, в тишину, сесть и спокойно, не торопясь, начертить схему событий, выстроив логическую и фактическую цепочки. Но, не проехав и полпути, резко развернулся и помчался в город. Попасть в Английский клуб ему не удалось, его членами были министры и сенаторы, банкиры и нефтемагнаты. Тут нужен танк, а не красная бумажка, выданная ему Кулешовым. Ни один журналист еще не видел клуб изнутри, Скуратов и не надеялся проникнуть в святая святых. Он вежливо попросил администратора вызвать господина Лурье для передачи ему пакета со срочными документами. Как это ни странно, но адвокат

Гурьева спустился в холл. Сначала, увидев репортера, он хотел повернуться и уйти, но Веня успел его окликнуть:

— Исчезла Дина, Роман Лукич. Я объявляю ее в розыск, хочу поместить в газетах ее снимки, а у меня есть только те, которые я показывал вам.

Лурье остановился. Он помнил снимочки, сделанные на кастинге в детском саду, и слушал аудиозапись. Наверняка есть и видеозапись. Лурье подошел к Вене, лицо его покрывали красные пятна:

— Что вам еще от меня надо?

— Поговорим в машине. Можем в вашей, где нет аппаратуры. Безобидная беседа. От вас не убудет.

Адвокат согласился, и они вышли на улицу. Перед входом стояли автомобили членов клуба, диковинные игрушки, реализация которых могла составить бюджет крупной области. Они сели в скромный «Мерседес».

— Передайте Ковалевскому, чтобы вернул мне девчонку. Не дожидайтесь, пока я встану на дыбы. Вам не надо объяснять примитивные вещи. Если со мной что-то случится, все материалы будут опубликованы. Суток не пройдет, как половина членов клуба окажется в наручниках. Министр внутренних дел мечтает об этом, ему надо лишь развязать руки, а я могу это сделать даже из могилы. Итак, это первое.

— Но если ваша девчонка не у Ковалевского?

— Значит, он ее найдет. Под ним все бандюки ходят. Пусть объявит розыск. В благодарность я промолчу о вашем порно-Голливуде.

— Я передам.

Лурье взялся за ручку двери.

— Не торопитесь, Роман Лукич, я еще не закончил. Вы знали о том, что ваш подопечный Гурьев оставил Печерникову под залог бриллиантов акции ангольских алмазных приисков на сто миллионов долларов?

Адвокат подумал, а потом кивнул головой.

— Допускаю. Но что это меняет?

— Сколько бриллиантов может получить за эти акции Алина Малахова?

— Ах, вот вы о чем! Нисколько. Для этого ей нужна доверенность на право пользования акциями. Такие доверенности люди в здравом уме не дают.

— Тогда зачем ей нужен бесполезный залог? Она отдала уникальный гарнитур «Око света», рискуя жизнью, за груду бумаг?

— Акции не восстанавливаются. Без них Гурьев нищий. Он теряет все, а Алина не получает ничего. Оба останутся ни с чем. Она лишилась бриллиантов, а Савелий — акций. Сделка не имеет смысла, но гарантирует обратный обмен. Каждому выгодно вернуть свое.

— Тогда объясните мне, как может банк Гурьева воспользоваться акциями без его участия? А он может, я это знаю.

— Где они их возьмут? Руки коротки.

— Предположим, что я их им передам за определенные проценты.

Лурье опять задумался, потом ухмыльнулся:

— Мысль интересная. Вы правы. Банк может продать акции. Гурьева только теперь ограничили в правах. Когда он приехал в Москву, банк висел на волоске, все надежды возлагались на его гениальность. Мы знали, как он вытащил из болота хабаровский филиал при помощи тех же алмазов. Гурьев получил неограниченную власть в Москве и тогда вступил в новую игру, довольно рискованную, но оправдавшую все риски. Он скупил акции ангольского месторождения. Примерно пятую часть. Но не от имени банка, а как частное лицо. Я понятно выражаюсь?

— Более чем.

— Но у Гурьева не было таких денег, и он сам на себя оформил бессрочный и беспроцентный кредит на сто миллионов. На эти деньги и были куплены акции. Сейчас, когда Ангола начала добывать алмазы, а израильские ювелиры гранить их на территории Анголы, деньги потекли рекой. Акции взлетели в цене в несколько раз. Гурьев вполне способен вернуть взятый кредит, в разгар кризиса банку позарез нужны деньги. Но Гурьев не торопится. На свою прибыль он продолжает получать новые акции. Положение банка его интересует меньше всего. Но и банк ничего не может сделать со своей стороны. Кредит бессрочный, требовать деньги они не могут. Он же не отказывается платить, он не торопится.

— Как банк может воспользоваться его акциями?

— Как правопреемник. В кредитных документах указано, на какие цели выдавались деньги. Тут Гурьев допустил ошибку.

— Теперь понял. Чтобы стать правопреемником, надо убить Гурьева. Но убить его имеет смысл, когда банк получит в руки акции. Смерть Гурьева позволит банкирам описать имущество должника, акции попадут в банк на законных основаниях.

— Именно так. Ангольские алмазы стали для Гурьева кощеевой иглой. Он бережет их как зеницу ока. Сломается игла — Кощею смерть. Попадут акции в руки банкиров — Гурьев не жилец.

— Фантастика! Но почему он не может переписать акции на имя жены?

— У банкиров на Анну есть компромат, ее можно вынудить отдать акции без особых условий.

— Но и Алина Малахова не вернет ему акции, пока не получит свои бриллианты.

— В этом вся проблема.

— Если она отдаст акции банкирам, они могли бы вернуть ей «Око света». Допустим. В плане бредовой идеи.

— Но этого не произошло. Банкиры — официальные лица. Стоит предложить Алине подобную сделку, она устроит им ловушку, и банкиры превратятся в обычных воров. Их засадят за решетку, а она вернет свои бриллианты без всяких условий. Алина не пойдет против Гурьева. Эта женщина очень умна. Она помешана на бриллиантах, как и ее муж. Деньги для них мусор. Гурьев ей нужен. У него прииски в Анголе, он может поставлять Алине бриллианты с большими скидками. Вдвое дешевле якутских, а по качеству лучше наших. И огранку израильские мастера, работающие в Анголе, делают более качественную, чем у нас. А что могут предложить Алине банкиры? Ожерелье? Так она натравит на них арабов и завтра же банк взлетит на воздух. Деньги? Плевать она хотела на деньги. Лучший способ — украсть акции у Алины. И банкиры пойдут на такой шаг. Но кто знает, где их искать? Она же не держит их под подушкой.

— Рад нашей плодотворной беседе, Лурье. Против вас я ничего не имею. Но если Дина сегодня не вернется домой, то Рубену Ковальскому остается только застрелиться. Я не шучу.

— Думаю, он найдет вашу подружку.

Адвокат опять взялся за дверную ручку, но Веня придержал его за рукав.

— Гурьев не может переписать акции на свою жену по другой причине. Анна Каземировна Гурьева умерла четыре года назад.

Лицо адвоката оставалось спокойным:

— Зато жива Ирина Савельевна Гурьева.

— Так значит, она его дочь?

— Вы и без того слишком много знаете, Скуратов. Вам стало опасно жить. Сегодня убивают людей за кошелек с мелочью, а в нашем случае счет ведется на сотни миллионов долларов. Отдайте себе отчет, во что вы впутались. Мне жаль вас. И еще. Никто вашего компромата не боится. От порнобизнеса Ковальского еще никто не пострадал, зато в Подмосковье выросли сотни особняков, принадлежащих генеральским чинам из силовых структур. Вам помогут, но не из-за боязни. Просто вы некоторым щекочите нервы, и это людей веселит. Есть над чем посмеяться в клубе, развеять скуку. Вы шут, Скуратов. Клоун. Вас не трогают, потому что всерьез не воспринимают. Власть уже давно поняла, что воевать с сильными мира сего бесполезно, можно только договариваться и сотрудничать. Мир зиждется на компромиссах. Как вам известно, в сортирах мочат только шушеру. Вам выставили в витрину Ходорковского, вот и радуйтесь. И что? Мир переменился? Ничего не случилось. А девчонку вашу найдут. Только теперь жертв будете выбирать не вы, вам на них будут указывать пальцем. Вы переступили дозволенную черту. Сами того захотели. Хотите жить, будете работать под диктовку. Самостоятельность — вещь относительная.

Лурье наконец вышел из машины. Скуратову показалось, что тот вел весь разговор, будто перебрасывался анекдотами с приятелем и только последний свой монолог выдал на полном серьезе.

— Клоуном меня считаете? — сжав зубы, процедил он. — Я покажу вам, какой я клоун. Загнали в угол. Ладно. Не в такие передряги попадал, выпутаюсь!

Злости в нем накопилось достаточно, вот-вот взорвется.

Веня подъехал к даче. Он не был здесь с момента ограбления, уезжая, даже не закрыл за собой подвал и не поставил зеркало на место. Но какое это теперь имело значение. Он уже наметил для себя новые планы и знал, что ему делать. Надо дождаться Дину, а потом спрятать девчонку в надежном месте. За себя Веня не очень беспокоился. Чему быть, того не миновать, жить по-другому он не сможет, просто не умеет. Так сложилась судьба. Скуратов не жаловался, его все устраивало.

Он распахнул дверь в дом и нащупал выключатель. Свет не зажегся. Веня почувствовал слабый запах духов, где-то он его уже слышал.

— Кто здесь?

В ответ последовали два выстрела, один за другим. Он успел увидеть только яркие вспышки, услышал оглушительный грохот.

Глава 5

1

Девушка сидела на ступеньках крыльца и плакала. Возле трупа возились врачи. По участку ходили оперативники, в доме работали эксперты. Полковник Федоров присел на корточки перед рыдающей девчонкой.

— Ты нашла его на пороге дома, лежащим у дверей?

— Да, — закивала головой Дина. — Я не сразу его заметила. От калитки увидела распахнутую дверь и очень удивилась, Веня никогда не оставлял ее открытой. Он входил в дом и тут же запирался.

— Понятно. У него видеодомофон у калитки и у дома. Он всегда знал, кто к нему идет. Кого-то боялся?

— Нет. Но он же репортер. Его статьи всегда были скандальными. Угрожали Вене часто, но он никого не боялся. Я поднялась на крыльцо и увидела тело, лежащее на пороге. Он не успел дверь за собой закрыть.

— У тебя есть свои ключи?

— Нет. Он никому ключи не давал.

— А где ты была?

— В городе. У подруги. Она уехала к матери в деревню на два дня, старуха заболела, Любка попросила меня посидеть с ее ребенком. Она его с собой не взяла, чтобы заразу какую не подцепил.

Тело положили на носилки и пронесли мимо них. Дина опять заревела. Врач кивнул полковнику, и Федоров пошел за ним к машине «скорой помощи».

— Вот что я вам скажу, Федор Витальевич, парень жив. Не могу гарантировать, что довезу его до больницы, ранения страшные, но здоровье у него богатырское. Думаю, надо помалкивать об этом. Помните, в прошлом году мы успели спасти одного бандита. Об этом узнали не те, кому надо, пришли в больницу и добили мужика.

— Я тебя понял, Володя. Для всех он труп, регистрируй его как неопознанное тело. Сделай все, что сможешь, мне этот мужик нужен живым. Ой, как нужен, Вова.

— Сделаем все, что сможем.

Носилки погрузили в машину, сирену и мигалку включать не стали, «трупу» торопиться некуда.

Полковник вернулся в дом. Поднимаясь на крыльцо, он погладил девушку по голове, как котенка, и она опять всхлипнула.

Справа находилась открытая стальная дверь, ведущая в подвал, и зеркало, сдвинутое в сторону с помощью салазок. Высокое зеркало, размером в саму дверь. Посреди комнаты стоял криминалист Клюев.

— Что стоишь, как пень, Саша?

— Убийца стрелял с этого места. Он ждал хозяина дома. Видите, лампочка разбита. Скуратов вошел, но свет включить не смог. Убийца стоял в темноте и отлично видел жертву на фоне дверного проема. С трех шагов промахнуться невозможно. Стреляли из «ТТ», две гильзы на полу валяются.

— Ты видел торчащие в скважине ключи? Скуратов не успел их вытащить. Дверь не взломана. Такой замок отмычкой не вскроешь. Как убийца вошел в дом? Значит, у него были ключи, а девчонка уверяет, что Скуратов никому их не давал.

Капитан пожал плечами.

— Я лишь констатирую факты. В подвале есть сейф. Пустой. Его тоже открыть непросто, и потайная дверь за зеркалом по щучьему велению не откроется. Вор вскрыл не один замок, а минимум три, и все уникальные.

— Работали профессиональные взломщики?

— Следов после себя не оставили. Я бы подозревал девчонку. Она могла знать коды и иметь ключи. Если она шлепнула Скуратова, то теперь может плести, что угодно.

— Зовут ее Дина, приехала она на электричке, потом на автобусе и там, и там ее видели — соседи ехали вместе с ней от Москвы. Так что девчонка из списка выпадает.

— Посмотрите содержимое сумки Скуратова, много интересного найдете. Пальчики мы уже сняли с чего возможно, так что не стесняйтесь.

Федоров подошел к столу, на котором лежали сумка и целлофановый пакет с вещами жертвы, найденными в карманах. Включив настольную лампу, высыпал из пакета вещички на стол и в первую очередь заинтересовался золотой зажигалкой. Вещь необычная, красивая, таких он еще не видел. Он перевернул ее — на дне увидел три выгравированные буквы «ВНД» и сразу понял: Всеволод Николаевич Дербенев. Тут большого ума не потребовалось. Полковник очень хорошо помнил скандал, учиненный в морге вдовой Дербеня. Ее эта зажигалка интересовала больше, чем труп мужа. Екатерина уверяла, будто Сева никогда с ней не расставался, и обвинила милицию в воровстве. Но как зажигалка могла попасть к Скуратову? Он мог видеть его живым только в отеле, где они оба находились во время ограбления

Гурьевой. В голове полковника мелькнула шальная мысль. Лучшего кандидата на вынос бриллиантов из отеля и придумать нельзя. Скуратов тут же подключился к расследованию и как подозреваемый никем не рассматривался. Дербень с подручными сгорел, в машине не нашли ни алмазов, ни зажигалки. А если он передал все Скуратову? Гениальная версия, но слишком фантастичная. Скорее всего, Веня слишком глубоко копнул и его убрали. Парень тянул одеяло на себя. Ему обещали премиальные, вот он и лез из кожи, чтобы первому добраться до бриллиантов. И если он нащупал жилу, то делить успех ни с кем не хотел. Вот и поплатился за самонадеянность. Все, что надо теперь сделать, так это выйти на след Скуратова и пройти его же путем.

Федоров принялся разбирать сумку, где лежали ребусы и вопросы вместо ответов. Прежде всего, он увидел женскую сумочку из крокодиловой кожи. Точно такую он видел в руках Анны Гурьевой на всех фотографиях, сделанных в отеле. Помимо женских мелочей в сумочке лежал ключ с позолоченным брелоком в виде медали. На одной стороне медальки стоял номер 824, на другой значилось: «Банк Юнисфер». Кроме того, в сумке Скуратова лежал конверт с фотографиями, записная книжка, веревки с крюками, стеклорез, перчатки, скотч, рыжий женский парик, нож, кусачки и другие инструменты, а также два маленьких фотоаппарата. Среди вещей, вынутых из кармана, — счет ресторана «Маяк», где было указано число.

К полковнику подошел майор:

— Федор Витальич, как с прокуратурой? Надо бы вызвать следователя.

— Никакой прокуратуры.

— Убийство же...

— Никаких убийств. Помалкивай.

— Сами девчонку допросим?

— Составь протокол, но для этого дела мы заведем отдельную папку. Оформлять вызов пока не будем. Москва решит, что делать.

— Понял.

— Что в подвале? — спросил Федоров.

— Сейф выпотрошен. Скорее всего, вор не успел уйти, Скуратов его застукал, вот и пришлось хозяина пришить. Вы не почувствовали запах духов, когда вошли?

— У меня насморк, Толя. Хочешь сказать, что здесь была женщина?

— Нам хотели это внушить, товарищ полковник.

Федоров приподнял брови, выразив этим свое непонимание.

— Слишком стойкий запах, Федор Витальич. В подвале, где нет вентиляции, запаха нет. Меня это немного смутило. Люди, идущие на дело с оружием, надевают перчатки и о духах не думают. На подоконнике стоит флакон духов «Грация» с открытой пробкой. Думаю, его оставили умышленно. Теперь надо выяснить, кто этими духами пользуется, и мы поймем, на кого хотели свалить ограбление. По идее, вор должен был унести флакон с собой, но появление Скуратова смешало карты, он упустил момент.

— Духами пользуются многие женщины.

— Духи арабские, у европейцев редко встречаются. Точнее, их трудно найти. Их используют жены шейхов перед постелью как возбуждающее средство.

Брови Федорова поднялись еще выше:

— Ты меня удивляешь, Толя!

— У меня жена парфюмер, я и нанюхался, и историй наслушался. Она любит рассказывать о своей работе, а я не хочу ее перебивать. И так видимся редко.

— Духи для гарема? — усмехнулся Федоров.

— Опытные шлюхи высокого пошиба должны о них знать. А шлюх у Скуратова хватало. На втором этаже целая коллекция скабрезных снимочков. Я думаю, он использовал женщин для шантажа высокопоставленных лиц. На снимках вы многих узнаете, их физиономии часто мелькают в газетах.

— Да... парень умел наживать себе врагов.

Майор кивнул:

— Согласен. Но такие враги в сейф не полезут. И убить его можно было по дороге от станции, она проходит через лес. Я не думаю, что Скуратова хотели убить, обстоятельства вынудили.

— Именно. Вот что важно, Толя, Скуратова можно было обезвредить. Треснуть доской по башке и убежать, но вор воспользовался пистолетом. Причина? Скуратов его знал и мог опознать. Для этого и аромат духов понадобился. Вор всячески пытался отвести от себя подозрение, и он добился бы своей цели, не застигни его Скуратов на месте преступления. Собери-ка все фотографии и негативы и положи их в багажник моей машины, в управление мы ничего не повезем.

— Понял. Сделаю.

Федоров вышел на крыльцо. Девушка сидела на том же месте, а лейтенант снимал с нее показания.

— Ты останешься здесь, Дина?

— Нет, что вы. Мне страшно. — Девушка напряглась.

— Где тебя искать?

— Улица Жуковского, дом пять, квартира три. Это на Чистых прудах. Вернусь к подруге.

— Ладно. О случившемся никому ни слова. В управление не звони, я сам тебя найду. И еще. Ты арабскими духами пользуешься?

— Я вообще духами не пользуюсь. Веня любит естественные запахи.

— А кто из его знакомых ими пользуется?

— Видела я одну такую бабенку. Инессой ее зовут. Прожженная шлюха. У него с ней свои дела, я в них не лезу.

— Молодая?

— Под сорок. Я видела ее на фотографии с мужиком. Веня потирал руки и сказал тогда: «Ловушка захлопнулась».

— Инесса на него работала?

— На Веню все работают, только сами об этом не знают.

— Откуда узнала о духах, если видела ее на фотографии?

— Встречалась с ней в ресторане. Речь шла о фотопробах. Но к делу это не имеет отношения. Я часто хожу на кастинги, а у Инессы связи. Веня просил Инессу помочь мне.

— Она тебе назначила встречу?

— Да. В ресторане «Марго». Там Инесса обедает и ужинает. Вероятно, работает поблизости. Вульгарная баба и духами от нее несет, как из бочки.

Федоров подозвал майора:

— Покажи Дине фотографии из коллекции Скуратова и запиши имена всех, кого она узнает.

Девушка насторожилась, и полковник похлопал ее по плечу.

— Так надо, Диночка. Вене уже не поможешь, а с твоей помощью убийцу мы найдем быстрее. Ведь ты же этого хочешь?

— Конечно. Без Вени я пропаду в Москве. Он столько для меня сделал.

— Ну вот и договорились.

Полковник подошел к машине Скуратова и сел на переднее сиденье. Машина походила на киностудию на колесах. Тут были экраны, устройства видеозаписи и пульт с сотнями кнопок на длину всей приборной панели. В бардачке лежал пистолет «Беретта». Федоров надел резиновые перчатки и вынул обойму. Четырех патронов не хватало, из ствола пахло гарью. Похоже, Веня уже от кого-то отстреливался, если только сам не охотился за мишенью. Тут же лежала фотография. На снимке были изображены люди, сидящие за столом с шампанским в руках. Среди них банкир Гурьев с женой Анной, но внимание Федорова привлекла молодая брюнетка в белом фартучке и чепчике, с подносом в руках. Лицо девушки было обведено фломастером. На обратной стороне снимка тем же фломастером написан адрес и стоял большой знак вопроса. Эта же девчонка была на фотографии, приклеенной к банковской карточке с логотипом «Банк Юнисфер», только с пририсованными фломастером черными волосами. Банковская карточка валялась в сумке Скуратова вместе с ключом. Пожалуй, с этой подавальщицы и надо начинать раскручивать клубок.

Совать свой нос на территорию Москвы Федоров не имел права, но сейчас, когда министерство прикомандировало его к команде Кулешова, он получил неограниченные полномочия. Полковник был человеком честолюбивым и не хотел играть роль мальчика на побегушках при Кулешове. Он получил шанс сдвинуть дело с мертвой точки, это будет его личным достижением, а если повезет, он размотает клубок до конца, и тогда Кулешов окажется на вторых ролях. Обойти лучшего сыщика Москвы в сложном, запутанном деле — значит открыть себе прямой путь в столицу.

Дав инструкции своим помощникам, Федоров поехал в Москву.

2

Консьержка дома рассказала полковнику Федорову о приезде милиции, о том, как сработала сигнализация, как приехала дочь генерала юстиции Платонова, открыла дверь его квартиры и все увидели генерала, связанного скотчем. Потом на балконе верхней квартиры нашли труп Оксаны Мартынчук. Федоров показал фотографию Скуратова консьержке, потом генералу, репортера они опознали. Картина была такой ясной, что полковнику не понадобилось связываться со следователем, занимающимся этим делом. Французское шампанское и бокал возле трупа... Понятно, Скуратов Оксану не убивал и вряд ли знал ее раньше, иначе он все это забрал бы сразу и не лез в квартиру через балкон. Второе. Посетительница, уехавшая на такси с мужчиной. Прикрывшись собачкой, она сработала под Оксану. Возможно, женщина и была убийцей, а значит, знала Оксану, если та ее не только впустила, но и распивала с ней принесенное шампанское, в которое подмешали яд. Третье. Оксана вернулась домой поздним вечером в субботу, в день ограбления в отеле «Континенталь». И наконец, Оксана работала в доме Гурьевых. С мелочами можно разобраться позже.

Федоров был слишком возбужден, но останавливаться не собирался. Сейчас самое время хватать горячие пирожки из печи. Он сел в машину и поехал в банк.

Полковника принял коммерческий директор банка Фельдман. Федоров подал банковскую карточку Оксаны, где вместо имени стоял номер ячейки, а девушка на фотографии, разрисованная черным фломастером, выглядела так, словно на нее надели парик.

— Вам знакома эта клиентка? — спросил Федоров таким тоном, будто выдвигал обвинение.

— Я не контактирую с клиентами, господин полковник. Как к вам мог попасть внутренний банковский документ?

— Его нашли в кармане убитого прохвоста.

Банкир вздрогнул. «Неженка», — подумал Федоров.

— И что вы хотите?

— Заглянуть в ячейку номер 824.

— Для этого нужна санкция суда, — отрезал Фельдман.

— Хорошо. Как скажете. Но тогда вас затаскают по кабинетам следователей, ваш банк перепачкается в грязи.

Федоров достал ключ от сейфа и положил на стол.

— Арендатор ячейки — Оксана Мартынчук — тоже убита. Она так же была участницей банды. Речь идет о громком преступлении, шума будет очень много. Ваш банк предоставил преступникам сейф для хранения награбленного. Хотите получить такую рекламу?

Фельдман некоторое время молчал. У него задергалось веко левого глаза. Полковник своего добился.

— Мы прослеживаем наших клиентов, чтобы в банк не попадали краденые вещи. У нас даже есть соглашение с вашим министерством, и мы получаем сводки о крупных кражах. Так были пойманы грабители ювелирного салона «Сапфир». Воры сложили награбленное в наши сейфы, а мы сообщили об этом кому надо. Их взяли. Но не в банке, разумеется. Если до криминального мира дойдут слухи о том, что мы устраиваем ловушки, в наш банк никто не пойдет, а это никому не выгодно. Ни нам, ни вам.

— Так о чем мы говорим, если вы сотрудничаете с нами?

— Мы не получали сводок о крупных кражах, у нас нет оснований для заявлений.

— И не будет. Дело государственной важности и носит гриф «Секретно».

— Я должен верить вам на слово?

— Вы разрешите? — Федоров указал пальцем на телефон.

— Да, да, пожалуйста.

Полковник соединился с дежурным по городу.

— Федоров звонит. Найдите полковника Кулешова. Я нахожусь в банке «Юнисфер». Его присутствие здесь необходимо. Да. Я его жду, это срочно.

Он положил трубку:

— Оформим протокол изъятия. Понятых будем набирать с улицы? Вызовем представителей СМИ?

— Авторитета Леонида Палыча вполне хватит.

— Тогда не будем тянуть резину и подготовимся к его приезду.

Фельдман нажал кнопку, встроенную в стол, и в кабинете появилась секретарша:

— Вызовите ко мне начальника службы безопасности с материалами по сейфу 824.

Главный секьюрити появился через десять минут, а Кулешов на пять минут позже. Он был явно заинтригован. Банкир с ним вежливо поздоровался, было видно, что они давно знакомы.

— Пора раскрыть тайны мадридского двора, — с усмешкой сказал Федоров.

— Прошу вас, Алексей Дмитрич, — кивнул Фельдман начальнику охраны.

— Ячейка 824 была арендована в пятницу утром. Девушка положила в сейф шкатулку из слоновой кости. Мы проверили. В шкатулке ничего не было. Пустая. Нам показалось это странным. Аренда сейфа стоит очень дорого и нет смысла платить большие деньги за хранение мелочей.

Охранник выложил фотографии Оксаны Мартынчук, где она оформляет карточку, получает ключ, в хранилище достает шкатулки из сумки.

— В субботу девушка вновь появилась в банке в семь часов тридцать минут. Она положила в свою шкатулку украшения. Ничего особенного. Кольца, серьги, бусы. Мы решили снять наблюдение с ее ячейки. Обычно в хранилище находится от десяти до сорока человек, очень трудно наблюдать за всеми одновременно. Не вызывающих подозрений клиентов мы снимаем с контроля. Известно только то, что клиентка номер 824 еще раз появилась в субботу, в девять вечера.

— Секундочку, — перебил Федоров. — Банк работает в такое время?

— Операционный зал не работает и служащие тоже. Отдел индивидуальных сейфов, не требующий банковских операций по счетам, открыт с девяти утра до двадцати трех часов, выходных нет. У нас очень дорогое обслуживание, и мы не можем ограничивать своих клиентов и ставить их в определенные рамки. Предоставляя неограниченный доступ к нашим услугам, мы оказываемся в привилегированном положении, становимся сильнее конкурентов. Мы не требуем у клиентов документов.

— А вы считаете законным нарушать тайну вклада? — спросил Федоров.

— Да. И прокуратура, и Министерство финансов выступили на нашей стороне, после того как мы обнаружили в одной из ячеек пятьдесят килограммов тротила. Террористов удалось схватить. Наш банк открыт для честных людей, мы гарантируем стопроцентную надежность и безопасность...

— Поехали дальше, — нетерпеливо прервал его Кулешов. — Вы не знаете, что она принесла в девять вечера?

— Можем лишь догадываться. Девушка дважды заходила вхолостую, вероятно, для того, чтобы притупить бдительность служащих. Значит, она знакома с нашей системой. В девять вечера она принесла коробку.

— Уверены?

— Больше она не появлялась. В воскресенье на пульт дежурного поступил сигнал — открылась ячейка 824.

У нас простая система, привожу пример. Приходит человек, предъявляет ключ номер пять. Дежурный пропускает клиента и отсоединяет пятый номер от сигнализации. В воскресенье днем было очень много клиентов, 824-й не приходил, однако ячейка открылась. Значит, пришел человек, имеющий два ключа от разных сейфов, предъявил один номер, а пошел к другому. Получив сигнал, дежурный тут же включил магнитофон, и участок с 824-й ячейкой высветился на экране. Камера сделала несколько снимков. Вот они.

Алексей Дмитриевич разложил фотографии на столе, и оба полковника узнали Скуратова. То, что он держал в руках, не поддавалось никаким объяснениям — на его ладонях сверкало ожерелье из гарнитура «Око света».

— Бриллиантов не было в сейфе раньше, — продолжал секьюрити. — И положить их могла девушка в субботу вечером, а потом передала ключ этому мужчине. Мы не знаем номера его ячейки. В хранилище находилось много народа, было предъявлено более сорока ключей.

— Почему же вы его не задержали? — возмутился Федоров.

— Он ничего не взял, положил бриллианты на место и ушел с пустыми руками. Мы возобновили наблюдение за ячейкой. В понедельник банк получил сводки происшествий, в них не упоминалось ни о каких бриллиантах. Когда пришла другая девушка и предъявила ключ от 824-го сейфа, мы не вправе были ее задерживать. Клиенты могут передавать друг другу ключи, если имеют факсимильную подпись для сличения. Имеется в виду обычный штамп. Вот ее фотографии. Она забрала коробку с бриллиантами и беспрепятственно ушла. Вот эта же девушка садится в машину. Мы даже сфотографировали номер. За рулем кто-то сидел, но мы не смогли разглядеть на снимке кто именно.

Машина принадлежала Скуратову, ее опознали оба полковника, но только Федоров узнал в девушке Дину, Кулешов ее никогда не видел. Это она обнаружила «труп» Скуратова и вызвала милицию. Федоров ее отпустил. А куда ее девать, если следствие ведется подпольно. Сажать в «обезьянник»? На каких основаниях? О выстрелах на даче никому не известно.

— Больше к ячейке никто не приближался, — пожал плечами охранник. — Шкатулка с побрякушками там так и лежит. Это все, что я могу сказать.

Кулешов и Федоров покинули банк. Федоров тут же позвонил в больницу. Ему сообщили, что Скуратову сделана операция и он будет жить, но сейчас больной находится в коме и как долго продлится это состояние, никто сказать не может.

— Я знаю девчонку, которая забрала «Око света» из банка, — уверенно заявил Федоров. — Подружка Скуратова. Поедем к ней, расскажу все по дороге.

Они сели в машину и помчались на Чистые пруды. Федоров стал выкладывать все, что знал, а Кулешов, слушая его, все больше мрачнел.

Дину они не нашли. Подруга сказала, что она уехала на дачу рано утром и не возвращалась. Кулешов вызвал к дому наружников.

— У нас нет ее фотографии. Черт! — зло бросил Кулешов, когда они вышли из дома.

— Должна быть. Веня обожал фотографировать красоток, а Дина даже в заплаканном виде выглядит лучше многих звезд. Проверим. Весь найденный на даче фотоархив Скуратова ребята свалили в багажник моей машины.

Перерыв три коробки со снимками и негативами, всякого повидав, полковники ни одного снимка Дины не нашли.

— Она могла их уничтожить, — предположил Федоров.

— Не обязательно, — возразил Кулешов. — У Скуратова десяток квартир в Москве, миллион фотографий и не одна лаборатория. Девчонка, может, сидит в одной из этих квартир, под своими портретами. Либо она очень напугана, либо напрямую связана с ограблением, а значит, Скуратов завяз в этом деле по уши.

— Я даже уверен, — твердо заявил Федоров. — На пути от отеля до Варшавки есть ресторан «Маяк», где вечером в субботу Оксана встречалась с мужчиной перед поездкой в банк.

— Поехали! — скомандовал Кулешов.

История повторилась. Теперь метрдотелю задавали вопросы высокопоставленные милиционеры. Опять вызвали того же официанта.

— Да ваш парень меня уже спрашивал о девушке, и фотографию показывал. Но я так понял, что он не по уголовному делу приходил, а ревновал свою подружку. Девчонка встречалась с каким-то мужиком, скорее всего по делу. Он зашел на пять минут, выпил и ушел. Да и она не задержалась, тут же ушла.

— Фамилию нашего сотрудника помните?

— В удостоверение написано Скуратов. Имени не помню. Он задавал те же вопросы.

Кулешов достал фотографию Дербенева и показал официанту:

— С этим типом девушка встречалась?

Тот вгляделся.

— Да, похож. Только он не в смокинге был, а в обычной ветровке. Солидный мужчина. Думаю, что он. На девяносто процентов.

— А почему ты решил, что наш сотрудник дознавался из ревности? — спросил Федоров.

— Ну я их видел вместе в нашем ресторане несколько раз. Похожи на любовников. Ворковали...

— Это что же, Скуратов встречался с Оксаной? — удивился Федоров.

— Извините, но имен их я не знаю, — покачал головой официант.

— Я не тебе, дружок.

Сыщики вышли из ресторана и сели в машину.

— Скуратов все знал о ходе следствия, если принимал участие в розыске, мог корректировать ситуацию, но он не мог убивать, — сквозь зубы цедил Кулешов. — В субботу он ни шага от меня не отходил.

— С какого момента, Леня? Он появился в твоем поле зрения после того, как все уже произошло. Убивал он кого-то или нет, мы еще не знаем. В его пистолете не хватает четырех патронов, ствол пахнет порохом. Но он не главный, если его убрали. Бриллианты он хранил в подвале на даче. Отличный тайник. Чтобы попасть туда, надо открыть три бронированные двери, сейф в том числе. Коды могла знать Дина. Девчонка смылась, и фотографии свои уничтожила.

— Но она ничего не украла из сейфа, а вызвала вас. И соседи с ней ехали в электричке. К тому же этот дурацкий флакон духов с открытой пробкой. На что она рассчитывала? Ты же мог ее не отпустить, убийство как-никак! Она первая попадает под подозрение.

— Пожалуй. Кстати, Дина считает Веню мертвым.

— Мы не можем ждать, когда он очухается и заговорит, надо найти «Око света», пока гарнитур еще в городе.

— Ты знаешь, Леня, мне кажется, что на вечеринке «Око света» находилось от тебя на расстоянии вытянутой руки.

— Это как? — не понял Кулешов.

— Скуратов носил его в своем кармане.

— Чепуха.

— Он контролировал ситуацию, чтобы на случай опасности предупредить своих.

— Своих? — удивился Кулешов. — Дербенев с сообщниками сгорел в машине. Хозяйка дома, где они готовились к прыжку, убита. Уборщики из туалета отравлены. Горничная Гурьевых, замешанная в деле, убита. Скуратов? Считай, тоже убит. Его девчонка пропала. Я кого-то забыл? А еще женщина, у которой жил неизвестный с телефоном, с которого звонили Гурьеву и вдовушке из Свиблово и двойник Константинеса. Теперь я никого не упустил.

— Шофера бензовоза. Охранника с парковки отеля. Сколько их? Кто стрелял в Скуратова, кто забрал из его сейфа бриллианты? Где они?

— Надо начинать все заново, но с учетом того, что удалось узнать. Появились новые вопросы к Гурьеву, его жене и к ювелиру.

— Ты прав. Оксана знала банковскую систему работы хранилища. Но откуда? Вряд ли Гурьев стал бы говорить о работе со своей горничной.

— У Оксаны есть уши. Она работала в доме, слышала разговоры.

— Возьмем за жабры Гурьевых, но сначала я хочу выяснить, кто оплачивал горничной царские апартаменты, — решил Кулешов.

3

В подъезде Гурьева дежурила охрана, вместо консьержки — три здоровых лба с оружием. Полковника Кулешова они уже знали и о проблемах в семье слышали. Поднявшись наверх, сыщики позвонили в дверь. Тишина. Звонили настойчиво, но реакции не последовало. Если бы хозяева ушли, охранники сказали бы. Кулешов достал сотовый телефон и позвонил в банк. Секретарша Гурьева сообщила, что Савелий Георгиевич приболел и уехал домой сразу же после совещания, в одиннадцать утра. Пришлось спуститься вниз.

Старший охранник доложил:

— Гурьев приехал около двенадцати дня вместе со своим заместителем Шпаликовым, который часто бывает в доме. На этот раз пробыл у хозяина не более пятнадцати минут. Машина ждала его во дворе. Хозяин из дома не выходил.

— А жена Гурьева?

— Ее увезли ночью в больницу. На носилках. Что с ней случилось, мы не знаем.

— В какую больницу?

— По всей вероятности, в частную. У банка есть своя, ведомственная, больница. Врачи ездят на реамобилях желтого цвета марки «Мерседес». За последний год ее уже второй раз увозят. К другим жильцам приезжают обычные машины «скорой помощи».

— Значит, Гурьев должен быть дома? У вас есть ключи от его квартиры?

— Есть. На случай пожара. Если жильцов нет дома, мы можем открыть доступ пожарным. Но ящик с ключами опломбирован.

— Откроешь квартиру под мою ответственность.

Старший охранник колебался недолго, квартиру открыли. Гурьев с простреленным виском лежал на кровати, в костюме. В правой руке — никелированный «браунинг», подушка в крови.

Кулешов остановил всех у порога:

— Стоп, ребята, дальше ни шагу, сюда могут войти только эксперты. Тихонько проходим на кухню и не следим.

Кулешов тут же позвонил в управление, вызвал бригаду специалистов и велел отправиться в банк за Шпаликовым.

— Ну что, Федя, — вздохнул он, — обрили нас с тобой, нечего рвать на голове. Ни одной волосинки не оставили и дернуть не за что. Девятый труп, не считая Скуратова.

— Что тут скажешь... Разборки миллионеров ничем не отличаются от бандитских. Эстетствуют больше да шумят меньше. Деликатничают, — тихо сказал Федоров.

— Как фамилия? — резко спросил Кулешов у растерянного охранника.

— Симаков.

— Докладывай все, как было.

— В два часа ночи приехала «скорая». В дом вошли два санитара с носилками и врач. Мужчина не молодой. Я их уже видел, когда они в первый раз забирали Анну. Через полчаса ее вынесли на носилках и увезли. В восемь тридцать утра подъехала машина Савелия Георгиевича. Он всегда точен, больше пяти минут шофер его не ждет. Вышел, как обычно, и поехал на работу. В одиннадцать тридцать вернулся домой со Шпаликовым. Поднялись наверх. В одиннадцать сорок пять Шпаликов уехал.

Кулешов глянул на часы:

— Сейчас без пяти три. Мы сможем точно установить время смерти, это важно. Очень важно. Ладно, Симаков, ступай вниз и встречай моих людей. Нечего тебе здесь топтаться, мы и так наследили. Паркет полированный.

— Хорошо. Позовите, если понадоблюсь.

Охранник ушел.

— Скажи мне, Федя, кому выгодна смерть Гурьева?

— Исходя из того, что мы знаем, никому. Суди сам. Перед банком в долгу, большой заем взял, а покойники долги не возвращают. С жены взятки гладки. Колечки в шкатулке и квартира с дачей — вот и все ее наследство. Алина Малахова имела зуб на Гурьева, но смерть банкира бриллианты не вернет. Ей сейчас не до него. Я бы поверил в сговор Скуратова с Оксаной. Мы установили, что квартиру Оксане снимал Гурьев, оплачивал аренду шикарных апартаментов своей горничной. Значит, она ему чем-то платила за внимание. Удивляюсь, имея под боком жену-красавицу, спал с периферийной неказистой бабенкой. Нонсенс! Но факт можно считать установленным. Если ожерелье украли Скуратов и Оксана, а схема позволяет предполагать и такой вариант, то мне понятно, почему уничтожают следы и убирают свидетелей. Игра стоит свеч. Речь идет о заоблачных суммах, за такие деньги можно пол-Москвы уложить. Но Скуратов не мог продать бриллианты. Он выполнял чей-то заказ, и то, что его грохнули, это подтверждает. Оксану тоже убрали, и Дербеня, и остальных. Но Гурьев тут при чем? Он же всем должен, а ему никто ничем не обязан.

— Алина должна вернуть ему залог.

— При условии, если ей вернут «Око света».

— А если Скуратов работал на нее? Забрал бриллианты из сейфа, мог вернуть их Алине или она сама их забрала с помощью Дины, а потом убила Скуратова и, возможно, Дину.

— Зачем ей убивать Гурьева?

— Чтобы не возвращать залог.

— За пять миллионов можно убить, согласен, но ты не учитываешь одной детали, Федя. Никто не знает имени заказчика гарнитура. Арабский шейх... Да их сотни. Представим себе, что Алина сумела вернуть себе гарнитур, выкрала его у Скуратова. Зачем ей трезвонить об этом на каждом шагу? Может быть, шейх уже в Москве? Она передает ему ожерелье и гуд-бай! Кто об этом узнает? Сделка засекречена. Так что Гурьев не помеха для Алины.

Федоров покачал головой, ему версия Кулешова не понравилась.

— Бриллианты в Россию завезены официально и задекларированы, иначе шейх не сможет их вывезти обратно. Такие сделки проходят через Министерство иностранных дел, оформляется куча документов. В таможне у нас работают далеко не святые люди, но с такой сделкой они связываться не станут. Тем более что в прессе все еще мусолится история с ограблением.

Кулешов отмахнулся:

— Гарнитур можно вывезти через посольство Арабских Эмиратов. Посла или консула на границе не обыскивают, у них дипломатическая неприкосновенность. Но эту версию стоит проверить. Мы сумеем договориться с министерством иностранных дел. На деле не стоит гриф «секретно». О заказе даже газеты печатали.

— Я о другом, Леня. Гурьев, не зная о возврате гарнитура арабам, продолжил бы поиски. Вот почему я не вижу смысла в его убийстве. Пока он не вернул бриллианты Алине, залог он не получит. У парня сдали нервы, и он застрелился.

Федоров встал:

— Давай глянем на комнату Анны.

Они зашли в спальню Анны. Здесь Кулешов разговаривал с хозяйкой в вечер ограбления. Сейчас окна были закрыты, стоял запах алкоголя. На кровати скомкана простыня, подушки разбросаны, на полу бутылка виски, пролитого на ковер, рядом стакан. Над трюмо на обоях красовалось пятно желтого цвета, рядом со стулом — осколки разбитой бутылки.

Кулешов присвистнул:

— Ну и кавардак!

На полу стоял телефон, около него лежала раскрытая телефонная книжка. Кулешов подошел и заглянул в нее:

— Тут только один телефон записан — доктор Чваркин И.И.

Недолго думая, он набрал номер:

— Алло, это доктор Чваркин? Здравствуйте. Анна Гурьева у вас? Кто говорит? Полковник милиции Кулешов. Назовите адрес больницы, у нас есть к вам вопросы. Нет, о нарушении врачебной этики не может быть речи, когда дело касается убийства. Диктуйте адрес.

Выслушав ответ, Кулешов положил трубку:

— Анна в частной клинике в Салтыковке.

— Слышал о такой. Это психушка для VIP-персон.

— Надо купить цветочков и навестить больную.

— Хорошая мысль, Леня. Глянь-ка на трюмо. Отличный гарнитурчик из слоновой кости. Вот только шкатулки не хватает. Она лежит в банковской ячейке с номером 824, которую арендовала Оксана. Потом в нее положили побрякушки Анны. Золотишко. И все это зафиксировано на фотографиях, так же как и коробка с «Оком света», которую из того же сейфа забрал Скуратов. Удивительно другое. Сейф арендован в пятницу Оксаной. Она принесла и положила в ячейку только шкатулку. Вопрос. Анна не заметила пропажу? Она ни словом не обмолвилась о шкатулке.

— Этот вопрос мы зададим ей.

В квартире раздался звонок, приехали врач и криминалисты с Петровки.

— Паркет полированный, ребята, начните с него. Убийца не мог не наследить.

Через пятнадцать минут были сделаны первые выводы. Врач определил время смерти банкира — четырнадцать часов, плюс-минус пятнадцать минут. По мнению криминалистов, речь могла идти только о самоубийстве.

— Следов крови на полу нет. Выстрел произведен, когда человек лег на кровать. У виска обожжена кожа и есть следы пороха. У трупа очень тонкая кожа и при насилии остались бы следы. На пистолете нет других отпечатков, на полу нет следов, кроме женских. Домашние тапочки тридцать седьмого размера. Они стоят в коридоре. Очевидно, жены.

— Отправляйте труп на вскрытие. В первую очередь меня интересуют любые примеси, которые могут оказаться в крови.

Через несколько минут появился Степанов с банкиром Шпаликовым.

Полковник отвел майора в сторону:

— Мне нужен список всех жильцов и особенно тех, кто был сегодня дома с одиннадцати до двух. Опроси охрану. Выясни так же, какие квартиры сдаются в наем и кому. Проверь чердачную дверь. Тут есть черный ход. Выход через кухню, но дверь заперта. Вызови на помощь ребят и кинолога.

Разговор со Шпаликовым Кулешов продолжил на кухне. Узнав о случившемся, банкир долго приходил в себя.

— Вы видели его последним, Панкрат Антоныч. После вашего отъезда через два часа Гурьев пустил себе пулю в лоб. В доме не найдено никакой предсмертной записки. Зачем вы приезжали сюда?

— Сегодня проходило совещание, подводились итоги первого полугодия. Ничего утешительного. После такого холодного душа впору застрелиться всем нам.

— Гурьев — один из богатейших людей страны, разве он не мог исправить положение?

— Не смог. У него есть акции алмазного концерна стоимостью в сто миллионов. Это их номинал при покупке, Гурьев соучредитель алмазодобывающей компании в Анголе. Сейчас компания начала получать прибыль в сотни раз больше, чем ожидалось. Мировым монополистом на рынке драгкамней был и остается «Де Бирс». Компания не может вывозить алмазы из Анголы, поэтому были привлечены к работе израильские огранщики. Алмазы стали превращать в бриллианты на территории Анголы. Торговать бриллиантами «Де Бирс» никому запретить не может. Вот почему акции взлетели в цене. Но этот вопрос касается личного капитала Гурьева. Чтобы спасти банк от банкротства, он решил продать акции. Или заложить их. Не знаю точно. Мы убедили его в этом. Решение далось ему нелегко. Но весь фокус в том, что акции он отдал как залог. На несколько дней. За прокат бриллиантов, которые украли, и вы об этом знаете. Ювелир Печерников категорически отказался возвращать акции, пока не получит назад свой гарнитур. И он прав. С юридической стороны к нему не могут возникнуть претензии. Все по закону.

— Теперь акциями может распоряжаться Печерников? Неадекватный обмен, вам не кажется? Они же стоят сто миллионов.

— Хитрость в другом. Печерников лишил Гурьева акций. Я даже не берусь оценивать их стоимость на сегодняшний день. Это может быть миллиард долларов. Но ювелир ничего не получит, акции именные и продать их вправе только хозяин. Для Печерникова акции — лишь бумага, вот почему Гурьев отдал их без особых опасений. Он лишил себя всего, но никого не обогатил.

— А слухи о пяти миллионах?

— Это ставка страховой компании. На эту сумму застрахованы бриллианты.

— Печерников даже страховку не получит?

— Нет. И разумеется, не отдаст акции. У Гурьева не было пяти миллионов для залога. Вы ошибаетесь, считая его богатейшим человеком. И Печерников не отдал бы «Око света» под страховой залог.

— Минуточку, — Федоров поднял руку. — Кто теперь станет официальным владельцем акций после смерти Гурьева? Его жена?

— Вряд ли. Она даже не упоминается в завещании. Этот вопрос будет решаться на совете директоров владельцев алмазодобывающей компании. Если на акции никто не предъявит своих прав, их спишут. Печерников не может стать их владельцем. На него не выписывалась доверенность пользователя с правом продажи. Он лишь хранитель акций, а значит, никто!

Кулешов хлопнул себя ладонями по коленям:

— Убивать Гурьева нет причин. Заинтересованных лиц нет. Однако положение оказалось безвыходным и он решился на самоубийство. О чем вы с ним говорили?

— После совещания он пригласил меня проехать к нему домой. Жаловался на мигрень и усталость, сказал, что хочет поехать на несколько дней на дачу и хорошенько все обдумать в одиночестве, а меня попросил забрать документы, над которым работал дома. Я поехал. Он передал мне папку, мы выпили чаю, и я вернулся в банк.

— Спасибо, Панкрат Антоныч, у нас к вам больше нет вопросов. Возникнут, мы с вами соединимся.

— Похоже, смерть председателя его тоже застала врасплох, — сказал Федоров, когда банкир ушел. — Поедем в больницу, Леня. Мы все время опаздываем, как бы нам на труп Анны не натолкнуться.

— Типун тебе на язык, Федя.

4

К счастью, на труп они не нарвались, но беспрепятственного доступа к больной не получили. Охране закрытого городка было наплевать на полковничьи звания. Посетителей сопроводили в административный корпус в один из коттеджей, утопающих в зелени ухоженного парка. Их принял главврач больницы Игорь Ильич Чваркин, с которым Кулешов говорил по телефону.

— Нам надо задать несколько вопросов больной Гурьевой, — начал с порога Кулешов.

Доктор — пожилой лысеющий мужчина с крупными чертами лица и пронзительным взглядом — указал на стоящие в кабинете кресла. В одно из них сел сам, вероятно, чтобы не выглядеть начальником за своим огромным тяжелым письменным столом, с мордами львов из красного дерева на тумбах. Такого человека невозможно вывести из равновесия, полковники сразу это поняли и утихомирились.

— Объясните цель своего визита, — улыбаясь, сказал врач.

— Сегодня муж вашей подопечной пустил себе пулю в лоб. По веским причинам. Его жена, по всей вероятности, была одной из них. Что с ней?

— Алкогольный психоз. Ничего страшного. Очистим организм от шлаков, восстановим кровь, немного терпения, и через пару недель выпустим. Месяца три продержится. Но если вы приехали к ней с этой новостью, то я вас не пущу, ей стрессы не нужны.

— К убийству она не имеет никакого отношения, — заверил врача Федоров.

— К убийству? — переспросил Чваркин.

— Не цепляйтесь к словам. У нас, как и у вас, своя терминология. Речь пойдет о ее друзьях и вещах. О муже мы не скажем ей ни слова.

— Больше десяти минут я не дам. Согласны?

— Нам хватит.

— Надеюсь. И не вынуждайте санитаров выводить вас силой.

Полковники обалдели от такого заявления, но промолчали.

Доктор сам лично сопровождал посетителей к больной. Трудно себе представить, каких денег стоило лечение в таком пансионе. Назвать больницей мини-город язык не поворачивался. Каждому больному предоставлялся двухэтажный коттедж. Первый этаж занимал медперсонал, второй — пациент. Учитывая специфику заведения, на окнах должны быть решетки, но их не было. Тут стояли пуленепробиваемые стекла.

Анна выглядела вполне здоровым человеком. Впрочем, на фотографиях с ожерельем на шее она казалась более неотразимой. Усталый вид и мешки под глазами не портили девушку. Она лежала в кровати, возле нее стояла капельница.

— А, это вы, полковник. Вечно приходите не вовремя, когда я в постели.

Этими словами она встретила гостей.

Кулешов подошел к кровати, а Федоров и врач остались стоять в дверях просторной светлой комнаты.

— Мы все еще не потеряли надежду найти украденный гарнитур. Я долго вас не задержу, всего пара вопросов. Где ваша шкатулка из слоновой кости?

Она не сразу сообразила, о чем идет речь, но потом вспомнила:

— А... шкатулка. Я ее уронила, и от нее откололся кусочек. Жаль. Память. Оксана отнесла ее в мастерскую, чтобы отремонтировать.

— Давно?

— Кажется, в пятницу. В тот день у меня все из рук падало.

— А где же содержимое шкатулки?

— Спросите у Оксаны... Ах, да, уже слышала. Она перекладывала мое золотишко, найдется где-нибудь.

— Вы ей доверяли?

— Золото? Да. Она два года у нас проработала. Мужа я ей не доверяла, но они обходились без моего благословения.

— Вот оно что!

— Седина в бороду, бес в ребро. Пустился старик во все тяжкие. Перед смертью не надышится, наверстывает упущенное.

Анна саркастически хмыкнула.

— Скажите, а вы пользовались индивидуальными сейфами в банке своего мужа?

— Не очень часто. Но я там ничего не хранила. Иногда он звонил мне домой и просил что-то забрать. Я приезжала в банк и забирала из ящика какие-то пакеты, конверты или коробки. Что в них, я не знаю, все было упаковано.

— Номер сейфа помните?

— Нет. Спросите у Саввы. У них дорожка высвечивается. А... ключ лежит у меня в трюмо. Верхний правый ящик. На брелоке стоит номер.

— Вы не задумывались, зачем муж просил вас что-то забрать, если сам мог принести эти пакеты домой?

— Бог ты мой! Это же банк. Они все друг друга ненавидят. Наверное, Савва что-то воровал втайне от своих. Не деньги, конечно, а документы. У них идиотские порядки. Служба безопасности может проверить ваш портфель на выходе, не взирая на должность. Порядки устанавливались еще до нас, и муж не стал их менять.

— Вы знаете, где живет Оксана?

— Теперь знаю. Где жила. К нам милиция приходила. Ее нашли мертвой в шикарной квартире. Совсем рядом с нашим домом.

— Что вы можете рассказать о ней?

— О покойниках либо хорошо, либо ничего. Я выбираю второе.

— Ваш муж беспокоится о безопасности? У него есть оружие?

— Смеетесь! Он от зажигалки в виде пистолета шарахается, как от гремучей змеи. Была у меня такая игрушка, пришлось передарить. Нет, Савва и пистолет — вещи несовместимые.

— На сегодня хватит, господа, — раздался голос доктора Чваркина.

Спорить с ним не стали.

Сев в машину, Кулешов позвонил капитану Степанову.

5

Списки жильцов проверили самым тщательным образом, сделали копии и переписали телефоны. Начальник вневедомственной охраны Симаков, сам бывший оперативник, уволенный из органов по инвалидности после ранения, старался помочь сыскарям, чем мог.

— Что это за жилец под именем Гост?

Капитан ткнул пальцем в строчку списка.

— Сокращенно от гостиницы. Десятый этаж, девяносто вторая квартира. Ее арендует Академия наук для своих командированных.

— Значит, в дом могут заходить посторонние? Жильцы, которых вы не знаете?

— Они предъявляют ключ с брелоком, на котором выбит номер квартиры. Только на академиков не похожи.

— Кто не похож?

— Жильцы. Сплошные длинноногие красотки. Недели по две живут и меняются. Какие из них ученые! Смех.

— Ключ им выдают в Академии наук?

— Наверное. Мы не суемся в их дела.

— Сейчас там кто-нибудь есть?

— Вчера женщина приходила. Новенькая. Как уходила, не видел. Выходящие из дома нас мало интересуют.

Они сидели в комнате охраны на первом этаже, и на столе стоял телефон.

Степанов снял телефонную трубку и набрал записанный в журнале номер жильцов:

— Никто не берет трубку.

— Значит, ушла, — пожал плечами Симаков.

Появился лейтенант Жиров.

— Ну что? — спросил Степанов.

— Чердачная дверь железная, а замок примитивный, врезной, монеткой открывается. Скважина разработана — дверь часто открывают. Я перочинным ножиком открыл. Пол на чердаке дощатый, чистый, как ни странно. Но что важно, через чердак легко попасть в соседний подъезд.

— А смысл какой? — ухмыльнулся охранник. — Там тоже сидят мои ребята. Мнительные вы мужики. На чердак последний раз антенщики лазили, весной. Чистота там соблюдается, протечек нет, гулять могут только кошки.

— Послушай, Симаков, дело ведет сам Кулешов. Оно на личном контроле министра. Тут каждая пылинка имеет значение. Мы не можем исключать версию убийства. Проморгаем, с нас голову снимут. Я не хочу работать охранником в подъезде, через месяц мне майора должны дать.

— Все, все, врубился, — замахал руками Симаков.

— Врубайся дальше. В других подъездах есть квартиры, сдаваемые внаем?

— В третьем подъезде на пятом этаже. Тоже Академии принадлежит.

— А у вас в доме живет хоть один академик?

— Там же, в третьем подъезде. Доктор наук. Молодой. Уфимцев Денис Сергеич. Он дома, наверное. Книгу пишет.

— А в этой квартире кто-нибудь живет?

— В какой?

Степанов тяжело вздохнул.

— Так. Чтобы не путаться. Мы находимся во втором подъезде, где живет Гурьев. На десятом этаже есть съемная квартира, арендованная Академией наук, в которой проживают сомнительные красотки. Вчера появилась новенькая. К телефону она не подходит. Значит, ушла, но вы не видели когда. В соседнем, то есть в третьем подъезде, есть вторая съемная квартира, тоже арендованная Академией, и там же живет ученый Уфимцев. Так?

— Все так.

— Так вот, я тебя спрашиваю, кто сейчас живет в съемной квартире соседнего подъезда? Тоже красотки?

— А при чем тут соседний подъезд?

— Потому что туда можно пройти через чердак!

— Теперь понял. Там жил один очень солидный мужчина, похожий на ученого. Туда часто приезжает курьер на «Жуке». Долго не задерживается. Всегда с дипломатом или чертежами. Нет, та квартира деловая, а эта бабья.

В кармане Степанова заиграла мелодия мобильного телефона. Он достал трубку и ответил:

— Да, я вас понял, товарищ полковник.

Убрав трубку, спросил у Жирова:

— В квартире убитого остался кто-то?

— Нет. Все закончили. Юсупов мне мобильник Гурьева передал перед отъездом, чуть не забыл про него.

Лейтенант достал из кармана телефон и передал Степанову.

— Отпечатки сняли, выписку звонков сделали. Он возле кровати лежал, на тумбочке.

Степанов проверил последние звонки, скорее машинально, чем с определенной целью. На некоторое время он застыл и наморщил лоб, будто ему задали сложный вопрос. Он глянул в журнал жильцов, и лицо его приобрело удивленное выражение.

— Последний звонок, на который ответил покойный, был произведен из 92-й квартиры, значащей у вас как гостиница. Мы только что звонили туда, никто не ответил. Ему звонили в тринадцать часов семь минут. Перед смертью. В эту квартиру вчера приехала новая красотка.

— Сейчас Кулешов звонил? — спросил Жиров.

— Да. Надо подняться в квартиру Гурова и взять ключ из ящика трюмо. Бери ключи от обеих квартир, Симаков, и пошли наверх.

Ключ в трюмо нашли, и тут пришло время удивляться охраннику.

— Какой номер стоит на брелочке?

— 923, — ответил капитан.

— У нас нет такой квартиры.

— А при чем здесь квартира? — не понял Степанов.

— Так брелочки такие же, как от гостиничных квартир. Один в один.

— Вот оно что. Этот ключ от сейфа в банке Гурьева. Любопытно. Может, ему принадлежит идея? В банке достаточно показать ключ с брелоком и тебя пропускают к сейфу, не спрашивая имени. Здесь та же система —

вам только ключ показывают, а не паспорт. Академия наук до этого не додумалась бы.

— Значит, квартиры принадлежат банкиру? — спросил Жиров.

— Это ничего еще не значит. Давайте глянем на загадочную квартирку, из которой звонили Гурьеву.

Они поднялись с шестого этажа на десятый. Перед тем как открыть дверь, Симаков заглянул в щиток, где стояли электросчетчики.

— Крутится.

На звонки им никто не открыл. Пришлось воспользоваться запасным ключом.

С этой стороны лестничной клетки располагались двухкомнатные квартиры. Гостиная и спальня. Огромная кровать, трюмо, платяной шкаф, богатая обстановка, много косметики и женского белья. В спальне стоял опьяняющий аромат нежных духов.

— Квартира предназначена для женщин, — твердо заявил Степанов.

— Ни одной мужской вещи, — подтвердил Жиров, осматривая шкаф.

— Кроме презервативов, — добавил охранник, указывая на трюмо. — Банкир развлекался. Конечно, его жена целыми днями дома торчит, куда ему баб водить? Устроил себе гнездышко под боком. Но при чем тут Академия наук?

— Вчера сюда пришла женщина, — начал рассуждать Степанов. — Когда она ушла, никто не видел. В час дня из этой квартиры звонили Гурьеву. До баб ли ему было, если мужик собрался стреляться? Или ему помогли? Жены дома нет, ее в больницу увезли еще ночью. Он мог позвать квартирантку к себе. Нам нужно ее описание.

— Бесполезно, ребята, — отмахнулся Симаков. — Килограмм штукатурки на роже, столько же помады, парик, темные очки. Бери любую кралю с обложки журнала, и она подойдет. Их здесь столько перебывало. На «шпильках» они все длинноногие.

— Ладно. А теперь навестим съемную квартиру в соседнем подъезде.

— Холодильник полный, Стас, — уходя, заметил Жиров. — И шампанское есть. То самое, французское.

— Звони ребятам, лейтенант, возвращай бригаду назад, я доложу полковнику. Ты, Симаков, иди за ключами, а мы пройдем в соседний подъезд через чердак.

Так и сделали. Пыль все же была на чердаке. Степанов присел на корточки и зажег спичку:

— Тут не только кошки гуляют, Жиров. Обойдем кругом, чтобы не затоптать. Я вижу слабый оттиск от мужского ботинка. И две вмятины. Такие могут остаться от «шпилек». Может, мне все это мерещится, но в любом случае, для наших следопытов тут работенки хватит.

Описали круг, чтобы не идти по прямой. Спустились вниз и прошли через улицу. На лифте поднялись на последний этаж. Вторая чердачная дверь имела такой же символический замок. Они спустились на пятый этаж и дождались Симакова с ключом. Счетчик 127-й квартиры тоже крутился.

— Холодильник работает, — подсказал лейтенант.

— Охранник сказал, что здесь жил солидный мужчина, но он уехал, и больше сюда постояльцы не въезжали.

Появился Симаков с ключом, открыл дверь.

Первое, что они увидели в передней, — плакат, приколотый к стене. Высокий седоватый брюнет с цилиндром в левой руке, с тростью в правой, в накидном черном плаще с белой подкладкой стоял в полный рост и улыбался. На афише красовалась ярко-красная надпись: «Маг и волшебник Валентин Валентино».

— Так это и есть последний жилец! — воскликнул охранник. — Выходит, он фокусник, а не ученый?

— Он уже труп. Когда ты его видел в последний раз?

— Сегодня у нас пятница, значит, во вторник или среду. Курьер приезжал на «Жуке», они вышли из дома вместе. Сели в машину и уехали. Больше я его не видел.

— Этот фокусник успел побывать греческим миллионером, владельцем яхт-клуба и показать свои фокусы так, что все рты разинули. Идем в комнату.

Обстановка была не столь богатой, как в первой квартире. На кухне удивила грязная посуда, скисшие продукты на столе, в гостиной — бутылки с вином, многие открыты и не полные, в шкафу распакованный чемодан. Кровать разобрана, на тумбочке книга по изобразительному искусству с закладками. Степанов открыл одну из закладок и увидел репродукцию картины, которую украли из отеля. На той же странице было напечатано полное описание шедевра, его ориентировочная стоимость и имя владельца. «Частная галерея в Москве И.Д. Баскакова».

— Так, ребята. Нам лучше посидеть на кухне и подождать полковника и криминалистов, — твердо заявил Степанов.

— Может, зайти к академику? — предложил охранник. — Он живет двумя этажами ниже.

— Хорошая мысль, — согласился капитан.

Дверь им открыл мужчина лет сорока, совсем не похожий на ученого — взъерошенная голова, потертый махровый халат, рваные стоптанные тапочки, узенькие очечки на кончике носа.

— Денис Сергеич, эти люди из милиции, у них к вам есть вопросы. Постарайтесь ответить, но дело серьезное, не навредите себе.

— Я? — удивился хозяин.

— Ваша жена дома? — спросил капитан.

— Да. Гладит белье.

— Тогда выйдите на площадку, там поговорим.

Уфимцев вышел и прикрыл за собой дверь.

— Мы все знаем, Денис Сергеич, — начал деловым тоном Степанов. — Предложение арендовать квартиры вам поступило от Гурьева.

Ученый покраснел и стал похож на перезрелую морковь:

— Да. Он встретил меня с Инессой... Случайно. А потом подошел в клубе и предложил все организовать в нашем же доме. Он готов платить, но только не в открытую. Я договорился с бухгалтерией в секретариате Академии. Савелий Георгич перечислял деньги в Академию наук, а мы — арендаторам.

— К чему такая свистопляска? — спросил Степанов.

— Академия наук арендует много помещений под лаборатории. Банк ничего не арендует, нет такой статьи расходов. Гурьев перечислял деньги Академии якобы за разработки финансовых программ, а деньги шли на аренду квартир.

— Ключ от 127-й квартиры у вас? Той, что двумя этажами выше.

— Я его отдал Савелию Георгиевичу. Мне никогда не везло с женщинами. Попался на третьем заходе. Наткнулся на жену в лифте и больше квартирой не пользовался. Но деньги продолжают поступать. Значит, меня кто-то заменил. Я сам виноват и не стал отказывать Савелию Георгичу в такой мелочи, как аренда помещений. Он до сих пор платит за обе квартиры через нашу бухгалтерию. Значит, они не простаивают.

— Когда вы отдали ключ?

— Давно. Весной. Еще в апреле.

— Хорошо. Спасибо. Больше у нас вопросов нет.

— Моя жена...

— Не беспокойтесь, разговор останется между нами.

— Большое спасибо.

Когда они вернулись на площадку пятого этажа, их уже поджидали оба полковника и криминалисты, вернувшиеся с половины пути.

— Где ключи? — нетерпеливо спросил Кулешов. — Мы должны бегать за вами по подъездам?

— Начнем с этой квартиры, Леонид Палыч. — Степанов указал на дверь. — Не удивляйтесь, но здесь жил покойничек, которого мы недавно нашли. Псевдо-Константинес.

— Открывайте! — приказал полковник.

Плакат с изображением фокусника висел не только в передней, такие же были и в комнатах.

— Как они любят себя, эти артисты, — покачал головой Кулешов, когда капитан доложил ему обстановку. — Валентин Валентино — это же псевдоним, а нам нужно настоящее имя. Труп нашли без документов.

— Значит, мы их найдем, — уверенно заявил лейтенант Жиров.

— Ничего это не значит, Юра. Документы и все остальное унес с собой убийца. Для чего? Чтобы не опознали труп. Артиста трудно не опознать, выходит, его не знают в столице. Приезжий гастролер. Из Минска или того хуже, из Прибалтики.

— В таком случае его вызвали в Москву специально, — разглядывая вещи в шкафу, предположил Федоров. — А вызвать мог человек, знающий о приезде на презентацию отеля Константинеса. Афера готовилась загодя, с учетом всех возможных вариантов. Фокусник лишь звено из длинной цепочки, которую теперь порубили на кусочки и разбросали по разным углам. О! Ключ от сейфа!

— От квартиры, — махнул рукой Степанов. — Гурьев создал в доме ту же пропускную систему, что и в банке. Гляньте на номер, выдавленный на брелоке. 127! Это номер квартиры. Отдайте ключ Симакову.

Федоров бросил ключ охраннику.

— Почему же он не взял его с собой, а оставил в пиджаке на вешалке? Не собирался сюда возвращаться? Без ключа его не впустят в дом, и он не попадет в квартиру. Уходил в спешке и вещи оставил?

Кулешов закончил листать книгу по изобразительному искусству и передал ее Жирову.

— Забери с собой. Это каталог частных российских коллекций, такие есть только у специалистов. Их не выпускают массовым тиражом.

Повернувшись к охраннику, полковник задал вопрос:

— Артист уехал с так называемым курьером на «Жуке». И этот парень появлялся здесь не раз. Так?

— Так точно.

— Почему курьер? Потому что ходил с портфелем?

— Скорее обслуга. Он и продукты приносил. Горячие обеды в кастрюльках. Знаете, есть такие многоэтажные наборчики из кастрюлек, одна на одной. И чертежи в тубах с ручкой. Мы же думали, что здесь ученый живет.

— В тубах он мог носить плакаты, которые развешаны на стенах. Они же огромные, больше метра, — предположил лейтенант.

— Курьер или связной, вопрос не в этом, — пробурчал Кулешов. — Он увез фокусника из дома и в тот же день был найден труп. Артист выполнил свою работу и стал лишним. Я думаю, картины из отеля вынес именно он. Кстати, о птичках. В тубе могут переносить не чертежи, а свернутые в трубку холсты. Тут все понятно. Но это никак не приближает нас к заказчикам. И главное — какая связь может быть между похищением картин из апартаментов и бриллиантами из женского туалета? Не забывайте, что ныне покойный Гурьев — жертва, а не грабитель и мы находимся в его доме.

— Фокусник прилетел в Москву десятого июня из Хабаровска, — сидя на корточках перед шкафом, вдруг сказал Степанов.

Все повернулись к нему.

— Вот. Авиационный ярлык на его чемодане. Номер рейса, число... Фамилию можно узнать из списка пассажиров.

— Хабаровск? Так Гурьев тоже из Хабаровска. Приехал три года назад. Они могли знать друг друга, — предположил Федоров.

— Ладно, ребята. С фокусником все понятно, точнее, ничего не понятно. Но сейчас меня в большей степени интересует гибель банкира. Я хочу осмотреть квартиру, которой пользовались женщины и откуда звонили Гурьеву перед самой его смертью. Переходим в соседний подъезд.

Первое и последнее открытие в квартире на десятом этаже соседнего подъезда сделал Федоров:

— Духи! Я запомнил этот аромат. Арабские. Забыл название. Этот же запах стоял в доме Скуратова, когда мы приехали по вызову Дины. На подоконнике был открытый флакон. Тут на трюмо такой же, но маленький.

Полковник указал на трюмо.

Кулешов долго смотрел на флакончик, потом повернулся к Федорову:

— Тебе не кажется, Федя, что нас пичкают этим запахом? Весь упор делается на женщин. Убийцы — умные люди, работают чисто, изобретательно, но зачем-то следы поливают духами. Они нас за лохов считают?

В квартиру вернулся Симаков.

— Есть одна новостишка.

Он разглядывал начальников, не зная к кому обратиться.

— Говори, — буркнул Кулешов.

— Сегодня утром около одиннадцати часов опять приходил курьер. С тубом для чертежей. Ребята в подъезде ему сказали, что в квартире никого нет. Он ответил: «Я знаю» — и показал ключ. Мне, — говорит, — надо забрать чертежи. Хозяин прислал». Его пропустили. Обязаны, если есть ключи. Ушел он в половине второго. Приезжал на том же «Фольксвагене-Жук».

— Что-то искал? — спросил Федоров, ни к кому не обращаясь. — Но зачем он оставил ключ в пиджаке фокусника? Значит, нашел, что искал. Вопрос в том, какой хозяин его посылал.

— Он мог не заходить в квартиру фокусника, — подал голос Степанов. — Пройти через чердак в этот подъезд, зайти к Гурьеву, застрелить его и уйти.

— Гурьев не стал бы открывать квартиру постороннему.

— Вы забываете, что ему звонили из этой квартиры. Вчера сюда поселилась женщина, сегодня она ему позвонила и пригласила к себе. Он сказал, что жены нет дома и она может спуститься к нему. Так она и сделала. Потом опоила банкира клофелином и открыла дверь убийце.

— Не зря тебя представили к майору, Степанов. Хорошо соображаешь. Только в квартиру артиста он все же заходил. Ключ-то оставил в кармане костюма. Значит, больше он ему не нужен. Фокусник мертв.

— И нигде не наследил, — скептически заметил Жиров. — А может, все намного проще? Гурьев застрелился. Причин для самоубийства у него хватало. Выше крыши!

Убийственная простота выводов лейтенанта опустила всех с небес на землю.

Глава 7

1

В половине третьего ночи старенький уазик, называемый в народе «буханка», остановился в ста метрах от центрального входа в Галерею искусств. На борту машины стояла надпись «Техпомощь». Из нее вышли двое мужчин в синих комбинезонах с пришитыми на груди и спине ярлыками «МЧС». Один из них поддел железным крюком чугунную крышку люка, расположенную на тротуаре в двух метрах от здания, и сдвинул ее в сторону. Они осмотрелись. Улица хорошо освещалась фонарями, но в это время была абсолютно безлюдной. Дверцы уазик вновь открылись, и появились еще двое мужчин, из кабины вышел и водитель. По одному все пятеро спустились под землю с сумками на плечах, последний задвинул над головой крышку люка. Улица вновь опустела. В проточном коллекторе стояла невыносимая вонища. Включили фонари. Длинный сводчатый коридор был в полтора метра высотой. Ноги ночных мастеров по щиколотку утопали в зловонной жиже.

— Начало хорошее, — сказал высокий, шедший первым. — Две недели без дождя. Пара дней хорошего ливня, и нам понадобились бы водолазные костюмы с аквалангами.

— И что бы ты увидел через маску? — буркнул идущий следом.

— По памяти добраться можно, — сказал третий, — целую неделю по этому тоннелю шастали. Я за всю жизнь столько не работал.

— Да уж, Черпак, трудоголиком тебя не назовешь, — усмехнулся Гаврилыч.

— А кто из нас трудяга? — удивился Синий, шедший предпоследним. — Только в зоне, из-под палки, — проворчал.

— Хватит базарить! — приказал возглавлявший шествие Игумен. — Берегите силы, они вам еще пригодятся.

От главного тоннеля вправо шел узкий коридор не больше метра в высоту. Пришлось ползти на коленях, пока не вышли на круглую площадку, от которой в разные стороны отходило еще пять коридоров. Тут можно было стоять в полный рост. На стенах толстые жилы высоковольтных проводов, телефонные кабели, трубы разного диаметра. Команда безошибочно выбрала нужный им коридор и направилась дальше. Через десять метров — новая площадка. Здесь они остановились. С правой стороны находилась кирпичная перегородка в две кладки с пробоиной метр на метр. Вокруг валялся битый кирпич. Когда пролезли в дыру, увидели еще одну стену, тоже с грубой пробоиной. За ней была площадка два на два. Игумен осветил потолок, на нем — четыре стальные коробки, образующие квадрат.

— Включай, — сказал Гаврилыч.

Игумен дотянулся до первой коробки, нажал едва незаметную кнопку на корпусе — загорелся красный огонек и начал мигать. Так были включены все четыре механизма. Игумен достал пульт, вышел в предыдущую каморку, где и столпились все пятеро, прячась за стеной. Глянул на часы.

— Ждать еще семь минут.

Через семь минут из переулка на улицу вышла весёлая компания, человек десять. Молодые ребята веселились, пили шампанское, потом загромыхали фейерверки, как в новогоднюю ночь. Разбуженные жильцы испуганно выглядывали в окна, но, увидев девушку в подвенечном платье, успокаивались. Свадьба! Фейерверк продолжал освещать небо разноцветными огнями. Красота! Охранники музея столпились у окон и с улыбкой наблюдали за танцующей молодежью.

Игумен нажал кнопку на пульте, раздался взрыв. Все четыре коробочки грохнули одновременно. С потолка упала ровная квадратная глыба бетона, образовалось окно, из которого вниз падал слабый свет.

— Охранники могли учуять тряску здания, — не без тревоги сказал Бориска.

— Они на другом уровне, — отмахнулся Гаврилыч. — А главное — у них нет доступа в коридор. Баскаков козел, он даже собственной жене не доверяет. В хранилище может войти только хозяин и тот, кого он приведет с собой. Сам себя обманул, идиот. Так, мужики, вперед!

Помогая друг другу, пятерка вскарабкалась наверх. В длинном коридоре, обшитом дубовыми панелями, горел слабый дежурный свет. Расчет оказался точным, нужная им устрашающего вида дверь была рядом. Стальная махина круглой формы метра два в диаметре, в центре — штурвал, похожий на корабельный, от штурвала шли сверкающие штыри толщиной в руку, и утопали в боковых стенках железного наличника. Штырей было восемь. В центре штурвала светилось табло с цифрами. Грабители остановились.

— Не зная кода, войти в хранилище невозможно, — улыбаясь, комментировал Игумен. — План ограбления прост. Я не думаю, что Дербень над ним долго колдовал. Меня другое поражает. Как он узнал код?

— Сам же говорил, с помощью сканера, — напомнил Синий.

— Херня собачья. Это мы в кино видели. Но даже в кино сканер подключают к каким-то проводам. С чего он будет считывать код? Тут все соединения скрыты за металлом. Монолит. К замку можно подобраться только с внутренней стороны.

— Хватит гадать. Набирай.

Кроме Игумена никто не знал кода. Он, как и галерейщик Баскаков, никому не доверял. Но настоящим лидером был Гаврилыч. Идея ограбления принадлежала ему.

Игумен набрал десять цифр. Табло погасло. Он начал поворачивать штурвал вправо, штыри стали выдвигаться из стены, стягиваясь к центру. Штурвал не дошел до конца, его заклинило. Вновь зажглось табло. Игумен опять набрал комбинацию цифр, но число получилось другим. Теперь штурвал завертелся сам, штыри вышли из пазов, и дверь начала медленно открываться. Все наблюдали за волшебством, происходящим у них на глазах. Дверь открылась, и в хранилище зажегся свет. Квадратная комната походила на зал.

— В чертежах она меньше, чем в действительности, — озираясь, сказал Гаврилыч.

Прямо перед ними у дальней стены стояли стеллажи, слева и справа, выдвижные консоли с картинами, похожие на книжные полки. В каждой консоли висело по пять-шесть картин, многие пустовали. У ближней стены стояли пустые дорогие рамы из золоченого багета. В углу справа — небольшой сейф.

Игумен подошел к стеллажам, прикрытыми занавесками, раздернул их. На полках лежали деньги, множество пачек, перетянутых банковскими лентами. Послышались возгласы восторга.

— Стоп! — Гаврилыч поднял руки. — Работаем четко и слаженно, без суеты. Бориска, лезешь к воздушке, снимаешь с нее решетку и вытягиваешь трос наружу. Игумен, не забудь про сейф. Мы должны вынести все, что обещали, не то нас сдадут. Код в черной сумке. Черпак, я и Синий грузим деньги в мешки Дербеня.

Никто не спорил, Гаврилыч говорил все правильно. Каждый занялся своим делом. Мальчишка забрался по стеллажам к воздуховоду и вывинтил шурупы, державшие решетку. Игрушечный танк стоял в десяти сантиметрах от решетки. Он вытащил его и отцепил карабин с тросом, а потом на два метра вытянул сам трос. Больше не полагалось, все расчеты были сделаны точно.

Черпак забил первый мешок деньгами.

— Ты не ошибся, Гаврилыч, три лимона вошло в «сардельку».

— Гаврилыч никогда не ошибается, — весело заметил Синий, застегивая на молнию второй мешок.

Игумен набрал код сейфа и открыл дверцу. Толстая книга с застежкой лежала на верхней полке, он переложил ее в сумку. Черные папки хранились полкой ниже, он их тоже бросил в сумку. Большего от них не требовали. Но на самой нижней полке он увидел стальную коробку с красивой резьбой, рядом — пистолет. Полированный, с перламутровой ручкой, удобный, маленький, он казался красивой игрушкой. Душа вора не выдержала, и Игумен сунул его в карман, прихватил и коробку, в которой были драгоценные камни, насыпанные, словно песок в сахарницу. Захлопнув сейф, Игумен присоединился к своим.

Мешки, набитые деньгами, подавали Бориске, он цеплял их к карабину и заталкивал в воздуховод, по которому они легко скользили. Следующий мешок цеплялся к предыдущему и шел следом, сдвигая вперед уже загруженные в трубу. Получился своеобразный эшелон.

— Двенадцать! — вытирая пот со лба, сказал Черпак.

— А денег еще много осталось, мешка на два, — с сожалением заметил Синий.

— Жадность фраера сгубила, — проворчал Гаврилыч. — Ты что, решил нам нагадить?

— Ты о чем, Гаврилыч?

— Зачем танк бросил на пол? Подними, засунь обратно в трубу и прикрути решетку на место. О воздушке никто и подумать не должен. Грабители вошли через дверь и ушли тем же путем. С добычей ушли. Пусть ищут следы в канализации.

— Времени жалко.

— Выполняй! — прикрикнул Игумен.

Мальчишка опять полез на стеллажи.

— Так, мужики, не расслабляться. Уходим пустыми, — командовал Гаврилыч. — Берем только черную сумку. Бумажки — не деньги. Сцапают, скажем, что нашли ее в сточной трубе. Дверь хранилища закроем как положено. Если они сумеют что-то доказать и нас прижмут к стене, мы можем сказать, что нам не удалось вскрыть

дверь. Тогда все пройдет по статье за покушение на ограбление. Года по два получим, но оно того стоит. И не
корчите рожи, надо быть готовым к худшему.

Бориска закончил работу и спустился вниз.

— Все! Уходим!

Стальная дверь была закрыта, штурвал поставил
штыри на место. Прозвучал зуммер, на табло зажглись
цифры, число обнулилось.

Уходили тем же путем. Самый ответственный момент
наступил перед открытием люка. Черпак уперся спиной
в крышку и сдвинул чугунный блин в сторону. Пахнуло
свежим воздухом. По одному все вышли на свободу.
Игумен увидел урну у стены здания, подошел к ней и
бросил в нее сумку. Он был уверен, что за ними наблюдают, и ухмыльнулся. Ни одного мешка с деньгами они
не вытащили. Пусть теперь ищут деньги в канализации,
если они на них рассчитывали.

Команда загрузилась в уазик. Улица пустовала, как
час назад. Машина уехала.

Минут десять они мотались по переулкам, пытаясь
обнаружить за собой «хвост». Слежки не было. Заеха-
ли во двор, пересели в джип и поехали дальше. Еще
немного покружили по улицам и, наконец, пересели в
третью машину, огромный внедорожник «Шевроле» с
лебедкой под передним бампером. Теперь они возвра-
щались к галерее, но с другой стороны здания. Машины по пути практически не встречались. Если бы за ними велось наблюдение, они бы его заметили. Останo-
вились возле вентиляционного окошка в стене, все
вышли из машины. Бориска разложил лестницу, приставил ее к зданию и поднялся к решетке. Черпак вклю-

чил движок лебедки и начал отматывать трос. Работали быстро и слаженно. Трос лебедки и тот конец, что лежал в трубе, соединили карабинами. Синий махнул рукой. Шофер поставил скорость барабана на минимальную, и трос начал наматываться на катушку. Все напряженно ждали, кусая губы. Вот появился первый мешок, за ним второй, третий. Четвертый упал на землю. За ним ничего не было — «вагончики» отцепились в пути.

— Черт! Где остальные? — вскрикнул Игумен.

— Восемь штук! — обалдело произнес Черпак.

— Без паники! — прикрикнул Гаврилыч. — Забираем и уезжаем. Бориска, закрой решетку. Мы еще вернемся. Мешки в трубе, никуда не денутся. Карабин вырвало.

Мальчишка закрыл дыру решеткой, собрал лестницу и запрыгнул в машину.

— Уходим. У нас двенадцать лимонов под ногами. Завтра вернемся за остальным, — командным тоном диктовал Гаврилыч. — Труба забита нашими деньгами, и мы их достанем. А вы, дурошлепы, хотели решетку оставить открытой.

Машина неслась по ночной Москве на бешеной скорости. На одном из перекрестков многотонный внедорожник подбросило вверх метров на пять. Взрыв был колоссальной силы.

У случившегося был свидетель, но он пожелал остаться незамеченным. Собралась толпа любопытных. Вызвали пожарных, врачей и милицию, но потом пожалели: по мостовой ветер гонял стодолларовые купюры. Люди ползали на четвереньках и собирали деньги. Когда приехала милиция, толпа мгновенно исчезла, растворилась во дворах и подъездах. Потом выяснилось, что никто ничего не видел.

Начальник охраны художественной галереи Потапов Олег Иванович вместе со своими подчиненными сидел в караульном помещении рядом со входом в здание. «Забивали козла», на экраны мониторов никто не обращал внимания. В ночные часы по залам ходили сопливые девчонки-студентки в униформе, заодно полы протирали. Экономия. Платили им полставки за дежурство в ночь через две, да еще полставки как уборщицам. Выгодно. Какого черта бездельничать, если спать не разрешают. Тряпка, швабра и вперед. Шесть девчонок — три этажа, по пол-этажа на каждую.

В дежурке зазвонил телефон. Женский голос сказал:

— Эй, ребята, у вас пожар на втором этаже.

Потапов повернулся в сторону мониторов. Залы второго этажа не просматривались, экраны будто завесили молочной простыней.

— Мать твою... Самохин, вызывай пожарных! Горим!

Через двадцать минут двери галереи были распахнуты. Возле здания стояло несколько пожарных машин, три кареты «скорой помощи», прибыл наряд милиции. Были и пострадавшие. На каталке вывезли девушку в униформе, погрузили в «скорую», следом вынесли еще одну и тоже увезли. Третью откачивали на месте. Беготня, суета, паника! Пожар есть пожар, к таким бедствиям люди никогда не привыкнут.

Начальник охраны позвонил хозяину галереи. Илья Данилович Баскаков и его жена мирно спали. Им никогда не звонили в такое время. Он трижды чертыхнулся, прежде чем снял трубку:

— Слушаю вас.

— Илья Данилыч, это Потапов. Галерея горит! Пожар!

Баскаков вскрикнул и застыл. В таком состоянии его и застала жена, проснувшаяся от вопля.

— Что с тобой, Илюша?

В ответ молчание. Муж сидел на кровати с открытым ртом. Она увидела телефонную трубку у него на коленях и схватила ее:

— Алло!

— Юлия Михална, пожар в галерее. Потапов говорит.

— Сейчас буду.

Женщина вскочила с кровати, побежала на кухню, достала из аптечки лекарство, накапала капель и вернулась в спальню:

— Вот, выпей, Илюша. Спокойно, не нервничай, тебе нельзя. Этот козел паникует. Я все выясню.

Она залила в рот мужу лекарство, уложила его на подушку и начала одеваться.

Помещения галереи имели хорошую вентиляцию, и дым быстро рассеялся. Пожарные, не обнаружив открытого огня, не пустили брандспойты на полную мощь, не дураки, понимают, что такое картинная галерея или музей. С Петровки прибыл капитан Юсупов и лейтенант Жиров. Командир пожарного подразделения майор Щетинин провел их и начальника охраны по залам второго этажа.

— В таких местах очагом пожара может стать только замыкание электропроводки или умышленный поджог. Ни того, ни другого мы не зафиксировали. Такое сильное задымление может быть только от дымовых шашек. Значит, это устроено умышленно.

— Кем? — возмутился Потапов.

Капитан обернулся.

— Картины все на местах?

— Все. Сигнализация не срабатывала. Отключить ее можно только из караульного помещения, а там нас было четверо. На втором этаже выставлено современное искусство, ценные полотна — на третьем.

— Проверьте!

— Уже проверяют.

— Обратите внимание на вентиляционные люки, капитан, — продолжил пожарный. — Решетки выбиты и валяются на полу. Воздуховод идет вдоль залов, которые тянутся одной цепочкой, один за другим.

— И что?

Юсупов остановился и стал разглядывать на квадратную дыру, образовавшуюся на высоте двух с лишним метров.

— Окна закрыты на щеколды, на стеклах стоят чувствительные сенсоры. Шашки могли сюда забросить через воздуховод.

— Как? — опять возмутился Потапов. — Человек не пролезет через эту трубу. И зачем? Забавы ради? Все цело.

— Надо допросить тех, кто дежурил на этаже. Кто, кроме них, мог задымить помещение, — пожал плечами майор.

— Они отравились дымом, их увезли в больницу. Одну до сих пор откачать не могут. Сопливые девчонки.

Щетинин не слушал охранника.

— Тут тебе надо разбираться, капитан. Мы уезжаем. Отчет я составлю и перешлю вам.

Пожарный направился к выходу.

Юсупов позвонил полковнику Кулешову.

— Леонид Палыч, Юсупов докладывает. В галерее Баскакова устроен псевдо-пожар. Выбиты решетки воздуховода в залах второго этажа. Вы помните о сигналах, полученных две недели назад. Сегодня суббота. Похоже, сработало. Пропажи пока не обнаружены.

— Выезжаю, — коротко ответил полковник.

Через полчаса приехала Юлия Баскакова. Женщина была на грани нервного срыва. Первым делом она быстро обошла все залы музея. Тут и Кулешов подоспел. Картины его интересовали меньше всего.

— Мне нужна схема воздуховода, — сказал он.

— Не раньше понедельника, Леонид Палыч, — пожал плечами Юсупов.

— Выходные отменяются. Всех на ноги поставим.

К ним подошла Баскакова.

— Картины висят на месте. Лучшие отдали Мамедову в отель. Воры выбрали неподходящее время. Я не верю в ограбление.

О полученном предупреждении полковник говорить не стал. Его же потом и обвинят в ротозействе.

— Мамедов что-то дал вам в залог?

— Деньги. Они в хранилище. Туда проникнуть невозможно, оно оборудовано лучше многих банков.

— Воздуховод там есть?

— А как же. Там же хранятся картины, поддерживается определенный климатический режим.

— Мы можем осмотреть хранилище?

— Сожалею. У меня нет доступа. Коды знает только мой муж. — Женщина кивнула на начальника охраны. — Этот идиот так его напугал, что Илья Данилыч чуть не умер. У него больное сердце.

— Кто, кроме него, имеет доступ в хранилище?

— Никто.

Разговор прервал телефонный звонок. Кулешов достал сотовый аппарат.

— Дежурный по городу докладывает. Взрыв на перекрестке Воронцова поля и Покровского бульвара. На воздух взлетел джип. О жертвах ничего неизвестно, но по улице разнесло деньги. Валюта. На место выехали две бригады.

— Понял, еду. — Убрав трубку, Кулешов сказал: — Боюсь, ваши деньги валяются на улице, а не лежат в хранилище. Разбирайтесь, Юлия Михална, со своим мужем, если вас эта проблема интересует. Юсупов со мной, Жиров останется.

Три трупа обгорели до неузнаваемости, два поддавались опознанию, с оторванными конечностями их выбросило из машины. Картина не для слабонервных. Начальник местного отделения милиции подполковник Семушкин описал события со слов очевидцев и по первым результатам осмотра места происшествия криминалистами.

— Шандарахнуло крепко, обломки на двести метров раскидало. Дистанционная бомба большой мощности. Подкладывал ее опытный подрывник. Так, чтобы машину раскололо пополам. Пять трупов. Денег собрали девять тысяч долларов. Какую-то часть разворовали зеваки. Людей было много. На первых этажах трех домов окна повыбивало взрывной волной. У одного трупа найден пистолет «браунинг» калибра 7,62 с патронами от «ТТ» и коробка с драгоценными камнями. Она не пострадала, сделана из прочной стали. В машине уцелели остатки от мешков, застежки-молнии, металлические пряжки. В мешках пепел, но очень похожий на прессованные пачки денег. Мы не трогали, боялись рассыплется. Работают ваши ребята из управления. Сохранились инструменты, связка с отмычками, а также складная лестница из легкого металла. На трупах, что не сгорели, комбинезоны с ярлыками «МЧС». Документов не обнаружено.

Кулешову показали трупы, поддающиеся опознанию.

— Игумнов. Знаю такого, а второй — Спирин. Знатный вор. Лет пять о нем ничего не слышали. Илларион Гаврилыч. Его так и звали Гаврилычем. Обхитрить таких волков мог только один человек — Дербенев. Но именно Игумен сжег Дербенева в машине. Ему отплатили тем же. Стопроцентная месть. Подрывника даже деньги не интересовали.

— Или подрывник не знал о том, что Игумен везет деньги, — предположил подполковник Семушкин.

— Знал. Он же следил за ним. Маршрут мстителю был известен, и он поджидал жертв здесь. Пульт дистанционного управления не мог сработать дальше ста метров, значит, он не ехал следом за ними. Город пустой и нельзя не обратить внимание на машину, идущую следом. Мститель знал план ограбления. Выходит, он был знаком с Игуменом, а то и участвовал в операции, но остался верен Дербеню, которого Игумен убрал со своего пути.

— Похоже, товарищ полковник, вы все знаете, и дело можно считать закрытым, не открывая его.

— Если бы так, Семушкин, я не допустил бы ограбления. На такой фокус мог пойти только Дербень. Его не стало, и мы забыли о планах супервора. Я и предположить не мог, что кто-то рискнет взять его дело на себя. Дербень ни с кем не делился своими планами. У него каждый сверчок знал свой шесток, а общую схему знал только он один. Так что, Семушкин, у меня нет ответов. Есть только вопросы, которые некому задать.

2

Капитан Степанов приехал на Кутузовский к восьми утра. С четырьмя квартирами уже все было понятно, но старший по охране подъездов Симаков настаивал на его приезде, и Степанов, как человек дотошный и дисциплинированный, не мог оставить сигнал без внимания.

— Ну докладывай, Симаков, что у тебя?

— Я тут решил сделать уборку в квартирах, которые арендовал покойный Гурьев. Они же ему больше не нужны, да и денег за них никто перечислять не будет. Начал с квартиры, куда приходили женщины и из которой Савелию Георгиевичу звонили перед смертью.

— Короче, приятель. Мы провели обыск в обеих съемных квартирах, можешь делать в них что хочешь.

— Плохо провели. Вот.

Охранник достал фотографию и протянул ее капитану. На ней были изображены две девушки, сидящие за столиком ресторана, с бокалами в руках. На заднем плане видны другие столики, официант с подносом, оркестровая площадка и даже зеркальный шар, прикрепленный к потолку.

— Где ты это взял?

— Упала за тумбочку у кровати и застряла между стеной и плинтусом. Я подумал, что снимок нужный. Девушка справа — Оксана, горничная Гурьева. Но если он снимал квартиру на десятом этаже подпольно, она не должна была знать о ней. Проболталась бы Анне, жене банкира.

— Гурьев и с горничной спал. Он оплачивал ее апартаменты в десяти минутах ходьбы от этого дома. И сюда мог ее водить. Меня больше интересует другая девчонка. По описанию она похожа еще на одну потеряшку. Ладно, спасибо, Симаков. Задал ты мне задачку, а то у меня их не хватало.

— Это еще не все, капитан. Помнишь, мы ключ нашли в кармане фокусника во второй квартире? В кармане его пиджака, в шкафу.

— Помню. С номером 127 на брелоке. И что?

— Он не подошел к квартире. Я пошел туда делать уборку, а он в скважину не влезает. Ключик сложный и рисунок другой.

Охранник подал Степанову ключ с золотой медалькой.

— Значит, он от банковской ячейки, другого варианта быть не может.

— Это ты уж сам разбирайся.

— Молодец, Симаков. Зря ты из ментуры ушел, отличного опера потеряли.

— Меня «ушли». Но я не жалею, тут безделье, но платят нормально, а там язык на плече, а в кармане фига.

Степанов опять глянул на фотографию.

— Как бы мне этот ресторан вычислить.

— Да... Сейчас кабаков в Москве...

— То-то и оно.

Через полчаса капитан приехал в банк. В служебном помещении висел портрет Гурьева в черной рамке, под портретом стояла корзина цветов. Степанова принял Фельдман. В банке шло кабинетное переселение, люди менялись местами, должностями и мебелью, тут не до милиции. Совершалась мини-революция, но отказать помощнику полковника Кулешова никто не посмел, все знали о следствии.

— Вот ключ, — начал серьезным тоном Степанов. — Мне нужно знать, кому принадлежит сейф и что в нем лежит.

— Мы можем показать вам фотографию абонента, но имени его мы не знаем.

— Начнем с того, что есть.

В личной карточке клиента красовалась фотография фокусника Валентина Валентино, он же ныне покойный Геннадий Барташевич, как выяснилось позже после проверки. Ключ найден в его кармане, но номер квартиры и номер ячейки не могли быть простым совпадением, это мог подстроить только сам Гурьев. Новая головоломка.

В длинном ящике сейфа 127 лежал только футляр для чертежей. Капитан вскрыл его при Фельдмане. Там был очередной плакат — огромная фига, нарисованная фломастером на весь ватманский лист. Степанов выругался.

Сидя в машине, капитан старался использовать все свои дедуктивные способности и пришел к выводу, что фокусник должен был положить в сейф украденные из отеля картины, но вместо них показал заказчикам фигу, за что поплатился жизнью. По всей вероятности, он понял, что украл, и его не устроил обещанный гонорар за работу. Не зря же на тумбочке возле кровати он держал каталог редких коллекций, где имелись цены на полотна. Один только Кандинский стоил больше тридцати миллионов долларов. А что могли заплатить периферийному артисту? Гроши!

Его размышления прервал звонок мобильника.

— Это опять Симаков беспокоит.

— Слушай, Симаков, я за тобой не успеваю...

— Послушай, капитан, тебя вроде ресторан интересовал.

— Угадал по фотографии?

— Нет. Не перебивай. Я сейчас занимаюсь уборкой в квартире фокусника. Помнишь, я рассказывал о курьере, который к нему ходил с чертежами. Он же еду ему приносил в кастрюльках.

— И что?

— Вот тут на кухне, в раковине, лежит такой наборчик. Грязный, немытый. На дне штамп: «Ресторан "Маяк"». Значит, курьер обеды привозил ему из «Маяка», а у нас поблизости такого ресторана нет.

— Ты гений, Симаков. Можешь звонить мне даже ночью.

Из отчетов Степанов помнил о допросе официанта, который проводили Кулешов и Федоров. В «Маяке» встречалась Оксана с Дербенем. Предположительно. А так же официант утверждал, будто Оксана бывала в ресторане с Веней Скуратовым, что никак не соответствовало логике вещей.

Степанов позвонил Кулешову. Номер оказался недоступен. Он перезвонил Федорову.

— Федор Витальич, это Стас Степанов. Есть новости. У меня складывается впечатление, что официант, которого вы допрашивали в «Маяке», и курьер, посещавший артиста Барташевича на съемной квартире на Кутузовском, одно и то же лицо.

— В чем проблема? Давай проверим.

— С учетом пробок, я буду через сорок минут.

— Договорились.

3

Провались оно все пропадом. Неприятности сыпались как из рога изобилия. Неприятности — мягко сказано. Кулешов приехал в дом галерейщиков в неподходящий момент. Тут уже собрался народ, несмотря на раннее воскресное утро. Ночью умер Илья Данилович Баскаков. Юлия не находила себе места и винила себя в том, что бросила мужа, у которого было плохо с сердцем, и полетела в галерею сломя голову. Кулешов прекрасно понимал состояние женщины, но он должен был выполнять свою работу. Юлия Михайловна сумела взять себя в руки.

— Вот, познакомьтесь. Наш адвокат Роман Лукич Лурье. Думаю, что только с его помощью вы сможете открыть хранилище. Вы меня извините, но я с вами не поеду, мне теперь не до галереи.

Кулешов согласился с ней.

Лурье поцеловал вдове руку, и они ушли.

Садясь в машину, Кулешов спросил:

— Вы знаете код доступа в хранилище?

— Ничего я не знаю, Леонид Палыч. У меня хранится запечатанный конверт, переданный мне Баскаковым. Я его должен вскрыть в случае смерти Ильи Данилыча. Вероятнее всего, коды в этом послании.

— Значит, он не мог их поменять, человек с больным сердцем может умереть в любую минуту. Вы бывали в хранилище?

— Да. И не раз. Мы составляли опись картин для реестра, составляли купчие. Илья Данилыч что-то продавал, что-то покупал. Все делалось абсолютно официально и в моем присутствии. Документы такой важности требуют присутствия адвоката, нотариуса и заинтересованных в сделке лиц.

— Получается, что в хранилище допускались посторонние?

— А что это меняет? Туда проникнуть невозможно, да и смысла нет воровать. Они все каталожные, продать их может только хозяин. Коллекционеры не станут покупать ворованные шедевры.

— Я слышал о черных маклерах и фанатичных собирателях, имеющих свои подпольные галереи.

— Да, есть такие. Но игра не стоит свеч. За ворованное добро очень мало платят.

Машину вел майор Панкратов. Они остановились у офиса адвоката.

— У вас есть опись картин, хранящихся под замком?

— Конечно.

— Возьмите их с собой. Мы должны точно знать, что могло пропасть из хранилища.

— Я это уже понял, возьму все документы.

Адвокат вышел из машины, а Кулешов позвонил в управление и вызвал экспертов.

— Вам не кажется странным, Леонид Палыч, что жена Баскакова не имеет доступа к подвалу? Вспомните, переговоры с хозяевами отеля на аренду картин вела Юлия, а не сам Баскаков, — задумчиво произнес Панкратов.

— Я помню, Женя. Юлия Баскакова — отличный администратор, менеджер. Илья — человек искусства. Он далек от земных дел, вся его жизнь была посвящена галерее. Но без помощи жены он не собрал бы и половины того, что у него есть.

— Скупой рыцарь. Прямо по Пушкину.

— Он не один такой. Как они все будут выкручиваться из сложившегося положения? В тупике оказались все. Рашид Мамедов не может вернуть картины в галерею. Их украли. А Баскакова не может вернуть ему деньги. Они сгорели.

— Вы в этом уверены?

— Ни секунды не сомневаюсь. Но самое поразительное в этой истории то, что Дербенев знал о залоге в сто миллионов долларов. Он же не напрасно готовил налет на эту субботу. Зачем ему картины, он работает только с наличными. Я не ошибся. Его интересовали деньги.

— Обратите внимание, Леонид Палыч, в тот же тупик угодили Печерниковы и Гурьевы. У Анны украли бриллиантовый гарнитур, и они не могут вернуть его ювелиру, а Алина не отдаст им акции, пока не получит свои алмазы.

Полковник закурил:

— Крепкий узелок. В первом случае застрелился банкир, во втором случае от сердечного приступа умер галерейщик. И мне совершенно непонятно, кто при таком раскладе остался в выигрыше.

— Тот, кто всю эту кашу заварил.

— Это понятно. Но на данный момент я не вижу никого, кто мог радоваться результатам аферы. Перемудрили. Столько узлов навязали, что сами запутались. Причина простая. Если говорить о сговоре, то тут на ум приходит мудрая басня Крылова «Лебедь, рак и щука».

— Которых запрягли в одну телегу. Значит, вы уверены, что оба ограбления связаны между собой.

— Да. Одни подстраховывали других. Взять, к примеру Константинеса, владельца яхт-клуба. С помощью двойника были выкрадены картины. А где он жил? В доме Гурьева, у которого украли бриллианты. Они могли знать друг друга.

— Слабый аргумент, товарищ полковник. Все пострадавшие в одном котле варились. Узкая прослоечка современной буржуазии, живущая по своим собственным законам, нам их не понять.

— И не надо. У нас другие задачи, майор. Мы должны найти украденное и вернуть владельцам. Воры меня не интересуют, так же как заказчики. Они сами между собой разберутся. Покруче нашего. Если мы найдем картины и бриллианты, история на этом не закончится. Закончится наша с тобой работа, а на продолжение спектакля мы понаблюдаем со стороны, как зрители. Пусть хоть глотки друг другу перегрызут, никто из них не заслуживает жалости и сочувствия. Жалко бывает алкаша, который по пьянке прирезал свою жену кухонным ножом. А когда протрезвел, ужаснулся. Жизнь загублена. Эти же все делают продуманно. Сколько бы они ни имели, им все мало. Таких тюрьма не исправит, прогнили насквозь. Похмельный кошмар и раскаяние им не грозит. Они хищники и живут по законам джунглей.

Вернулся адвокат, и они поехали дальше. Лурье достал конверт с пятью печатями красного сургуча и подал его Кулешову:

— Вскройте сами. Вы власть. Потом составите акт, что вскрыли в связи с необходимостью, вызванной следствием.

— Формальности, — отмахнулся полковник и надорвал конверт, не ломая печатей. Внутри лежал обычный лист бумаги. Кулешов развернул его и прочел:

«В случае моей скоропостижной смерти к хранилищу может быть допущена только моя жена. Ей передаются права на содержание коллекции в должном порядке и на право коммерческих операций, связанных с оборотом средств в пользу развития и расширения галереи, которая должна стать достоянием народа, его гордостью.

Илья Баскаков.

Код № 1 — 0916347212.

Код № 2 — 3976681300

Код сейфа — 1414149991».

Кулешов в общем-то не вдумывался в содержание письма, ему важно было то, что там названы коды доступа. Он вернул конверт и бумагу адвокату.

— Теперь у нас нет препятствий.

Миновав первую дверь, они оказались в коридоре, и тут увидели дыру в полу.

— Два человека вниз, проследить путь, — отдал приказ оперативникам Кулешов. — Здесь должен быть выход на улицу.

Пошли дальше и уперлись в главную дверь.

— Что вы думаете, Леонид Палыч? — спросил майор.

— Думаю, что эту дверь, не зная кода, открыть невозможно. Код они знать не могли.

— Тогда дыру надо было делать не в коридоре, а в хранилище. Расчеты подвели?

— Дербенев не делает пустой работы. Без стопроцентной уверенности он палец о палец не ударит. Открывай.

И вот открылся железный монстр. Первыми вошли эксперты, остальные остались стоять на пороге.

— Проверьте воздуховоды в первую очередь, — приказал Кулешов.

— Никаких дыр в полу нет, — сказал Панкратов.

— Меня интересует, можно ли выйти из хранилища, оказавшись там запертым? Проверь-ка, Гриша! — крикнул Кулешов одному из криминалистов-технарей.

Прошли томительные двадцать минут ожидания, потом впустили всех. Осмотрели стеллажи. По приблизительным подсчетам на полках осталось около шести миллионов долларов.

— Сколько же здесь лежало денег? — спросил Кулешов у адвоката.

— Я этого не знаю. Мне известно, что деньги доставлялись сюда на бронированной машине с усиленной охраной самим Рашидом Мамедовым и его людьми. С ним приехало шесть экспертов по русской живописи. Отсюда же после разгрузки денег он на той же машине вывез тридцать картин. Акты приемки-сдачи составлены в двух экземплярах. По одному для каждой стороны. Расписки оформлялись нотариусом, мое присутствие здесь было не обязательным.

— Отдайте список картин майору или просмотрите с ним вместе, все ли на месте. Я вижу пустые рамы у стены. И откройте сейф. Вы знаете, что в нем?

— Затрудняюсь даже предположить... При мне Баскаков его никогда не открывал.

Сейф открыли. Он был пуст. Адвокат пожал плечами:

— Непонятно, зачем хранить сейф в сейфе?

Подошел технарь:

— Товарищ полковник, с этой стороны можно выйти без кода, тут есть тумблер.

— Значит, дыра в коридоре оправдана. Через нее они уносили деньги. В хранилище мог попасть только один человек, чтобы открыть дверь остальным.

Догадка подтвердилась. Лейтенант показал полковнику игрушечный танк с фонарем на башне, прикрученным скотчем.

— Электронная игрушка. Управляется пультом. В трубе нашел. На саморезах свежие следы от отвертки.

— В такую трубу может влезть только ребенок, — разглядывая воздуховод, сказал Кулешов.

— Упускаете один момент, Леонид Палыч, — вмешался криминалист. — Как мог сюда влезть ребенок или кто-то еще, если решетка была прикручена с внешней стороны?

— Выдавили. Так же как сделали это в залах, чтобы забросить туда дымовые шашки. А перед уходом закрутили. Возьмите с собой пару человек и обойдите здание. Я хочу знать, где они влезли.

— А танк зачем? — спросил лейтенант, продолжая вертеть в руках игрушку.

— Ты же видишь фонарь. Или его в зубах держали? Думаешь, легко по такой трубе лезть.

Подошел адвокат.

— Все картины на месте. Странно.

— Ничего странного, их интересовали только деньги. Налет совершили бандиты, а не любители изобразительного искусства. Это понятно, но есть вопрос, на который я не знаю ответа. На кой черт им понадобилось имитировать пожар и поднимать панику?

— Поищите ответ у Рашида Мамедова, — сказал пожилой мужчина в погонах полковника милиции, начальник научно-технического отдела управления.

— Хорошая мысль. Не зря ты носишь фамилию Светлов.

Кулешов набрал номер телефона, но соединения не произошло.

— Здесь же бункер, Леня, — ухмыльнулся Светлов. — Связь не работает. Пойдем на улицу, заодно и покурим.

Они выбрались из подземелья. Кулешову удалось дозвониться до генерального директора отеля «Континенталь».

— Какую сумму вы привезли в хранилище Баскакова?

— Ровно сто миллионов долларов. Что там произошло? Вся Москва шумит. Я не верю, будто в хранилище можно проникнуть извне.

— Скоро увидимся и поговорим подробнее. Сейчас я занят.

Полковник убрал телефон в карман и улыбнулся Светлову:

— Я тебя понял, светлая голова. В джип не влезет столько денег. На полках осталось шесть миллионов, девяносто четыре испарились. Значит, работала не одна группа.

— А теперь покумекай, Леня, зачем нужен был пожар. Двери галереи распахнули настежь, музей превратился в проходной двор. Подумай о пожарных. В дымовую завесу все заходили в масках, с баллонами за спиной.

— Идею твою понял, Светлов. Но зачем переправлять деньги через воздуховод, если можно вытащить их через канализацию?

— Наверное, на паях работали две банды, которые не доверяли друг другу. И правильно делали. Игумен со своими ребятами погорел в прямом и переносном смысле, но мы ничего не знаем о тех, что ушли невредимыми с другой частью добычи. Кстати, среди пассажиров взорвавшегося джипа ребенка не было. Все мужики крупные. Тот, кто ползал по трубе, ушел с другой командой через музей.

— Но эти десятки миллионов надо было протащить по трубам и вынести из музея! Фантастика.

— Я ни на чем не настаиваю, Леня. Ты сыщик, вот и ломай себе голову. Я говорил только об очевидных вещах.

Кулешов нервничал — все вроде бы понятно, но необъяснимо.

4

Метрдотель пожал плечами:

— Ничем не могу помочь. Желтков ушел в отпуск. В пятницу работал, кажется. Я ведь не знаю их графика.

Федоров и Степанов были растеряны, как дети, которые торопились на новогоднюю елку, а их не пустили.

Капитан показал метрдотелю фотографию двух девушек:

— Может быть, их еще кто-нибудь видел?

— Посидите за столиком, я сейчас поспрашиваю официантов.

— А где живет Желтков?

— Кажется, в общежитии. Ребята должны знать. Сейчас кого-нибудь пришлю.

Ресторан пустовал, он еще не открылся, и сыщики присели за ближайший столик. Степанов осмотрел зал.

— Можно определить по фотографии, за каким столиком они сидели?

Минут через десять к ним подошел рыжий парень лет двадцати пяти. Он вернул снимок и сказал:

— Это я их фотографировал, они сидели за моим столиком. Та, что красивая, дала аппарат, обычную мыльницу, и попросила их щелкнуть. Ее зовут Диной.

— Когда это было? — спросил Федоров.

— В мае. Веселые девчонки.

— Вы их часто видели?

— Нет. Только один раз. Но такую кралю, как Дина, забыть нельзя.

— Вы с Желтковым работаете в одну смену?

— Нет, в разные.

— Значит, в субботу, пятнадцатого июня, вы не работали, — продолжал допытываться полковник.

— Я-то как раз работал, а Семка нет.

Федоров нахмурился.

— Семка — это Желтков?

— Ну да.

— Он обслуживал девушку в субботу, она здесь встречалась с мужчиной в половине девятого, так он мне сказал.

— Вы что-то путаете. В субботу никого из этих девушек здесь не было. Ресторан пустовал. Футбол же был, наши играли. Мне не повезло, у меня смена, а Семка небось у ящика сидел, а не столы обслуживал. Он в субботу не работал.

— Вы знаете, где он живет?

— Прописан в общаге. Он же из хохляндии, не москвич, а живет у вдовушки. Семен — спец по бабам, кочует от одной к другой. В общаге не появляется, и вещей его там нет. Сейчас какая-нибудь одинокая старушка повезла его в Египет или Турцию косточки греть на солнышке. Раньше чем через месяц не объявится.

— У Семена есть машина? — спросил Степанов.

— Горбатенький «Фольксваген». Не его, а какой-то вдовушки, он ей от мужа достался. Сама ездить не умеет, да и ему некомфортно. Ругался.

— Хорошая машина. Юркая, быстрая.

— Для вас. А Семен много лет дальнобойщиком работал, огромные фуры гонял, с прицепами. Навыки другие.

— Номер машины знаете?

— Нет, конечно. Помню, что регион стоял пятидесятый. Значит, машина зарегистрирована под Москвой.

Цвет желтый, бабий. Найти нетрудно, это же не «Форд». «Жуков» у нас мало, даже в Москве.

— Спасибо за совет, — Федоров хмыкнул. — Увидимся еще.

— Значит, все он врал! — сделал заключение Степанов, когда сыщики вышли на улицу. — Морочил голову. Этот же Семен был курьером фокусника и возил ему обеды и тубусы. Он же его и застрелил. Опередил артиста. Разумеется, он мог знать Оксану. Парень был в деле, несомненно. Нам бы понять, на кого он работал.

— Что тебе это даст?

Капитан и полковник стояли возле машины и курили. Оба не знали, что сейчас делать.

— Дальнобойщик! — неожиданно воскликнул Федоров.

— Что? — не понял капитан.

— В день ограбления Желтков в ресторане не появлялся. Он мог устроить аварию на Варшавке. Водитель бензовоза был очень опытным, сумел так вывернуть машину, что прицеп с цистерной встал поперек дороги, фургон Дегтяря врезался в нее и взлетел на воздух, а кабина бензовоза не пострадала, водитель скрылся. Я еще тогда подумал — дело тут нечисто, вполне могли разъехаться. Прямая трасса, хорошая видимость. На том участке никогда аварий не случалось.

— Но бензовоз связан с делом о бриллиантах, а фокусник, пользуясь сходством с Константинесом, работал с картинами.

— Оба ограбления — ветви одного дела, тут нет сомнений. У трупа Игумена найдена титановая коробочка, полная бриллиантов. Ясно, что он ее не из дома прихватил. Зачем галерейщику Баскакову нужны бриллианты?

— Дали на хранение. Его бункер надежней любого банка.

У Степанова зазвонил мобильник:

— А, это ты, неугомонный Симаков! Теперь ложки с вилками нашел? Все, ресторан нас больше не интересует.

— Вам придется приехать. Я сам не знаю, что нашел. Увидите и определите. Думаю, это важно.

— Ладно. Сейчас будем. — Степанов убрал телефон в карман. — Опять охранник с Кутузовского. Толковый малый, я бы такого в свою бригаду взял, не задумываясь. Просит приехать.

— Езжай, Стас, а я к нашим гаишникам смотаюсь, попробую найти «Жука». Их и впрямь не так много, да еще желтых.

Они пожали друг другу руки и разошлись.

У Степанова испортилось настроение, все так хорошо шло и опять сорвалось с крючка. Сколько же можно биться головой о стену?

Охранник в подъезде сказал, что его начальник ждет капитана в квартире фокусника.

— Черт неугомонный, — проворчал Степанов и направился к лифту.

Квартира выглядела чище, но вроде бы все осталось на своих местах.

— Привет, — буркнул капитан. — Сто лет не виделись.

— Я хочу показать тебе фокус, Стас, — сказал он, не заметив иронии Степанова.

Симаков был очень взволнован.

— Ну давай, я цирк люблю.

— Точно. Прямо цирк.

Симаков подошел к стене в гостиной и содрал плакат Валентина Валентино. За плакатом, приколотый кнопками к стене, висел знакомый холст Кандинского. У Степанова отвисла челюсть.

— Это не все, — торопливо продолжил Симаков. — Под каждым плакатом спрятаны картины. Всего их четыре. Что скажешь?

Ничего Степанов сказать не мог. Два часа назад он надеялся найти картины в сейфе банка, но ему показали фигу. Хорошо, сочно нарисованную фигу.

5

Баллистик разложил перед Кулешовым три гильзы и три смятых пули:

— Эту пулю мы извлекли из сердца фокусника Бартошевича, вот гильза, найденная рядом с трупом. Эти две вытащили из тела репортера Скуратова, а гильзы найдены на полу дачи, где его поджидал убийца. И в том, и другом случае использовалось одно и то же оружие — семизарядный «Браунинг». Вы его нашли в кармане Константина Игумнова. В обойме не хватает трех патронов.

Кулешов удивился:

— От «ТТ»?

— Да, Леонид Палыч, они подходят. Бьет по центру капсула гильзы, чуть выше, но стрельбе это не мешает.

— Получается, что и двойника Константинеса, и Скуратова убил Игумен?

— Я докладываю о результатах экспертизы, а выводы делать тебе. На пистолете отпечатки Игумена, других нет.

— Не вижу связи.

— Думай, на то ты и полковник. У меня все.

Кулешов вышел из лаборатории и направился в свой кабинет, где его уже поджидал представитель МИДа. В коридоре он встретил начальника НТО полковника Светлова. Тот обрадовался:

— Хорошо, что наткнулся на тебя, Леня.

— Да, да, про пистолет мне доложили.

— Нет, я о другом. О бриллиантах. Мне показалось очень странным хранить камешки в титановой коробке с магнитным замком. Коробка открывается при нажатии кнопки. Титан защитил камни от взрыва, а замок — от разброса алмазов по всему району. Тебе не кажется, что тот, кто положил алмазы в хранилище, знал, что Игумен их украдет, и знал, что его машина взорвется. Это я так, в порядке бреда. Но все же поинтересовался у специалистов. Бриллианты хранят бережно на бархате или замше, а не в железных коробках и уж тем более не в титановых.

— И как тебе удается, Светлов, загонять меня в угол своими открытиями! Знаешь что, придумай сам ответы на свои вопросы, а потом поделись со мной результатами, — мрачно проговорил Кулешов и пошел дальше.

Несмотря на воскресный день, на прием к полковнику прибыл официальный представитель МИДа.

— Я хотел бы лично разъяснить вам ситуацию, — сразу перешел к делу мидовец. — Мы ценим наши отношения с Арабскими Эмиратами и не хотели бы их портить. Тем более, когда речь заходит об уголовном деле. Год назад шейх Ибрагим абу Фат сделал заказ ювелиру Печерникову и ввез в страну четыреста семьдесят пять пятикаратных бриллиантов. Есть опись, оценка, вес. Все, что требуется в таких случаях. Шейх приезжал со своим сыном Фатом-младшим. Вчера сын прибыл в Россию. Один. В апреле месяце Ибрагим абу Фат погиб в авиакатастрофе. Самолет упал в Красное море и его не нашли. Но смерть отца ничего не меняет. Заказ был изначально оформлен на сына, так как гарнитур предназначен для его невесты. В следующее воскресенье у него свадьба и Ахметдин приехал за заказом. Семья Фатов — одна из самых влиятельных на Ближнем Востоке. Мы очень озабочены сложившимся положением. Я сейчас не говорю о положении ювелира, в которое он попал. На карте престиж страны.

— Спасибо за консультацию. Мы работаем без выходных и перерывов на обед. Я буду держать вас в курсе дел.

Дипломат понял, что аудиенция закончена.

Не прошло и получаса, как Кулешову доложили о появлении в управлении Алины Малаховой. Женщина настаивала на встрече с Кулешовым. Он велел ее пропустить.

Алина, как всегда, была невозмутима. Она молча положила на стол конверт.

— Не знаю, как расценивать это письмо, полученное мной сегодня утром по электронной почте. Скорее всего как хохму. Хотелось бы услышать ваши комментарии на сей счет.

Кулешов достал письмо из конверта. Текст был напечатан на принтере.

«Кому-то везет в жизни, кому-то нет! Так устроен мир. Я вор, но об этом никто не знает. «Око света» похитил я. Меня интересовали бриллианты, а не произведение искусства. Оправа, к сожалению, не сохранилась, а камни я отдал на хранение Баскакову. Он не в курсе, что я ему передал, его ни в чем не вините! Теперь мне стало известно, что даже Баскакова ухитрились обворовать. Снимаю шляпу перед коллегами. Камни попали в руки «уголовки». Мне они их не отдадут, а вам повезло, можете получить свои камешки у Кулешова.

С почтением и уважением, Вор».

Полковник еще раз перечитал письмо. Подумав, спросил:

— Вы можете описать камни, вес и количество?

Женщина достала копию таможенной декларации:

— Тут все сказано. В деталях.

Алина даже не присела, продолжала стоять и холодно наблюдала за полковником. Она не верила дурацкому письму и ждала, когда Кулешов рассмеется по поводу глупой записки.

— Ваш заказчик в Москве. Если вы получите бриллианты, то что получит он? Вернете ему товар и извинитесь? — спросил полковник.

— У нас есть образец, тот, что был в витрине. Вынуть из него хрусталь и вставить бриллианты вопрос двух-трех дней.

— Вас не обманули, Алина Борисовна. Бриллианты у нас, — помолчав, сказал Кулешов.

Лицо Снежной королевы покраснело, у нее подкосились ноги, и она наконец села.

6

Они хорошо выспались, позавтракали, вырядились в дорогие платья и посмотрели друг на друга.

— Вечером закатим настоящий бал, — сказала Катя. — В подвале хранится лучшее французское вино. Как говорится в рекламе: «Ведь мы этого достойны!» Да. Они достойны куска мыла, а мы гораздо большего. Иван не сумел оценить свою жену, ты настоящая находка, Ляля.

Ольга довольно улыбнулась:

— И как ты сумела все это придумать?

— Мы женщины, Ляля. Сильная половина человечества не понимает, что они и только они на самом деле являются слабым полом. Просто мы позволяем им считать себя сильными. Идем. Нас ждут подарки на праздник. Сегодня Троица.

Женщины вышли в сад, обошли клумбу и открыли ворота гаража. Машина стояла в самом центре ангара. Катя открыла задние дверцы старенького фургона и начала выбрасывать мешки наружу. Их было восемь. Ляля расстегнула молнии, и на кафельный пол посыпались пачки с долларами. Мешки раздувались от денег.

— Я до сих пор не могу поверить в то, что здесь двадцать четыре миллиона, — качала головой Ляля. — Сон какой-то. Надо себя ущипнуть. Самое большое, что я держала в руках — было три тысячи, оставленные мне Ваней перед уходом. И то много. Я их до сих пор не потратила. И что нам делать с этим? Мне так мало надо.

— Аппетит приходит во время еды. К богатству быстро привыкаешь, это с нищетой примириться трудно.

Они сидели на полу, забыв о своих дорогих нарядах, и подбрасывали вверх пачки денег, которые рассыпались в воздухе и падали, как осенние листья от ветра.

— Не хотите поделиться? — послышался голос от ворот гаража.

Женщины испуганно оглянулись. Кажется, их радость была преждевременной. В гараж вошли двое мужчин. Против света их трудно было узнать, но, когда они подошли ближе, Ляля произнесла только одно слово: «Ваня!» — и упала в обморок.

— Я всегда знал, что моя жена — гений! — сказал Дербенев.

По щекам Кати покатились слезы.

Конец первой части

Литературно-художественное издание

Михаил Март

СКВОЗЬ ТУСКЛОЕ СТЕКЛО

Роман

Зав. редакцией *Л.А. Захарова*
Ответственный редактор *М.В. Тимонина*
Технический редактор *Т.П. Тимошина*
Корректор *И.Н. Мокина*
Компьютерная верстка *Ю.Б. Анищенко*

Подписано в печать 25.03.2010. Формат 84x108^1/$_{32}$. Усл. печ. л. 18,48.
Гарнитура Academy. Тираж 5000 экз. Заказ № 1930и.

Общероссийский классификатор продукции
ОК-005-93, том 2; 953000 – книги, брошюры

Санитарно-эпидемиологическое заключение
№ 77.99.60.953.Д.012280.10.09 от 20.10.2009 г.

ООО «Издательство Астрель»
129085, г. Москва, пр-д Ольминского, 3а

ООО «Издательство АСТ»
141100, Московская обл., г. Щелково, ул. Заречная, д. 96

ОАО «Владимирская книжная типография»
600000, г. Владимир, Октябрьский пр-т, д. 7
Качество печати соответствует качеству предоставленных диапозитивов

Вся информация о книгах и авторах «Издательской группы АСТ»
на сайте: www.ast.ru

Заказ книг по почте:
123022, Москва, а/я 71, «Книга — почтой»,
или на сайте: shop.avanta.ru

По вопросам оптовой покупки книг
«Издательской группы АСТ» обращаться по адресу:
г. Москва, Звездный бульвар, д. 21, 7-й этаж
Тел.: (495) 615-01-01, 232-17-16